Vaslav

Arthur Japin

Vaslav

Roman

Uitgeverij De Arbeiderspers
Utrecht · Amsterdam · Antwerpen

Eerste druk september 2010
Dertiende druk november 2012

Copyright © 2010 Arthur Japin

Niets uit deze uitgave mag worden verveelvoudigd en/of openbaar gemaakt, door middel van druk, fotokopie, microfilm of op welke andere
wijze ook, zonder voorafgaande schriftelijke toestemming van BV Uitgeverij De Arbeiderspers, Franz Lisztplantsoen 200, 3533 JG Utrecht.
*No part of this book may be reproduced in any form, by print, photo-
print, microfilm or any other means, without written permission from
BV Uitgeverij De Arbeiderspers, Franz Lisztplantsoen 200, 3533 JG
Utrecht*

Omslagontwerp: Nico Richter
Omslagillustratie: Léon Bakst
Foto pagina 371: Jean Manzon

ISBN 978 90 295 8638 2 / NUR 301

www.arbeiderspers.nl
www.arthurjapin.nl

Wil je gelukkig zijn, wees dan gelukkig!

Lev Tolstoj

Inhoud

Peter 11

Sergej Pavlovitsj 123

Romola 215

Peter 297

Nawoord 369

Sankt Moritz, Zwitserland

19 januari 1919

Peter

Je moet worden wie je bent!

Friedrich Nietzsche

En ik heb mevrouw nog zo gewaarschuwd. Maanden geleden al, begin oktober, meteen toen ik het aan zag komen. Kan best zijn dat ik toen te voorzichtig ben geweest, niet hard genoeg, gewoon omdat ik niet goed durfde. Het was ook een ijzingwekkende boodschap, verschrikkelijk! Haar zoiets te moeten zeggen over de man op wie ze haar hele ziel heeft ingezet, voor wie ze haar lijf heeft afgebeuld tot haar spieren ervan scheurden en het bloed in haar schoenen stond. Het ijzer in die wil! Ze heeft voor hem gestreden als een straatmeid en hem veroverd als een strateeg.

En nou dit.

Hoe kun je iemand die liefheeft voor zoiets de ogen openen?

Natuurlijk, het hoort niet dat een man als ik over zoiets begint, maar iemand moest het toch zeker doen? Ik heb het zo rustig mogelijk gebracht. Zakelijk bijna, zoals ik meld dat het bad klaarstaat of dat er aanmaakhout moet komen. Het laatste wat ik wilde was haar aan het schrikken maken, maar mij doet het evengoed pijn het te moeten aanzien. Ons allemaal hier in huis, maar mij misschien nog net iets meer. Ik, die dag in dag uit zoveel uren met hem optrek, had ik het dan zomaar stilletjes moeten laten gebeuren, terwijl ik zie wat er gaat komen? Ik weet als geen ander wat ons vandaag te wachten staat. Ik verzin het niet, ik heb het allemaal al eens eerder zien gebeuren, vroeger in Sils Maria. Niet nog een keer, dacht ik, niet nog een keer!

13

Ik heb het haar gezegd, maar ze wilde het niet horen. Wat had ik dan moeten doen, zwijgen? Ik herkende het gevaar. Ik zag het toch in zijn ogen. Het was mijn plicht daarop te wijzen. Dat is me niet in dank afgenomen. Marie en Lise vielen me nog bij, maar er was er maar één de kwaaie pier, dat voelde je. Die kilte. En later heeft ze dat gezegd ook, dat ik mijn plaats moest weten en dat als ik die niet kende, zij mij weg zou sturen. En desondanks ben ik er nog een keer op teruggekomen – ik moest toch wel!

Nog geen maand later, zodra het vrede was, begon ze brieven te schrijven. Twee, drie keer op een dag stuurde ze me naar de post. Geadresseerd aan theaters in Parijs, Londen en Monte Carlo, aan impresario's en intendanten. Ook zag ik de namen van al die mensen over wie ze het altijd heeft, allemaal kunstenaars, sommigen zo beroemd dat wíj er in dit dal zelfs van gehoord hebben, zogenaamde oude vrienden, al heb ik ze hier nog nooit een voet zien zetten, op wie ze al haar hoop heeft gezet.

Regelmatig bracht ik antwoord mee terug. Dan trok ze de enveloppe uit mijn handen en scheurde hem open alsof haar laatste adem erin zat. Haar blik vloog over het vel, en als het nieuws goed was drukte ze het papier tegen haar borst.

'O Peter,' verzuchtte ze een keer, 'ze zijn hem niet vergeten!'

Toen wist ik zeker dat zij de ernst van mijn woorden niet begrepen had. Dat ze haar zinnen erop had gezet mijnheer weer aan zijn publiek te tonen. Daarvoor komen de meesten van die lui vanmiddag ook hier. Zodra ik merkte dat ze voorbereidingen begon te treffen voor vandaag heb ik al mijn moed verzameld en nog een keer gesproken. Ook voor haar eigen bestwil. Ik dacht dat ik daar goed aan deed, maar je zult zien dat ik er straks de schuld van krijg, zo meteen, als het te laat is.

'Het is goed bedoeld,' zei ze, 'daar twijfel ik niet aan,

maar je zit ernaast, helemaal. Vaslav is amper dertig, wij hebben wel zo'n drie, vier jaar waarin hij zijn volle kracht nog heeft. Jij ziet toch zeker ook dat het zijn leven is? Elke dag is hij ermee bezig, bedenkt hij nieuwe beelden, vormen, nieuwe bewegingen. Plannen voor een school, plannen voor een festival. Wou jij van hem vragen dat allemaal binnen te houden, voor zichzelf, waar niemand het kan zien? Dat zou pas gevaarlijk zijn.'

'Alstublieft mevrouw,' heb ik gezegd, 'sommige mensen zijn nou eenmaal liever met hun dromen alleen.'

5:40

Vanochtend, al voor dag en dauw, begint voor ons de waanzin. Het hele huis in rep en roer. Opgewonden stemmen in het trappenhuis. Geroep in de tuin. Voeten die de trap op rennen.

Lise hoort het in haar slaap. Ze kreunt even, haalt een keer diep adem alsof ze zich wil omdraaien. Ik heb mijn armen om haar heen geslagen en druk haar nog eens tegen me aan, waarop ze weer ontspant. Zo lig ik het liefst, mijn hoofd tussen haar schouders, mijn onderlijf stijf tegen het hare, knieën samen opgetrokken, alsof zij mij op haar rug draagt en me veilig over donzen bergen gidst. Even nog, denk ik, in godsnaam, en zak weer weg. Het volgende moment zie ik onze lijven als de wanden van een dal. Ik zeil erlangs, rakelings, een adelaar die afdalend vanuit de hoge wind de luwte zoekt. Dan wordt er op mijn deur geklopt. Vier korte doffe slagen, die ik in mijn halfslaap als schoten hoor. Ze weerkaatsen in de kloof van Lises dijen waar ik tussendoor zweef. Onder me zie ik de zon in de Inn weerkaatst, een zilveren lint dat de meren van Sankt Moritz, Sils en Silvaplana door-rijgt, maar het volgende salvo schiet me wakker.

Marie is aan de deur, helemaal hysterisch. Ik roep dat ik eraan kom, maak licht en zoek mijn kleren bij elkaar. Lise zucht. Door samengeknepen wimpers kijkt ze hoe ik vechtend met mijn onderbroek op één been door de kamer spring. De lange pijpen, gisteravond laat te gretig uitgetrapt, zitten helemaal verknoopt. Als ik struikel, schiet ze in de lach. Ik leg mijn vinger tegen mijn lippen en geef haar haar kleren aan.

'Het kleintje,' snikt Marie, 'ze is weg.'
Ik knoop mijn hemd dicht terwijl we naar beneden rennen.
'Haar bed is leeg, de voordeur staat open. Kyra, o God, onze lieve kleine Kyra.'
'En mevrouw?'
'Weet nog van niks. Dit mag Miss Grant haar zelf vertellen. Mooie gouvernante is me dat. Die heeft een deken omgeslagen en is zo de tuin in geheld op zoek naar voetstappen, maar het is pikdonker. Jij moet mee om bij te lichten.'
De kou van de nacht hangt in de hal. Ik ga de achtertrap af naar het stookhok, drenk een rag in de petroleum, wind hem om een teerfakkel en wil die aansteken als ik me ineens bedenk. Ik hol terug naar boven, neem de gang op de eerste, stilletjes om mevrouw niet te alarmeren, en steek de overloop over naar de kamer van mijnheer. Ik klop niet aan omdat ik wel weet hoe laat het is, maar open direct de deur en kijk naar binnen.

'Rustig maar,' zeg ik even later tegen Miss Grant. 'Híj is bij haar.'
'Mijnheer Nijinski?'
'Hij is niet op zijn kamer. Hij moet haar uit bed hebben gehaald en meegenomen.'
'Een kind van nog geen vijf, zo uit haar bedje de vrieslucht in? Een vader rooft midden in de nacht zijn eigen kind onder mijn handen vandaan en ik moet rustig zijn?'
De sneeuw van gisteren is opgevroren waardoor er geen sporen zijn. We lopen om de villa heen het pad af naar de stallen.

Net wat ik dacht.

'Hij heeft de slee genomen.' Ik begin Sinbad te zadelen. 'Gaat u maar naar binnen. Met een half uur ben ik terug.'

'Wie zegt dat? Ze kunnen overal wel heen zijn, geen licht mee of niks natuurlijk, nee, die liggen ondertussen ergens in een ravijn.'

'Ik heb een idee waar ik moet zoeken,' stel ik haar gerust. 'Vooruit, terug naar bed nou maar, u bent veel te dun gekleed.'

'Zulke mensen zouden geen kinderen moeten krijgen,' hoor ik Grant achter me foeteren terwijl ik in de stijgbeugels stap. 'Dat zeg ik en ik heb in de Punjab gewerkt tussen de wilden.'

Nog een geluk dat ze daarginds – hoe vaak we dat niet hebben moeten horen – elke dag een paar uur yoga heeft beoefend, anders hadden we haar nu een dwangbuis kunnen aanmeten.

'Wat voor mensen?' Ik wend mijn paard en houd mijn flambouw tussen ons in omdat ik haar gezicht wil kunnen zien. 'Wat voor mensen zouden geen kinderen moeten krijgen?'

'Alsjeblieft Peter,' ze aarzelt, 'dat weet je best.' Het is ongepast over je werkgever te spreken, zeker met iemand die in rang onder je staat. Ze kijkt rond of niemand ons kan horen en fluistert: 'Ze weten geen maat te houden. Ze hebben maar lief en hebben maar lief en of ze daar een ander een stuip mee bezorgen dat is die lui worst.'

Net iets meer dan een jaar is het geleden dat ze hierheen kwamen. Ik zie ze nog zo door het dorp wandelen, mijnheer en mevrouw Nijinski, gewikkeld in ruime Russische bontmantels. Het viel iedereen op. Wij zijn hier heus wel wat gewend aan stralende stoffen en grote hoeden, maar het seizoen was helemaal nog niet begonnen. Het was pas vroeg in december, het dal was verlaten, maar mijnheer en mevrouw zagen hoe hier het leven was en hielden ervan. En het is waar, zij volgen hun hart zoals kuikens een kloek, dus binnen de kortste keren hadden ze Guardamunt gehuurd, de grote villa hoog tegen de heuvel aan de weg naar Chantarella.

Vrijwel alle meubels zaten nog onder grote witte stoflakens toen ik er voor het eerst binnenkwam. Mevrouw stond voor de spiegel. Naast haar op de schoorsteenmantel lag een papier waarop ze de namen van alle gegadigden noteerde. Ik kwam eigenlijk als huisknecht, maar voor het huiswerk had zij Lise al aangenomen en dat vond zij genoeg.

'Je komt uit de streek?'

'Uit Sils, mevrouw, Sils Maria, het eerstvolgende dorp. Als mevrouw van plan is de bergen in te gaan: er is geen pad dat ik niet ken. Mijn hele leven heb ik hierboven doorgebracht.'

'Je hele leven en niet één keer afgedaald?'

'Ik naar beneden? Nee, nooit behoefte aan gehad.'

Ik overhandigde haar brieven van drie vorige werkgevers.

'Heel lovend,' zei ze, terwijl zij ze doorkeek. 'Dus jij spreekt behalve Frans ook Duits en Italiaans? Peter, voor wat wij jou kunnen bieden zijn deze aanbevelingen veel te goed, je zou het in een van de grote hotels moeten proberen.'

'Heb ik gedaan mevrouw, twee winters in het Grand Hotel en een zomer lang in het Monopole. De seizoenen zijn kort. De mensen komen en gaan. Voor hen beteken je niks, mevrouw. Wat ik wil is voor langere tijd bij een gezin zijn.'

Ze keek me aan en schatte me in.

'Wij zijn met zijn drieën, mijn man, onze dochter, die we binnenkort gaan ophalen, en ik. Ik verwacht veel gasten, zeker zo meteen wanneer de oorlog voorbij is. Vanuit de hele wereld zullen mensen komen om mijn man te zien. We moeten ze het comfort bieden waaraan ze gewend zijn. Hun kamers zullen altijd op temperatuur moeten zijn, hun water altijd warm. Ik stel voor dat je gaat kijken in de stookkamer, helemaal beneden, links van de keuken. Maak je de ketels en de apparatuur eigen en als je denkt dat het jou lukt om ons warm te houden nemen we je in dienst. Twintig francs per week, twee dagen vrij in de maand. In de zomer, als er niets te stoken valt, wanneer er niemand is of er schiet om een andere reden tijd over, dan verwacht ik dat je andere taken die zich aandienen op je neemt. Hoe klinkt dat?'

'Vijfentwintig francs zou nog beter klinken, mevrouw.'

Ze vouwde de brieven op en stak ze me toe.

'Nooit zelfs maar de behoefte gevoeld om voorbij dit dal te kijken, hè?'

'Ach,' ik sloeg mijn ogen neer, 'weet u, het is er nooit van gekomen.'

Ze knikte. 'Vijfentwintig dan.'

Sinbad weet het zo zeker als ik. Zonder de minste aansporing slaat hij de weg in naar Maloja. De grond is nachthard, de vers geschaafde sporen van de slee-ijzers glimmen in het maanlicht. Na een paar mijl vinden we mijnheer in de tweede bocht naar de Duivelshoogte op het plateau bij het uitkijkpunt, precies waar ik dacht. Als iedereen elkaar beter zou aanvoelen hoefde geen mens ooit zoek te raken.

Op dagen dat hij zich erg gelukkig voelde heb ik hem hier wel heen gebracht, een enkele keer ook 's nachts als hij te uitgelaten was om te slapen. Diep onder ons lijkt de maan te zijn vastgevroren in het meer.

'Sssst.' Hij tilt een punt op van de bontdeken waarmee zij zich hebben toegedekt, zodat ik kan zien hoe tevreden het meisje in zijn armen ligt.

'Eindelijk slaapt ze,' fluistert hij. 'Ze kroop bij me, midden in de nacht, helemaal overstuur. Ik heb haar dicht tegen me aan gehouden en haar het verhaal verteld van het sneeuwmeisje, en toen wilde zij haar natuurlijk met eigen ogen zien.' Hij kust Kyra op haar voorhoofd en dekt haar weer warm toe. 'Zij voelt de spanning in huis. Het is met kinderen als met kunstenaars, Peter, hun zenuwen staan wijdopen. Daarom moeten we ze onderdompelen in liefde. Zij weten wat er staat te gebeuren, beter dan gewone mensen.'

'Mijn zenuwen zijn godzijdank van smeedijzer, mijnheer, en toch, wat er vandaag staat te gebeuren weet ik zo goed als een ander.' Ik trek de stoof die ik hem gisteravond laat gebracht heb tussen zijn voeten vandaan en probeer nog wat leven in de kooltjes te blazen. 'Kom, het wordt een lange dag met veel gedoe en het meeste komt weer op mijn schouders neer. Vooruit, we moeten u thuis zien te krijgen en in bad, opgewarmd, aangekleed en opgedoft, uitgerust en in de juiste stemming, en dat allemaal terwijl iedereen in huis waarschijnlijk intussen al over zijn toeren is door uw verdwijning.'

'Ik dacht, ik neem haar mee naar buiten. Eerst heb ik haar de sterren laten zien en toen de boom aan de rand van het ravijn. Heb ik jou die weleens laten zien, die oude spar, die mij een keer het leven heeft gered? Ik heb haar voorgedaan hoe ik weggleed en hoe de boom toen, om mij op te vangen, zijn takken heeft uitgestrekt.' Met één arm doet hij het na, zijn vingers wiegend als takken. 'Ze moest erom lachen en zo viel ze in slaap, kuiltjes in haar wangen van plezier. Onthoud dat, Peter, er is maar één medicijn tegen al ons verdriet en dat is de natuur.'

'Echt,' ik draai de lantarens op en doof de flambouw in een sneeuwhoop, 'als u zich dit soort dingen in uw hoofd haalt, laat het mij dan tenminste even weten.'

'En jou wakker maken?'

'Het is erg, maar daar ben ik voor.' Ik bind Sinbad achter de slee en neem de teugels van het sledepaard. 'Nou, hoe doen we het, wilt u zelf mennen?'

Zonder een woord laat hij zich achteroverzakken, zijn blik naar de hemel, één arm uitgestrekt over de rug van de slee alsof er iets achter ons aan rent dat hij de hand wil reiken, en de hele rit naar huis blijft hij zo liggen, roerloos in al zijn kracht, als een van zijn toneelfiguren op de foto's.

Bewegen, mij lukt het niet. Nou ja, bewegen zoals iedereen beweegt, dat natuurlijk wel, rennen, bukken, zitten, maar dat bedoel ik niet. Zulke dingen leer je zonder na te denken, gewoon vanzelf, door te kijken hoe je ouders dat doen, denk ik, of je broers en zusjes en dan doe je ze dat na, geen kunst aan. Wat ik bedoel is iets anders, nog niet eens echt dansen – o God, zoals ik jaar in jaar uit mezelf onmogelijk maak op de meifeesten in het dorpshuis – nee, ik bedoel zomaar een gebaar maken, zoals mijnheer dat durft, enkel omdat hij het in zich voelt opkomen, een beweging die geen enkel nut heeft en voor niemand is bedoeld. Een gebaar maken dat van jezelf is en van niemand anders. Je moet het hem zien doen, dat is iets machtigs, een ruimte vullen met het wenken van een vinger, je lichaam vullen met adem. Dan wordt alles stil, rondom, maar ook van binnen. Beter kan ik het niet uitleggen. Daar zijn denk ik geen woorden voor. Voordat ik bij hem in dienst kwam was ik me er ook niet van bewust dat zoiets bestond. Of misschien heb ik het wel geweten, ooit, misschien wisten wij het allemaal toen we klein waren en zijn we het gewoon vergeten. Best mogelijk dat wij het eens hebben gekund, op onze manier, en dat het eerder een kwestie was van afleren. Opgroeien is doorkrijgen dat al te grote beweeglijkheid ongewenst is. Als kind neem je elk jaar wat verder afscheid van het spelen, telkens ietsje minder zwaaien, minder maaien, geen gehuppel en gehinkel meer. Eerst zie je er niks geks in rond te tollen tot je erbij neervalt, maar op een dag valt het je op dat mensen naar jou kijken, je vertraagt en houdt nog even vol, maar ten slotte, om niet op te vallen, stop je er maar mee. En daarna, ik weet niet precies hoe een man zich een houding aanmeet, maar ik herinner me nog hoe je als jongen op school andere jongens nadoet, die op hun beurt weer de gebaren van hun vaders en hun ooms hebben afgekeken, en zo leer je altijd wijdbeens te zitten in plaats van met je knieën over elkaar, want dat is iets voor meisjes, en hoe je zo moet lopen dat je er de aandacht van een groep jonge vrouwen mee kunt trekken, dat soort zaken. Je beweegt omdat er altijd zo bewogen is, in een eeuwenlange reidans die je niet wilt onderbreken.

Ik was een jaar of acht toen Leidermann, de bontjager van Sils, van de Muraigl naar beneden kwam met een jonge adelaar die zich in een van zijn vallen had verstrikt. Er werd een kooi voor het beest gebouwd. Daarin werd hij onder het bordes van het raadhuis tentoongesteld. Dagenlang bleef de vogel proberen zijn vleugels uit te slaan, maar aldoor raakten ze bekneld tussen de berkenspijlen. Hij stootte zich keer op keer en verloor uiteindelijk zoveel veren dat de huid daaronder zichtbaar werd. Toen viel hij stil. Wekenlang zat hij alleen maar voor zich uit te staren. Uiteindelijk begreep hij dat de mensen hem beloonden als hij voor ze heen en weer wou hippen, dat ze ophielden met steentjes gooien zodra hij begon te schudden met zijn kop, en dat als hij zijn poot optrok en zijn gevaarlijke nagels spreidde, zij een dode muis voor hem ophielden.

Dat wij onze benen kunnen buigen en strekken, betekent niet dat ze ons ook brengen waar we heen willen.

6:16

Ik stop bij de zij-ingang van Guardamunt. Met een beetje geluk slaapt mevrouw nog en kan ik iedereen binnen- loodsen zonder dat zij iets van de verdwijning hoeft te weten. Er komen vandaag nog zenuwen genoeg.

Voorzichtig sla ik het bont op en pak het slapende kind van mijnheer over. Hij laat haar niet meteen los, trekt haar nog even naar zich toe om haar voorhoofd te kus- sen, alsof het om een afscheid gaat.

'Foentjika,' fluistert hij. Dit is zijn koosnaampje voor haar. 'Mooi dromen, zal je?' Dan strekt hij zijn armen uit en vertrouwt mij haar toch toe. Daarbij kijkt hij me zo droevig, dringend aan dat ik de neiging voel hem ook op te pakken en hem op mijn andere arm mee te dragen.

Op dat moment worden op de eerste verdieping de lui- ken geopend van mevrouws slaapkamer.

'Vaslav?' roept ze eerst bezorgd, dan opgelucht. 'Vas- lav, Vaslav!'

Alle stemmen in huis lossen op zodra ik afdaal naar de stookruimte. Op de benedentrap galmen ze nog wat na, maar zodra ik de stalen deur achter me in het slot draai – nooit vergeten, want wie hierbinnen niet bekend is kan zich lelijk branden – verdrinkt alle menselijke on- rust in het geratel en geborrel van de buizen. Dat stopt nooit. Gisteravond heb ik, zoals altijd, na twaalven de schuiven voor de luchtinlaat gedaan. Dan dooft het vuur binnen een half uur. Een tijdlang hoor je het ijzer nog krimpen, maar in de woonvertrekken wordt het ten slot- te stil. Hierbeneden echter komt het nooit helemaal tot rust. Zelfs afgelopen zomer, toen de familie op reis was en alles werd afgesloten omdat er geen vraag was naar verwarming of heet water, hoorde je na dagen nog leven in de buizen, een onverklaarbaar klepperen, of er siste ergens iets, alsof na al die dagen rust toch ineens nog ergens stoom ontsnapte.

Volgens de koperen plaat boven de oven is de hele installatie in 1878 in de kelders van de villa ingebouwd. Destijds was dit het nieuwste van het nieuwste. Mijn grootmoeder zegt dat ze het zich herinnert omdat er voorspeld werd dat de ketel te groot zou blijken en de buizen te dun zodat die de druk niet zouden verdragen. Door het hele dal werden weddenschappen afgesloten op de exacte datum waarop Villa Guardamunt de lucht in zou gaan.

Het gevaarte dat hier is opgetrokken is meer dan manshoog en vult driekwart van de ruimte. Het bestaat uit een reservoir met een stelsel van kronkelende buizen, waardoor het water onophoudelijk langs de gietijzeren stookoven wordt geleid, zodat er in alle kamers altijd warm water uit de kranen komt. Onderweg passeert het enkele radiatoren die in de belangrijkste vertrekken staan opgesteld, zodat de temperatuur daar ook in de winter aangenaam blijft. Tenminste, dat is het principe. In de loop van de jaren heeft de installatie nogal wat geleden. Dit huis wordt sinds jaar en dag verhuurd. Veel reparaties zijn te laat en provisorisch uitgevoerd, waardoor de problemen zich hebben opgestapeld. Omdat de techniek kort nadat alles hier werd aangebracht, alweer in onbruik raakte en de huizen in de omgeving inmiddels veel eenvoudiger warm worden gehouden, werd het steeds lastiger werklui te vinden die de reparatie van dit ijzeren monster nog aandurfden. Uiteindelijk, toen de ongemakken van het aanhoudende sijpelen van roestwater en het geratel niet meer opwogen tegen de gemakken, zijn bepaalde kamers van het systeem afgekoppeld. Daar werden de oude haarden weer in gebruik genomen. Sindsdien is de verdeling van de waterdruk ontregeld. Op de eerste verdieping komt zelden voldoende water uit de kraan en nooit genoeg om een heel bad te vullen, dus om dat op temperatuur te krijgen breng ik altijd nog wat emmers.

Iedereen kankert op deze machinerie. Er zijn al plannen om alles te moderniseren, maar mij wordt niks gevraagd, terwijl ik het ben die zich in het zweet werkt om alle tekortkomingen op te vangen. Hoor je mij klagen? Natuurlijk, ik vervloek die hoop schroot ook weleens, maar het is toch mijn plek.

Ik voel mij hier als Kyra in haar kamertje, dat mijnheer met kleurige wandschilderingen helemaal voor haar heeft omgetoverd tot een Russisch sprookjesbos. Zoals zij daar vrolijk kan zitten staren naar de arme Petroesjka met zijn strooien kop, zo raak ik hier nooit uitgekeken.

Al die techniek blijft iets machtigs voor een man. Dat is nu eenmaal zo. Iets wat grote krachten genereert willen wij uit elkaar halen, wij willen het zijn wonder ontnemen en de werking ervan kennen, zoals iedere man dat met zijn eigen kracht zou willen doen om die te kunnen begrijpen en beheersen. Maar er is iets anders wat mij aantrekt tot die ruimte. Meteen op mijn eerste dag, toen de vorige huisbewaarder met mij een ronde had gemaakt langs alle badkamers en de haarden die ik met de hand moet stoken, het hakhok en de houtvoorraad, de bakken voor de as, de wasketels en de heetwateremmers, en hij als allerlaatste, waarschijnlijk om de teleurstelling uit te stellen, de deur naar de stookkelder voor me opende en met een grafgezicht opzij stapte om mij erin te laten, voelde ik me best op mijn plaats op die vreemde plek met al zijn meters, zijn kleppen en zijn hendels. Mij deed het denken aan afbeeldingen die ik uit boeken ken van stoomtreinen of scheepscabines of, omdat het allemaal zo onoverzichtelijk is, misschien nog meer aan de machinekamer van een of andere fantastische vinding

26

van Monsieur Verne. Ja, volle kracht vooruit! Dit is mijn schip, als ik dat wil. Ik ben de kapitein en rondom rollen golven, hoog als bergen.

6:30

Het eerste warme water is voor Lise. Sinds wij in Villa Guardamunt wonen is dit het eerste wat ik doe zodra ik het vuur heb aangemaakt, haar een kan vol brengen en een hete kruik.

Zij heeft al licht gemaakt en zit in bed op me te wachten, diep in de dekens weggedoken. Ik blaas de stoomdamp uiteen om haar gezicht beter te zien. Ze slaat het dek voor me open. Ik zet de kan op de wastafel en ga bij haar zitten. Ik schuif de kruik tegen haar voeten en masseer ze even. Dan trekt ze haar benen op zodat haar hielen haar billen raken. Die pak ik beet en ik trek haar een beetje naar me toe.

'Het is een gekkenhuis vandaag,' fluister ik, hoewel mijn hand zich niets aantrekt van mijn woorden. 'Iedereen is op, ik moet echt aan de slag.'

'Natuurlijk,' zegt ze en doet haar knieën een beetje uit elkaar, 'ga maar gauw doen wat je moet doen.'

Lises vader en de mijne waren als jongens al bevriend. De middag dat ze hun schooldiploma op zak hadden zijn ze naar Pontresina gewandeld en hebben het daar in de herberg op een drinken gezet. Van het beetje geld dat ze hadden gespaard hebben ze samen hun eerste nacht met een vrouw bekostigd, en tegen de ochtend hebben ze zich met hun dronken koppen, alleen om nog een rondje te kunnen geven, laten ronselen voor het Oostenrijkse leger. Zodra ze hun tijd hadden uitgediend zijn ze arm in arm naar huis gewandeld met de belofte nooit meer een voet buiten hun dal te zetten. Ze hebben er de hellingen afgegraasd op zoek naar hun geluk, en nog datzelfde jaar zijn ze getrouwd met twee hartsvriendinnen, de een de dochter van een bakker, de ander van een geitenherder, die iets verderop woonde aan de oude Romeinse weg bij San Gaudenzio. Toen mijn vader een zoon kreeg en een week later de eersteling van zijn vriend een dochter bleek te zijn, wist iedereen in Sils hoe het tussen die twee zou lopen.

Zo lang ik me herinner hebben Lise en ik met elkaar gespeeld, en hoe de spelletjes ook veranderden, in feite zijn we daarmee nooit gestopt.

'Maar houdt ze van je?' heeft mijnheer een keer gevraagd. Afgelopen voorjaar was dat. We maakten een lange trektocht op de Morteratsch.

Ik kan goed tegen de hoogte, dus dat kan het niet geweest zijn, maar ik moest er erg om lachen. Die vraag kwam bij me aan alsof ik dronken was. Dan kun je dat zo hebben, dat al die woorden door je hoofd waaien als papiersnippers op hete lucht. Binnensmonds herhaalde ik ze een paar keer, maar voor goed begrip was ik gewoon te wankel.

'Soms houden mensen zo veel van je dat je ze jezelf niet meer kunt weigeren,' sprak hij. 'Dan mag je ze niet meer afwijzen, want dat zouden ze niet overleven.'

Ik zette mijn rugzak neer en probeerde weer op adem te komen.

'Ze doen het niet om je kwaad te berokkenen, ze kunnen niet anders. Je mag het ze vooral nooit kwalijk nemen.'

'Niks hoor,' zei ik, 'nee, zo erg is het met mijn verloofde niet.'

'Gelukkig dan maar.' Hij pakte mijn rugzak op en hing hem over zijn schouder naast die van hemzelf. 'Ach, er

zijn ergere dingen die mensen je aan kunnen doen dan
hun zinnen op je zetten.'

Zonder aanloop sprong hij op het volgende rotsblok.
Die conditie van hem is iets verschrikkelijks. Terwijl
ik bezig was diezelfde hindernis te nemen, schoot hij al
voor me uit, de helling over als een gems.

Ik speel met mijn lippen rond haar linkertepel, zuig er
even op en zet hem klem tussen mijn tanden. Zij gooit
haar hoofd opzij, hapt naar lucht, welft haar rug. Ik sla
mijn armen eromheen en trek haar met een ruk tegen
me aan. Zij drukt haar nagels in mijn schouders alsof ze
me weg wil duwen, maar ze weet net zo goed als ik dat
ik voorlopig niet meer loslaat. Lise houdt haar adem in,
maar het puntje van mijn tong, dat ze verwacht, houd ik
nog even achter tot ze erom kermt.

Het zal op diezelfde tocht over de Morteratsch zijn geweest dat mijnheer mij ineens vroeg hoe oud ik eigenlijk
was.

'Moet je nagaan,' zei hij, 'al ouder zelfs dan ik. Dan
mag je wel voortmaken, man, als je met haar nog een
gezin wilt stichten.'

Wanneer mijn moeder hierop zinspeelt – elk bezoek
minstens één keer, maar meestal vaker – weet ik me er
altijd wel met een kwinkslag van af te maken, maar nu
overviel het me. Ik deed alsof ik al mijn aandacht voor
het klimmen nodig had, maar de verwarring stond kennelijk op mijn gezicht te lezen.

Mijnheer zag het een tijdje aan en knikte toen alsof ik
antwoord had gegeven.

'Ach,' zei hij begrijpend, 'staan de zaken zo,' maar ik
durfde voor geen goud te vragen wat het dan was wat hij
in mijn blikken had gelezen.

Haar huid. Ik heb hem week en wit gezien, vroeger, als ze ons samen in de tobbe deden en ons dan vergaten omdat je, zolang wij maar konden poedelen, geen kind aan ons had. Vuurrood zag ik hem elke augustus wel een keer, wanneer we te lang hadden gezwommen of in slaap waren gesukkeld op het strandje van Isola, en niemand er een vinger naar mocht uitsteken behalve ik, om hem voorzichtig met stremsel in te smeren, zachte, gele klodders die haar vader gebruikte voor het maken van zijn geitenkaas. Hadden we elkaar weer eens te hard achternagezeten over de bergpaadjes dan pulkte ik het gruis uit de schaafwond op haar dij of hand of knie, ik waste hem uit, nam de pijn weg met een kus, zoals mijn moeder altijd deed bij mij, en ik bond er wolfskers op en wilde cichorei om ontsteken te voorkomen. Ik ken haar vel nog mollig van toen wij kleuters waren, vol babyvet waarin kuiltjes achterbleven als je er met je vinger eventjes in priemde, en dun heb ik hem gezien, alsof het een zemen lapje was dat over haar botten hing, die winter waarin haar longen het begaven en iedereen dacht dat Lise haar zestiende verjaardag niet zou halen. Ik ken die huid. Ik kan hem dromen. Als zij zich gestoten heeft voel ik de blauwe plek voordat hij opkomt. Geen vlekje dat erop verschijnt ontgaat me. Ik zie hem veranderen. Nu al. De poriën zijn wat groter geworden. Er zitten kleine marmeren streepjes aan de zijkant van haar billen. Soms druk ik ergens haar vel een beetje samen, op haar hand of tussen haar schouderbladen, de binnenkanten van haar dijen, en probeer me voor te stellen hoe het zal zijn over heel veel jaren als wij nog eens tegen elkaar aan rollen of naast elkaar gebogen zitten voor het vuur.

Zoals ik die huid ken, ken ik dit dal. In de zomer droogt de grond zodat hij breekt, daarna spoelt de regen hem tot modder zodat alle oude sporen oplossen. Dan trekt de kou de bodem in en maakt hem hard totdat op een dag de sneeuw komt en hem afdekt, zodat hij onder de witte deken langzaam weer ontdooien kan en al het nieuwe leven kan voeden. In het voorjaar ga ik de bergen rond om te zien welke sporen de gletsjers hebben getrokken, waar het land verschoven is en welke bomen zijn gesneuveld. Dit dal, haar huid, ik weet dat er daarbuiten nog een hele wereld is, maar ik had er nooit behoefte aan.

'Baden!'

Lises snelle ademhaling stokt. Ze bijt in mijn schouder om de uitloop van een diepe kreun binnensmonds te kunnen houden. Haar hele lijf verstart, haar benen, die ze rond mijn rug geslagen heeft, scharen van schrik om mijn middel als een wildklem.

'Peter?'

Het is de stem van mevrouw. Normaal komt ze nooit boven, maar nu klinkt zij al halverwege de trap.

'Baden graag.'

Lise en ik kijken elkaar aan. We luisteren. Zolang wij niet getrouwd zijn, heeft mevrouw ons laten weten, duldt zij onder haar dak geen geflikflooi. Een tel of wat liggen we stil, maar dan pakt mijn onderlijf de draad weer op. Als vanzelf wil het nog even door met een paar lange, trage halen. Ook het hare voel ik stuipslokken als een hongerig vogelbekje in een nest.

Ineens een roffel op de deur.

'Lise, ben je daar?'

Ik heb hem niet achter me op slot gedaan.

'Ja, mevrouw?' roept Lise. Ze schrikt er zelf van. Wat had ik anders moeten doen, smeekt haar blik naar mij, wachten tot dat mens binnenkomt?

'Lise, heb jij Peter gezien? Mijnheer wacht op zijn bad.'

'Nee, mevrouw, maar hij is ermee bezig, dat weet ik wel.'

Het blijft stil.

Zeker een minuut.

Dan horen we haar weglopen.

Met een zucht ontspan ik mijn armen en laat ons voluit in de kussens zakken.

'Slavendrijvers,' sist Lise.

Ik kus haar om haar stil te houden. Dan wil ik terugtrekken en opstaan, maar zij houdt de klem gesloten.

'Vooruit.' Lise port met haar hakken in mijn billen
alsof ze een paard aanspoort. 'Hij hoeft toch niet altijd
meteen zijn zin te hebben?'

'Niet altijd, maar vandaag is anders.'

Ze steekt het puntje van haar tong in mijn oor en laat
het rondjes draaien.

'Schei uit,' lach ik en wend mijn hoofd af, 'ik heb het je
toch uitgelegd. Soms is het net een kind, hij heeft regelmaat nodig.'

'En ik niet?' Ze likt me langs mijn hals, beweegt haar
bekken.

'Echt, ik wil het niet op mijn geweten hebben.'

Met een woeste ruk rolt ze ons om, zodat zij boven
ligt. Dit is nog spel, maar dan ziet ze dat het mij ernst is.
Ze gaat rechtop zitten en langzaam bevriest haar blik.

'Iedereen lacht hem uit, weet je dat wel? In Sils, in
Sankt en overal waar hij gaat, ze lopen op straat achter
hem aan en doen hem na.' Ze wappert met haar handen
en wiebelt spottend met haar hoofd. 'Niet alleen de kinderen, maar iedereen. Weet je wat ze van hem zeggen?'

'Dat kan me niet schelen, Lise, toe.'

'Nee, dat zal wel niet, als het om hém gaat kan niks
jou schelen. Maar ik zeg je dat ze er schande van spreken,
allemaal, allemaal.'

'Daar moet je niet naar luisteren. Al die lui, die boeren
hier, wat weten die?'

Lise zwijgt. Kort schudt ze haar hoofd, dan een tijd
niets, en uiteindelijk laat ze het hangen. Ik leg mijn hand

tegen haar wang. Even ben ik bang dat ze gaat huilen, maar dat is het niet. Ze kijkt naar haar borsten, haar buik, haar bovenbenen, aandachtig, alsof ze net heeft ontdekt dat ze naakt is. Met één arm bedekt ze zich. Ze tilt een knie op en over mij heen om zich van mij los te maken, terwijl ze met haar vrije hand rondtast naar de deken die op het voeteneind is beland. Die trekt ze naar zich toe en ze kruipt eronder weg zonder mij nog aan te kijken.

6:55

Nog lauwer dan anders, dat water. Ik doe de stop in de afvoer, laat de kraan lopen en ren naar de keuken. Normaal wil hij zijn bad om een uur of half negen als de ketel al twee uur volop heeft kunnen branden. Dan zijn drie, vier emmers kokend water erbij genoeg om de temperatuur een beetje aangenaam te krijgen, maar nu schat ik dat er zeker zes of zeven nodig zijn.

De eerste ketel staat al op het fornuis als ik beneden kom en, mooier nog, hij is bijna aan de kook. Het is de grote, die voor de wastobbe gebruikt wordt. Daarmee vul ik minstens twee emmers in één keer.

'Marie, je bent een schat.'

'Vertel me liever iets wat ik niet weet,' bromt ze zonder op te kijken. Ze staat bij het aanrecht met de beslagkom tegen haar borst gedrukt en slaat de garde driftig rond tegen het koper. De spatten vliegen ervanaf, zo opgewonden is ze. Waar haar brede boezem over de rand van de kom bloest zit haar schort helemaal onder.

Zoals elke ochtend doe ik alsof ik met mijn vinger een lik uit de kom neem en zoals elke ochtend doet zij alsof ze mij in mijn maag probeert te porren met haar elleboog.

'De drukste dag ooit, Marie, maar als we elkaar op deze manier helpen, dan komen we er wel doorheen.'

Ik kus haar boven op haar hoofd.

'Kerels!' Ze trekt een vies gezicht. 'Krijgen jullie er dan nooit genoeg van?' Marie is weduwe, tweeënzestig en sinds jaar en dag alleen, maar daar slaat zij zich doorheen door te doen alsof alle mannen haar belagen zoals toen ze zestien was. Dit idee verschaft haar zoveel pret dat zij je zelfs bij de meest barse opmerking aankijkt alsof ze eigenlijk moet giechelen. 'Of dacht je soms dat ik niet doorheb wat jij daarboven allemaal uitspookt?' Met een klap laat ze de kom op het graniet neerkomen. 'Terwijl ik hier alles maar in mijn eentje moet zien te redden.'

'Lise komt eraan.'

'Prachtig,' ze zet een pan op het vuur en slaat een homp reuzel van haar pollepel, 'dan heb ik iets om naar uit te kijken terwijl ik al het werk doe.'

Mijn water kookt. Ik zet twee emmers neer en ben bezig ze vol te gieten als de deur wordt opengegooid.

'Ah, Peter, eindelijk!'

Het is mevrouw Nijinski. Die heeft uitgerekend vandaag gekozen om haar hele huis eens te bekijken, geloof ik. Ze komt normaal nooit beneden. Haar man wel, hem zien we hier regelmatig. Hij neemt graag de bediendeningang als hij terugkomt van een wandeling. Dan trekt hij zijn laarzen uit, pakt een stoel en blijft erbij zitten, soms wel een hele middag, of hij wil chocolademelk en staat er dan op die zelf klaar te maken, ook voor ons.

'Een paar emmers nog, mevrouw, dan kan mijnheer in bad. Het spijt me.'

'Niet nodig,' zegt ze, 'ieder doet zijn best, dat weet ik. Het is allemaal wat hectisch.'

Op dit moment stormt Lise binnen, zo druk in de weer om haar haren te fatsoeneren en haar bloesje dicht te knopen, dat ze bijna vanachter tegen haar bazin opbotst. Ze ziet haar net op tijd, springt als een soldaatje in het gareel en maakt verschrikt een reverence.

'En door de commotie van daarnet is iedereen toch al gespannen, dus Peter, ik zou het fijn vinden als mijnheer wat langer van zijn bad geniet dan anders. Begrijp je? Die ochtendkou is op zo'n dag helemaal niet goed voor hem, dat zorgt alleen maar voor meer spanning in die spieren, dus wat langer in de warmte zal ze goed doen. En verder,' ze ontvouwt het vel papier waarmee ze in haar hand stond en legt het voor ons op tafel, 'hier heb ik de planning voor vandaag. Kijk er even naar, zou ik zeggen, zodat iedereen weet waar hij aan toe is. Aanvang is vanmiddag om half zes, vijf uur aanwezig, vertrek van hier klokslag half vijf. Als jij ons dan wilt rijden, Peter? Na afloop gebruiken wij een uitgebreide thee daarginds, dus bij thuiskomst, maar dat weet je al Marie, alleen een licht souper.'

'Jazeker, mevrouw, en nog altijd zonder vlees zeker?'

'Helaas, je kent mijnheer zijn denkbeelden. Mij spijt het ook, maar hierin houdt hij vol. Ook voor de gasten. Moeilijk te voorspellen hoeveel dat er zullen zijn. Een aantal van onze vrienden zal in elk geval met ons mee willen komen, dus ik zou zeggen, voor de zekerheid, houd ten minste twaalf couverts achter de hand. Even kijken, ja, dit is het denk ik wel voor dit moment. Zijn er nog vragen? Mooi, dan wens ik jullie veel succes vandaag.'

Ze is al in de deuropening als ze zich bedenkt. Ze draait zich weer naar ons toe, wil eigenlijk nog iets zeggen, maar aarzelt.

Mevrouw is van oude Hongaarse adel. Je merkt het aan de vanzelfsprekendheid waarmee zij iedere ruimte die ze binnengaat tot in de hoeken vult. Zij heeft gedanst, dus haar rug is altijd kaarsrecht, haar hoofd fier op die lan-

35

ge hals, iedere wending zeker, energiek als bij een dier. Zevenentwintig is ze, drie jaar jonger dan haar man. Ze heeft blond haar en een perfect ovaal gezicht. Het heeft iets weg van het sèvresservies dat in de rookkamer in de vitrine staat: die porseleinwitte huid, versierd met dat broze lichtblauw van haar ogen.

Ze slaat ze neer.

'Alleen nog dit,' zegt ze zacht. 'Ik weet hoe jullie over deze dag denken. Jullie hebben me al jullie zorgen kenbaar gemaakt. Ik ben me ze goed bewust, maar als een mens wil leven moet hij nu eenmaal bepaalde risico's nemen. Ondanks dat protest zijn jullie bereid mij te helpen er vandaag het beste van te maken.' Nu pas durft ze ons aan te kijken. 'Dat zal ik niet vergeten.' Ze glimlacht, zucht en slaat haar handen ineen. 'Nou Peter, aan de slag dan maar, want die twee emmers staan nu alleen maar koud te worden.'

Alle vrijheid van de wereld hebben ze, de Nijinski's. Ze zijn rijk en beroemd, jong, mooi, getalenteerd en geliefd. Er komen veel van dit soort mensen naar Sankt Moritz. Van jongs af aan heb ik ze zien lopen, van die lui die de hele wereld aan hun voeten hebben. Soms mocht ik hun koffers dragen of hun ski's. Met mijn vrienden hing ik rond voor de hotels, en als ze naar buiten kwamen vroegen we ze waar ze heen wilden en boden wij ons aan als gids. Ik droeg altijd een serie afbeeldingen bij me van vergezichten, die ik voor mijn borst ontvouwde als een harmonica. Wezen ze er een aan, dan bracht ik ze naar een uitkijkpunt waar ze die verte konden bewonderen.

Natuurlijk heb ik ze benijd. Te kunnen doen wat je wilt!

Ik mag het dan met haar oneens zijn, als mevrouw daar zo staat, voel ik toch de neiging een arm om haar heen te slaan. Voordat ik hier kwam werken had ik er nooit bij stilgestaan dat een mens als er niemand anders is om hem op te dragen wat hij doen moet, ook nog zijn eigen slaaf kan worden.

Eigenaardig iets, een mens zijn wil.

Ik ben een bediende, ik ben afhankelijk van de wil van een ander. Zij leggen mij die op en ik voer hem uit. Dat is best, dat is mijn werk, daar eet ik van.

Zelf kan ik zo veel willen, geen mens zal zich daarvoor in het zweet werken. Geeft niks. Dat heb ik altijd geweten, dat bepaalde dingen nou eenmaal onhaalbaar zijn. Het werd ons ook verteld en overal om me heen kan ik het zien, aan mijn ouders, mijn neven, tantes, ooms, de mensen uit ons dorp – onze beste kans op geluk is gewoon tevreden zijn, of in de woorden waarmee mijn moeder elk gebed besluit: 'Heer, ik hoop alleen op wat ik heb.'

Vroeger, aan tafel met mijn handen gevouwen en mijn ogen dicht, zag ik de tevredenheid die van die woorden uitging gewoon voor me, zoals je op een winteravond door de sneeuw loopt en achter een raampje in de verte de gloed ziet van een haardvuur. Je was heel ergens anders naar op pad, maar dan voel je pas hoe koud het onderweg eigenlijk is en hoever je nog te gaan hebt, en ineens wil je niks liever dan zo snel mogelijk weer ergens naar binnen. Wij leven zoals hier altijd is geleefd, in een mooi dal omsloten door verraderlijke gletsjers en onbedwongen pieken. Wij hebben er geleerd niet buiten het pad van ons geluk te treden. Te hopen op wat je hebt.

Dit is mij niet altijd voldoende geweest. De gekste dingen hebben door mijn hoofd gespeeld. Misschien heeft iedereen dat wel, dat weet ik niet. Er wordt nooit over gesproken. Waarom zou een mens woorden verspillen aan iets wat toch niet kan? Wat wel kan, daar heeft trouwens ook niemand het over. Mensen doen wat binnen hun mogelijkheid ligt. Dit wordt als vanzelfsprekend aangenomen. Stilzwijgend loopt de zoon achter zijn vader en probeert met zijn kleine pootjes binnen die grote voetafdrukken te blijven.

Het is niet erg. Je stopt je verlangens ergens diep weg. Ook dat is wilskracht. Je ruimt ze op en na een tijdje vergeet je ze vanzelf, als oud speelgoed op de bodem van een kist.

Je mist ze niet.

Ze zijn ook niet verdwenen.

Ze liggen daar gewoon.

7:20

Een losgeschoten knoop komt aangerold over het zwarte marmer. Als ik hem met mijn voet wil stoppen zwenkt het kreng naar rechts en verdwijnt onder de poten van het bad. Schitterend hoor, dat parelmoer, maar praktisch is anders, het is te dun en te scherp. Elke ochtend zie ik mijnheer met die pyjama worstelen. Hij is altijd ongedurig, zijn vingers zijn te groot voor dat gepriegel en voor kleding heeft hij nou eenmaal geen geduld.

'Altijd heb ik geslapen zoals ik ter wereld kwam,' heeft hij eens gezegd, 'maar toen ben ik getrouwd en mijn vrouw vindt het niet fatsoenlijk.'

Hij trekt de mouwen van het jasje binnenstebuiten, gooit het in een hoek, en begint zo aan de koordjes van zijn broek te rukken dat ze alleen maar verder in de war raken. Ten slotte geeft hij het op, grijpt de zijnaden, balt zijn vuisten en wurmt zich er op die manier uit, alsof hij niet begrijpt waarom niet alle dingen willen wat hij wil. Terwijl ik de laatste emmers warm water in de kuip giet en die met een hand even doorroer, hinkt hij rond met zijn broek op zijn enkels. Eerst trapt hij één pijp uit, schopt dan een paar keer met zijn andere been tot de zijden stof van zijn wreef glijdt en met een boog door de lucht vliegt. Ik verdenk hem er weleens van dit soort circusnummers speciaal voor mij op te voeren. Dan mist hij het theater en mag ik dienen als publiek. Met een laffe pets landt de broek in het water.

'Knap zo.' Ik vis de stof op en wring hem omstandig uit. Al die tijd blijft hij, kin op de borst, zo half van onder zijn wenkbrauwen mij aankijken alsof hij nog op applaus staat te wachten. 'Wat dacht u, ze hebben vandaag verder niks te doen?'

Hij loopt naar de wastafel en bekijkt zijn lijf, eerst frontaal van top tot teen, dan in de zijspiegels. Hij stelt ze zo dat hij zijn eigen rug kan zien, tilt een arm op en rolt de spieren van zijn schouders. Dan de andere. Ik weet niet wat hij zoekt maar hij is niet tevreden en doet het nog een keer, met rechtere rug. Om zijn houding te controleren legt hij een handpalm vlak tegen de holte net boven zijn billen, en herhaalt de beweging.

Het is geen gewoon lijf. Integendeel. Het is nogal kort, maar breed gespierd, de nek is lang en sterk, waardoor de schouders naar verhouding smal lijken. Overal onder de dunne huid zie je de vertakking van de aders lopen, kalm pulserend, klaar om in een enkele hartenklop het bloed naar alle uithoeken te stuwen. De voeten zijn breed, de wreven hoog en bol. De tenen staan krom als de klauwen van een roofvogel. De kuiten ogen zwaar, rond als kanonskogels, en de dijen – dat is iets ongelooflijks – wel dubbel zo breed als de heupen, dikke strengen spier en bundels pees, die bij de minste beweging over en rond elkaar schuiven. Die dijen en die billen hebben meer iets van een dier dan van een mens. En zo beweegt het ook, traag en zeker van zichzelf, omdat het weet dat

39

het, mocht het nodig zijn, ook binnen één tel versnellen kan, kan aanvallen of wegspringen, en altijd eerder, hoger, verder weg zal zijn dan elk ander levend wezen. Ondertussen vlinderen de handen maar rond, nerveus of nieuwsgierig, ongedurig om alles af te tasten, net zoals de zwarte ogen, waakzaam in de vierkante Tataarse kop. Onder zijn schuins uitlopende, Slavische oogleden schieten ze voortdurend heen en weer.

Er hangt een fotogravure in de ontvangstkamer, waarop je mijnheer, amper meer aan zijn lijf dan nu, ziet liggen op een rots, languit achteroverleunend op een elleboog. Zijn oren zijn puntig gemaakt omdat hij een faun moet voorstellen, uit zijn krullen steken kleine hoorntjes, op zijn huid zijn grote vlekken aangebracht. Daar lijkt hij helemaal een wezen dat regelrecht uit de natuur komt. Maar er is meer wat zijn voorkomen altijd iets dierlijks geeft: het is de volledige afwezigheid van schaamte, het ontbreken van ijdelheid. En hoewel er groot vertrouwen tussen ons is en hij zich elke dag aan mij zo toont ben ik er nog steeds niet achter of het gemak waarmee hij zich laat zien nu voortkomt uit het feit dat hij zich andermans blikken eenvoudig niet bewust is, of dat hij er juist zo aan is gewend dat het hem niet meer uitmaakt hoe hij wordt bekeken.

Hij leunt voorover, brengt het gewicht op de bal van zijn voeten, reikt naar de plank boven de wastafel en pakt de glazen stolpfles waarin hij het zout en de andere kristallen bewaart die wij op onze wandelingen verzamelen. Hij grabbelt er een handvol uit, houdt die even tegen het licht en strooit ze in het bad. We kijken hoe ze in het warme water uiteenvallen, dan stapt hij erin, zucht diep, en laat zich achteroverzakken.

Een paar dagen nadat mevrouw Nijinski mij had aangenomen, vorige winter, werd ik 's ochtends vroeg in de woonkamer ontboden. Ik was druk in de weer de houtvoorraad op peil te brengen, want Guardamunt had te lang leeggestaan en het was toen al december. Mijn handen zaten onder het mos, de snippers hingen uit mijn haar. Alleen even de haard oppoken, dacht ik, dus ik had wel mijn laarzen verwisseld en het zweet zo'n beetje met mijn mouw uit mijn gezicht geveegd, meer niet, maar toen ik binnenkwam zaten ze me op te wachten, allebei, heel officieel.

Zij stelde mij haar man voor.

'Vaslav Nijinski,' zei ze, zo met voornaam en al, wat ik maar gek vond, want van geen mens bij wie ik heb gewerkt heb ik die ooit geweten. Ik had op dat moment geen idee dat die naam voor veel mensen zo'n begrip was. Mij zei het niks. Maar goed, ze noemde hem voluit en daarna zweeg ze, alsof ik tijd nodig zou hebben om hem op me in te laten werken.

'Ja, wij hebben elkaar al in de hal gezien,' onderbrak mijnheer mijn ongemak, 'Peter en ik, gisterochtend, was het niet?'

'Jawel, mijnheer, in het voorbijgaan.'

En met uitgestoken hand kwam hij op me af zodat ik weer een houding vond. Hij bekeek me en plukte een paar splinters van mijn schouder.

'Uitstekend,' zei hij goedkeurend, 'o ja, dit is prima, samen vinden wij het wel, hè, denk je niet?'

'O vast, mijnheer,' mompelde ik, maar zonder overtuiging.

'Een goed idee,' fluisterde hij tegen zijn vrouw. 'Nou, ben je zo tevreden?' Hij kuste haar op het voorhoofd en richtte zich nog even tot mij. 'Dus, vriend, ik zou zeggen: haast je wat.' Daarop liep hij de kamer uit zonder nog op of om te kijken. 'En ga je fatsoeneren, want in minder dan een uur vertrekken we.'

'Mevrouw?' vroeg ik verbijsterd.

'Zo vol is hij er nou van,' lachte ze. 'Maak je geen zorgen, Peter, soms vergeet mijn man dat niet iederéén in staat is andermans gedachten te lezen. Het gaat om Kyra. Zij is nog in Lausanne, ons dochtertje. Wij zijn lang op reis geweest, over de hele wereld, en nog maar kort geleden teruggekeerd uit Zuid-Amerika. Om de gevaren van de oorlog te ontlopen hebben we haar ondergebracht, tijdelijk, in een tehuis. Nu we een woning hebben gevonden, willen we haar natuurlijk zo snel mogelijk hier hebben. Ik moet het huis eerst op orde brengen en nog zoveel zaken regelen, maar mijn man kan niet wachten. Die wil vandaag nog op pad. Vandaar mijn vraag: zou jij hem willen begeleiden?'

'Natuurlijk, mevrouw, zal er veel bagage zijn?'

'Daar gaat het niet om, alles wordt verzonden, nee, het is niet om iets voor hem te dragen,' zei ze en leek nu enigszins verlegen, 'wat ik jou vragen wil, is hem van dienst te zijn... als gids, zeg maar, als reisleider.'

'In Lausanne?'

'Als jullie nu meteen vertrekken, kun je er vanavond zijn.'

'Maar mevrouw,' protesteerde ik, 'misschien ben ik niet duidelijk genoeg geweest...'

Zij ging achter haar schrijftafel zitten, pakte een vel papier en doopte in. Ongedurig als het tikken van een roodborstje dat zichzelf in het raam weerspiegeld ziet, klonk haar pen in de glazen inktpot.

'Je hebt in hotels gewerkt?'

'Jawel.'

Ze schreef een adres op.

'Je spreekt toch goed je talen, je hebt mensen rondgeleid?'

'Jazeker, maar alleen hierboven. Verder ben ik nooit geweest.'

'Nou,' ze vloeide het papier af en stak het me toe, 'dan zou ik zeggen: grijp je kans.'

De trein stond al te wachten. Mijnheer Nijinski liep direct de stationshal door naar het perron, kocht aan de kiosk een krant en van een venter twee zakjes gebrande noten, zocht een rijtuig uit, stapte in, en toen ik aarzelde, gebaarde hij gastvrij dat ik toch vooral tegenover hem moest komen zitten.

'Dit is de eerste klas, mijnheer, ik denk niet...'

'Dan betalen we voor jou toch bij, wat staat er op jouw biljet?'

'Ik heb de biljetten niet, mijnheer.'

Hij had ze evenmin. Die waren niet gekocht, bleek nu, dus hij terug naar het stationsgebouw, terwijl ik de conducteur waarschuwde het vertrek nog even uit te stellen, want de ketel van de loc was sissend al op stoom. Toen ik daarna de hal in liep zag ik mijn meester bij het loket van de Berninalijn met twee vervoersbiljetten in de hand.

'Maar dit is de verkeerde lijn, mijnheer, voor Lausanne moeten wij toch zeker het Rhätische spoor hebben, richting Tiefencastel en dan ergens overstappen, in Thusis, denk ik, of in Chur, dat moet ik even vragen.' Ik liep naar het juiste loket, bestelde onze rit, vroeg er een plattegrond van het Zwitserse spoorwegnet bij met een tijdstabel van het federale spoor en een van de privaat opererende lijnen. En hoewel de stoomfluit twee keer nijdig naar ons snerpte en de eerste vettige wolken al over het perron waaierden, kocht ik ook nog snel een Baedeker zodat wij onderweg een hotel voor de nacht zouden kunnen uitzoeken, want langzaam begon het me te dagen waaróm mevrouw haar man niet alleen had willen laten reizen.

43

Van binnen lachte ik hem uit. Wat is dat voor een kerel die zogenaamd de hele aardbol heeft bereisd en nog geen treinkaartje kan kopen? Met zijn neus zat hij tegen het raam, glunderend. Bij iedere bocht die we rondden ontlokte het nieuwe vergezicht hem een verzuchting of een kreet. Soms presteerde hij het me aan te stoten en te wijzen op een groep bomen of het spiegelende zonlicht op een bevroren meer, en tot twee keer toe greep hij me van plezier zelfs bij mijn arm.

De heren die ik in de hotels had gediend hadden mij amper een blik waardig gekeurd. Wanneer die tegen mij spraken was het om me iets op te dragen. Terwijl ik hun koffers droeg of ze voorging op een bergpad voerden zij hun onderlinge gesprekken alsof ze verder alleen waren. Wanneer ik ze naar een uitkijkpunt geleid had, haalden ze hun schouders op over het panorama om me te laten weten dat ze wel betere hadden gezien en ik me dus niet hoefde te verheugen op een grote fooi. Zo boezemden ze ontzag in. Op dezelfde manier hielden ze natuurlijk thuis de wind eronder bij de werknemers in hun staalovens en hun warenhuizen. Hadden ze hun dames bij zich dan ging er vaak nog een schep bovenop, want er zijn nu eenmaal vrouwen die het liefst een bullebak berijden. Achter hun rug kankerde ik op die kerels, omdat ik me bij hen zo nietig voelde. Daarmee gaf ik me pas echt gewonnen, want klein kun je je alleen voelen bij iemand naar wie je opkijkt. Ik wist niet beter of dit was het gedrag waarmee de rijke klasse respect verdiende, dus ik gaf het ze. Afgemeten blikken van onder hoge hoeden, norse bevelen uit zware snorren, onwrikbare schouders en dikke nekken ingesnoerd in hoge nertskragen, daaraan had ik geleerd de mannen van de wereld te onderscheiden van de kleine jongens.

En nu zat hier ineens iemand tegenover me met twee benen op de bank, het ene onder zich gevouwen, het ander opgetrokken tegen zijn borst, armen eromheen geslagen, kin op de knie, glimmend, genietend alsof hij onder vrienden was. Alsof dit niet zíjn reis was, maar een oud plan van ons samen waarop wij ons al lang hadden verkneukeld.

Ik sloeg de reisgids open, in stilte vloekend dat ik, die nog nooit een tocht buiten mijn eigen dal had ondernomen, de hele expeditie voor mijnheer in goede banen moest leiden.

Alles zo uit handen geven was voor mijnheer Nijinski de gewoonste zaak van de wereld, dat heb ik veel later pas begrepen. Dit was geen man zoals de zakenlui, diamantairs of de baronnen die ik had gediend, nee, mijnheer was een klasse apart. Zoals hij op zoveel manieren buiten de wereld stond, leek hij ook hierin op niemand anders. Al was hij van doodgewone komaf, in dit opzicht had hij nog het meeste van een vorst, een prins voor wie alles lang voordat hij ergens aankomt al door anderen is besproken, uitgestippeld en geregeld. In welke steden mijnheer in de loop van de jaren ook had opgetreden, in Moskou, Madrid of Monte Carlo, overal werd hij opgehaald en weggebracht van deur tot deur, elk pad was hem er gewezen, ieder bed voor hem opengeslagen. Zijn kostuums werden voor hem uitgekozen, klaargelegd en dichtgeknoopt, en wanneer hij in hun stad danste hielden de grote restaurants van Wenen, Cairo, Londen, Berlijn, New York of Buenos Aires hun beste tafel speciaal voor hem gedekt in de hoop dat de grote Vaslav Nijinski op een avond hun etablissement met een bezoek zou willen vereren.

Zou een ander zich op dergelijke egards misschien laten voorstaan, zou hij eraan gewend raken en ze vervolgens gaan afdwingen of opeisen, mijnheer heb ik daar nooit op kunnen betrappen. Ook in dit opzicht had hij iets vorstelijks: de moeite die een ander voor hem deed ontging hem nooit. Hij aanvaardde die, niet verlegen, berustend eerder en misschien een beetje eenzaam, omdat het lot de rollen zo nu eenmaal onder de spelers had verdeeld.

Wist ík dat toen wij samen in die trein zaten? Zelfs al wás me die dag verteld wat voor fenomeen ik rondzeulde, dan nog had ik geen zin gehad daar begrip voor op te brengen. Ik had al mijn aandacht nodig om het er zonder kleerscheuren af te brengen. Eén dag pas was ik in dienst, en sowieso was ik nog huiverig voor alles waarmee ik niet van jongs af aan vertrouwd was, maar mooi dat ik daar zat, voor het eerst van mijn leven te bladeren in een reisgids, zoals ik de hotelgasten die ik meenam naar ons museum had zien doen bij de schilderijen van Segantini.

Aanvankelijk probeerde ik mijnheer Nijinski er nog bij te betrekken, vroeg ik hem of hij in Andermatt wilde overnachten, noemde ik onze overstapstations en vertelde hoeveel tijd we daar in de restauratie zouden hebben, somde ik hotels op en vroeg hem naar zijn voorkeur en wat voor kamer hij daar dan zou willen betrekken en voor hoelang, maar het was al snel duidelijk dat hij voor de praktische kant van de zaak geen enkele interesse had. Uiteindelijk besloot ik dan maar zelf dat wij in Lausanne niet in het centrum zouden overnachten bij de kathedraal, ook niet aan het meer, maar liever aan de Place de Chauderon. Op de kaart leek dit niet ver van het kindertehuis in de wijk Saint-Laurent, waar we volgens de informatie die mevrouw voor mij had opgeschreven de volgende ochtend moesten zijn.

Hierna verdiepte ik me verder in de stadsplattegrond, prentte me de namen in van de belangrijkste straten, zocht uit of we vanaf het station de tramweg konden nemen, woog het ongemak daarvan af tegen de besparing en bestudeerde de tarieven van de autotaxi's.

'Het is net of die rotsen bij iedere bocht verschuiven, zie je dat?' vroeg mijnheer. 'Ze bewegen ten opzichte van elkaar. Alsof het zetstukken zijn die door reusachtige toneelknechten over het toneel heen en weer worden gerold.'

Een tijdlang keken we naar het verglijden van de bergen.

'Ik ben altijd nerveus voordat ik op moet,' sprak hij zonder mij aan te kijken. 'Altijd. Dan sta ik van tevoren in het donker tussen de coulissen en zie de mensen op toneel. Zo'n andere wereld lijkt me dat, waarin zij leven, zoveel lichter, zoveel rijker, zo zorgeloos vrolijk dat het me verlamt. Altijd, altijd. Dan kan ik me even helemaal niet voorstellen dat ik er ooit zou kunnen binnengaan. En tegelijk is al die muziek en al hun werveling nooit meer dan één zetstuk bij me vandaan, minder dan een meter verderop.'

Ik stelde het me voor, dat gevoel zo terzijde te staan kijken naar mensen die dansen en plezier hebben.

Het spoor verliet de uitlopers van de Heinzenberg, draaide het Rhônedal in en slingerend langs de bergwand volgden we de stroom van de rivier.

'Ik sta daar en tel de maten. Iedere maat brengt mij dichter naar mijn opkomst. Mijn hart probeert ze in te halen. Als ik zou weglopen, zoals ik eigenlijk wil, zou de hele droom vervliegen. De dirigent zou aftikken, de muziek zou stoppen, de mensen op toneel zouden verdwaasd tot stilstand komen en de zaal in kijken. Dus je blijft staan tot het je tijd is en dan ga je op. Je gaat altijd. En altijd weer blijkt al die angst voor niets te zijn geweest. In minder dan een tel voel je je in dat schitterende schouwspel thuis. De hele tijd was het maar één sprong van je vandaan en nog voor je op de planken landt blijkt al die schoonheid en die vrolijkheid om jou te draaien.'

Zo druk was ik in de weer geweest om alles voor mijn werkgever uit te zoeken dat ik nog helemaal geen tijd had gehad mijn eigen opwinding te voelen. Voor het eerst verliet ik het Engadin, ook al was het maar voor even. Ik dacht aan mijn ouders, die ik niet had kunnen vertellen dat ik twee dagen op reis ging, en aan de keren dat mijn broer en ik hadden gefantaseerd hoe wij op een dag naar de grote stad zouden vertrekken of misschien nog wel verder naar beneden, veel verder zelfs, waar je de horizon kunt zien of misschien zelfs wel de zee! Aan de verongelijkte stilte dacht ik waarmee mijn moeder, wanneer zij ons zo hoorde praten, zich op het eerste het beste klusje stortte, driftig hakend of boenend alsof ze ons niet had gehoord, aan de weemoedige glimmers in de ogen van mijn vader alsof hem op zo'n moment een of andere ondeugd uit zijn diensttijd te binnen schoot. Het deed ze pijn, die fantasietjes van ons, dat zag ik wel, zoals het ze verdriet deed dat wij na het ongeluk van mijn vader van school moesten om mee te helpen op het land. Rond die tijd droogden ze ook op, onze plannen voor de toekomst, of als mijn broer ze nog altijd koesterde, dan hield hij ze in elk geval verder voor zich.

Zoals ik dat deed.

Om mijn ouders niet te kwetsen.

Met iedere toekomstdroom verraadt een kind zijn ouders, alsof hun leven hem te min is. Hoe dan ook, ik concentreerde me op wat ik had en begon, net zoals zij, de lof te zingen van het vele dat wij wél onder handbereik hadden.

'Kijk!' riep mijnheer. 'Kijk dan, Peter, zie je nou?'

Hij schoof het coupéraam naar beneden om beter te kunnen zien. Meteen sloeg de kou gemeen naar binnen, maar hij voelde het niet. Hij hief zijn kin, snoof de ijzige lucht en leunde met wapperende haren tegen de wind.

Nou had ik hiervoor toch al voor heel wat heren gewerkt. Niet een van hen had het ooit gewaagd met mij

zijn enthousiasme te delen. Ondenkbaar dat zij de verhoudingen zo uit het oog zouden hebben verloren. Maar
hier was een man die niet dacht in klein of groot, en omdat hij zo niet dacht kon ik het vergeten. Zo ontstond
er ruimte voor iets anders, iets wat ik in geen van mijn
eerdere banen had ervaren: ineens voelde ik me verantwoordelijk.

'Zie je nou wat ik bedoel,' jubelde hij, 'die bergen: alsof
het decorstukken zijn. Telkens verdwijnt de een achter
de ander en daar piept de volgende alweer tevoorschijn.'
Hij trok me aan mijn schouder naar het raam. Een tijdlang stonden we naast elkaar naar buiten te turen tot de
trein een tunnel in dook.

'Dingen kunnen nog zo rotsvast zitten,' met een klap
sloot hij het raam tegen de vuile smook die ineens naar
binnen sloeg, 'zolang je zelf maar blijft bewegen kun je
ze altijd weer veranderen. Eén stap opzij, een stapje van
niks is genoeg en heel de wereld oogt anders. Een mens
moet in het leven zijn eigen coulissen verplaatsen.'

7:25

Ik steek de losgeraakte knoop in mijn zak, pak het pyja-
majasje op, trek de mouwen weer goed, vouw de nat geworden broek erin en leg het bundeltje alvast op de gang
zodat ik straks niet vergeet het naar het washok mee te
nemen.

7:26

Wie zal dat zijn geweest die mij het idee gaf, voor het
eerst, dat er iets ánders is? Een van de reizigers waarschijnlijk die werden rondgeleid door Noldo, mijn ou-

dere broer, die de beste gids was van het dal en van wie ik alles heb geleerd. Misschien kwam dat idee ook wel van niemand in het bijzonder en was voor de fantasie van een klein kind alleen de aanblik van een trein die ons station binnenrolt en zijn deuren opent al genoeg. Mensen stroomden het perron op in mantels en uniformen die de mensen hier niet dragen, hun gezichten vreemd en donker, trots en nieuwsgierig om zich heen kijkend.

'Twee francs, mevrouw,' praatte ik Noldo na, 'dan zal ik ook wat helpen dragen.' De mensen overlegden met elkaar in woorden die ik niet verstond, lachten nog eens vertederd naar me en uiteindelijk gaven ze mij, kleine snotneus die ik was, dertig centimes – dertig! – alleen om boven op hun bagage te zitten op de achterklep van de calèche die hen naar hun hotel reed. Ik luisterde ondertussen naar de vreemde klanken die ze voortbrachten en in iedere bocht sloeg ik mijn armen rond hun koffers om die op hun plaats te houden. Zij keken links en rechts en genoten van het uitzicht, maar ik zat de hele rit met mijn wang tegen het leer gedrukt en vergaapte me aan de plaatjes die op hun valiezen waren geplakt. Het waren afbeeldingen van hotels in Singapore en Salamanca, reisbureaus in Bangor of Bahia, en mensen, altijd lachend, die dansten op de stranden van Goa en van Galveston. In blauw, oranje, goud en geel waren palmbomen, olifanten en kamelen afgebeeld, torens van ijzer, mannen in raceauto's en vliegtuigen. En vlaggen, heel veel vlaggen, waarvan ik de gekleurde banen probeerde te onthouden, en ik prentte me de namen in van de oorden die mij het meest toverachtig leken, zoals Tiflis of Happaranda.

Op een dag haalde een man in een ruitjespak een kleine atlas tevoorschijn en sloeg die voor mij open. Hij wees mij eerst aan waar ik woonde en daarna waar hij zelf vandaan kwam. Hij had net zo goed op een koffievlek

50

in het tafellaken kunnen wijzen, want dit was de eerste landkaart die ik zag en al die lijnen en arceringen zeiden mij niets. Het was in Amerika, zei hij en zette een dikke wijsvinger bij zijn geboorteplaats, Albuquerque.

Die naam! Hij sprak hem uit, vreemde klanken als de spreuken van de magiër uit het poppenspel op de jaarmarkt, en ik herhaalde ze.

De vrolijke afbeeldingen, de geur van de koffers, het zachte leer tegen mijn huid, op de achtergrond het geklater uit de eetzaal van een hotel, overal in de stad talen die klonken als drie liedjes door elkaar, als het gezang van vogeltjes, die aan het eind van het seizoen vertrekken om volgend jaar weer terug te keren met allemaal verhalen, gekwetter waar je niets van verstaat maar toch graag naar luistert.

Een paar weken later, toen de Amerikaan naar huis ging, herkende hij mij tussen de kinderen die voor het station nieuwe gasten stonden op te wachten. Hij wenkte mij; ik keek om me heen op zoek naar Noldo en rekende me alweer dertig centimes rijker, maar voordat ik erbij kon komen was een kruier al bezig alle koffers op een steekkar te laden. De man in het rijtuig lachte om mijn beteuterde gezicht, tastte in zijn binnenzakken, trok het atlasje tevoorschijn en riep dat ik het hebben mocht, op voorwaarde dat ik zijn woonplaats had onthouden. Ik bladerde door de kaarten en probeerde me te herinneren wat voor vorm zijn land had en hoe het met allemaal kleurtjes opgedeeld was als een lappendeken. Ineens zag ik dat wonderlijke woord weer staan en wees het aan. Of ik hem dan een keertje op kwam zoeken als ik groot was, lachte de man, en ik zei niks, want meteen vroeg ik me af of ik zoiets wel ooit zou durven. Maar intussen prentte ik me hem in, de naam van die onbekende stad, en de hele weg naar huis bleef ik vrolijk, want voortaan droeg ik de wereld bij me.

Maandenlang bestudeerde ik de kaarten en de landen en ik leerde wat zee is en wat land en dat er overal rivieren stromen. Ik ontdekte hoe groot de aarde is en dat er niet alleen maar bergen zijn.

Uiteindelijk pakte mijn vader mij de atlas af en verkocht hem voor een paar francs aan de neef van onze dominee, die in Heidelberg ging studeren.

Het maakte niet meer uit. Ik had alles duidelijk gezien en goed onthouden. Voortaan, als ik me ongelukkig voelde, zag ik de kaart van verre landen voor me en altijd was er dat woord, die naam die maar door mijn hoofd bleef zingen als een toverspreuk: op een dag ga ik naar Alber-kjoe-kjoe!

7:27

Uit mijnheer zijn linnenkast neem ik schoon lijfgoed en ik kies de overhemden voor vandaag. Eerst zijn boerenhemd met wijde kraag, zo'n Tolstojhemd, zoals mevrouw ze spottend noemt omdat hij die draagt in navolging van die oude Rus van wie hij zo weg is, om zich verbonden te weten met mensen die het land bewerken. Bovendien is het ruim en dus geschikt om zijn oefeningen in te doen. Een tweede hemd, goed gesteven, leg ik klaar voor later op de ochtend. Voor zijn optreden vanmiddag moet hij zelf maar kijken, want hij wil niemand zeggen wat hij van plan is, laat staan wat hij daarbij aantrekt. Ik steek knaapjes in de hemden en haak ze aan de deur zodat ze even kunnen uithangen.

Hoe ben ik hierin getrapt, vraag ik me af, ik, die betaald word en ben ingehuurd om vuur te maken en hout te hakken? Ik zie mezelf staan in de beslagen spiegel, als de ouwe moeke van een groot gezin, terwijl ik mijnheer zijn sokken voor hem oprek en zijn onderbroek uitsla voordat ik die over de stoel hang zodat hij hem straks zo aan kan schieten.

Had mij toen gezegd, daar tijdens onze treinreis, dat ik op een dag die kerel zijn rug zou schrobben, dan had ik ter plekke ontslag genomen, als ik niet daarvoor al gillend van de treeplank was gesprongen.

Op een gegeven moment begon ik me daar in die trein aan alles te ergeren. Ik wond me op over mijnheer zijn kalmte – dat is maar makkelijk, zo onverstoorbaar blijven als een ander alles op mag lossen; over zijn onverantwoordelijkheid – hoe kan een mens zo'n eind op pad gaan zonder eerst fatsoenlijk een plan te trekken; over zijn nieuwsgierigheid – maar dóór blijven vragen naar weet ik wat, naar van alles, schei toch uit, naar hoe ík nou over dingen denk, en dan, je houdt het niet voor mogelijk, de hele tijd maar doorgaan met uitbraken wat hem aan gevoeligheden zo te binnen schoot. Alsof hij mij kende en ik iets met hem te schaften had. En die verwondering begon me ook de keel uit te hangen, dat oe en ah bij ieder vakwerkhuis en bij elke roofvogel die overkwam – alsof híj van ons tweeën degene was die voor het eerst van zijn leven ergens komt. Maar het meest onuitstaanbare was wel dat al die ergernissen als ongekookte noedels in mijn keel bleven kroppen. Wat ik ook probeerde, het lukte me gewoon niet boos op hem te worden. Ook zijn schuld. Steeds was hij me voor. Keek hij me aan met dat droeve lachje van hem in zijn ogen, alsof hij mijn gedachten raadde, en gaf alles dan snel een nieuwe wending. Soms vertelde hij ineens een oud Russisch grapje, zo onnozel dat je er wel aan moest toegeven, of hij sloot zijn ogen, zomaar, desnoods midden in een zin, en hing dan twintig minuten slap in zijn stoel, tot je je afvroeg of hij misschien dood was. Ook zoiets: hij bestelde alsmaar dingen. Om de haverklap belde hij de wagonbediende om sandwiches of wijn en glazen – ook voor mij; nooit nam hij iets zonder mij hetzelfde aan te bieden; wat moet een mens daarmee? – en op de stations waar we stopten riep hij de venters en vroeg naar de lokale lekkernij, en als we dan weer optrokken moest ik daarvan proeven. Dat wilde hij altijd. En dat ik hem dan zou vertellen hoe het me smaakte.

'Best,' zei ik de eerste keer.

Hij had een blaadje van een tak basilicum getrokken, dat met zijn vingers in een pot klaverhoning gedoopt en het mij in mijn mond gepropt.

Hij schudde zijn hoofd alsof ik een verkeerd antwoord had gegeven, nam zelf ook zo'n hap, likte zijn vingers af, zakte achterover in de canapé en wachtte met zijn armen over elkaar geduldig af.

'Zoet,' zei ik uiteindelijk.

'Te zoet?'

'Nee, dat niet. Het is ook fris.'

'Aha!'

'Dat is dat kruid.'

'Fris als fruit of fris als dauwdruppels?'

'Weet ik dat? Gewoon, als water. Maar dan dat het ook tintelt achterin.'

De zon brak in de pot honing die mijnheer omhooghield, en straalde daarin naar alle kanten uit.

'En dat, Peter, dat licht, proef je dat ook, hoe licht het is?'

Ik proefde het, maar zei niks. Wat ik eet is groen en goud en het kleeft aan mijn verhemelte, dacht ik, waarom zou ik er meer van maken?

'Het is de zon die het zo licht maakt, stel je voor, alle uren dat die heeft moeten schijnen om alles zo te laten groeien, eerst velden vol met klaver, daarna de basilicum. Wat je proeft is de lucht onder de vleugels van alle bijen die hieraan hebben gewerkt. Jij had helemaal gelijk,

Peter, iets waar zoveel liefde in is gegaan dat kan onmogelijk beter: dat is best.'

Kalm blijven, dacht ik bij mezelf, zo min mogelijk zeggen behalve ja en amen.

Ik had nog nooit iemand zo horen praten, al helemaal niet over een hap eten, en verklaarde hem voor gek. Later heb ik dit verhaal aan dokter Frenkel verteld, de arts in wie mevrouw zo'n vertrouwen heeft, toen hij vroeg of ik dan niet een voorbeeld had van gedrag dat mij bij mijnheer bevreemd had. Daar heb ik nu wel spijt van.

Het was, denk ik, zijn manier om mij op mijn gemak te stellen. Nou, veel succes gewenst! Dit was mijn eerste grote treinrit. Na jaren fantaseren over de wereld buiten ons dal kreeg ik die dan eindelijk te zien. Van opwinding dacht ik zoveel dingen tegelijk dat ik vergat om echt te kijken. Mij laten proeven van de honing en daar dan over doorzeuren was mijnheer zijn manier mij te dwingen even stil te staan bij wat er nou eigenlijk gebeurde, in mij, om dat voor één keer eens te preciseren.

Hij had net zo goed een vis kunnen vragen een tijdje op het droge door te brengen om eens heel diep na te denken over water.

Ik wist niet wat ik zag. De verschillende wijken van Lausanne liggen verdeeld over terrassen en leken van de hellingen van de Grand Jorat af te lopen als water van een cascade. Het oude hart was al van veraf te herkennen aan de wirwar van nauwe, schaduwrijke straatjes, en daaromheen, breder en zonniger, statige allees in nieuwe wijken. Daarbovenuit de kathedraal en het kasteel en dat alles diep daaronder nog eens gereflecteerd in de spiegel van dat eindeloze meer, met daarop een paar flinke schepen maar ook heel veel kleine bootjes kriskras daartussen op weg van of naar de haven van Ouchy, waar de kade zwart zag van de mensen.

Ik nam maar meteen de leiding. Omdat ik uit de gids wist dat de funicular bergopwaarts aanzienlijk sneller zou zijn dan een rijtuig voerde ik mijnheer hierin direct mee naar boven tot aan Flon, het station aan de voet van de grote brug, vanwaar het maar een korte wandeling zou zijn naar zijn hotel. Ik had me de route helemaal inge-prent: links de entrepots, dan oversteken op de Place Bel-Air, aan onze rechterhand – wist ik – eerst de Kurzaal en dan weer rechts een kapel, en zo stevende ik op ons doel af zonder ook maar één keer de Baedeker te raadplegen.

Als het zo eenvoudig is je weg door een onbekende stad te leren vinden enkel van een tekening, dacht ik, dan moet je je zo toch ook een weg door de wereld kunnen banen, als je er maar een heldere voorstelling van hebt. En een voorstelling van de wereld, nou, die had ik wel. Zolang ik me herinner heb ik alles opgeslagen wat ik opving uit de gesprekken van de mensen die met Noldo op stap gingen en van de vreemdelingen bij de restaurants en de hotels. Als ik dan in bed lag en het licht ging uit was het alsof ik het allemaal zo kon uittekenen: brede straten langs wanden van wolkenkrabbers; warme wouden vol tijgers en papegaaien; en overal zand, warm van de zon, zacht aan je voeten, zo fijn dat het door je vingers glijdt als door een uurglas, hele stranden vol, waar de oceaan dan over-heen spoelt met golven, hoger dan ik ooit op onze meren had gezien, alsof hij stukken van het land af probeert te breken. En vlakten, dat leek mij zoiets machtigs! Niet altijd maar op of neer te hoeven, maar simpelweg vooruit te kunnen komen. Dat idee kon mij als kind zo vrolijk maken! Zulke momenten kan ik me nog duidelijk herin-neren, waarop me iets nieuws te binnen schoot: dat er plekken moeten zijn waar geen berg je in de weg staat en het besef, ineens, dat er ook landen bestaan met wegen zonder bochten. Dat allemaal heb ik me voorgesteld.

Vandaag de dag ken ik die landschappen nog steeds alleen van horen zeggen. Ik denk er liever niet te veel aan. Het heeft weinig zin te blijven studeren op een plattegrond die je zelf hebt getekend.

De schemer trok over Lausanne. Ik wilde snel naar het hotel, iets te eten voor mijnheer bestellen en dan vroeg naar bed, maar mijnheer Nijinski bleef voor een van de vitrines van de Kurzaal dralen. Daarin hing een biljet waarop de voorstelling aangekondigd werd, een opera van Massenet, 'hedenavond half negen'.

Terwijl ik met de koffers verder zeulde – bergopwaarts altijd doorploegen, heb ik al jong geleerd, dat vermoeit minder dan een keer uitrusten en weer helemaal op gang komen –, moet mijnheer naar binnen zijn geglipt. Zo dom als hij zich hield bij het stationsloket, zo gehaaid bleek hij te zijn aan de theaterkassa, want toen ik voor het Grand Hotel stond op de Place de Chauderon kwam hij mij met grote sprongen achterop, één hand met daarin een stel plaatskaarten vrolijk in de lucht.

'Waarmee hebt u die eigenlijk betaald?' Zijn leren *porte-billets* met alle waardepapieren zat aan een riem rond mijn borst gegord.

'Het zijn vrijplaatsen,' klonk het vanzelfsprekend. 'Ik heb niets gezegd maar ze herkenden me en wilden er geen geld voor hebben.'

Opvallend hoe de maître d'hotel reageerde toen hij mijnheers naam in het register las, de zenuwen waarmee de directeur zelf daarop kwam aangerend om ons met een diepe buiging te begroeten. Langzaamaan begon het tot me door te dringen dat die Vaslav Nijinski voor wie ik verantwoordelijk was, onder de rest van de mensheid meer aanzien genoot dan ik hem tot dan toe had betoond.

'Houd je van theater?' Hij stopte me de biljetten toe. Drie stuks.

'Ik weet het niet, mijnheer. Als u bedoelt dat ik van-
avond mee mag...'
'Zo is dat bedoeld.'
'...dan wordt dit welgeteld mijn eerste keer.'
Hij lachte alsof ik hem voor de gek hield.
'En het derde biljet?'
'Ja,' zei hij, 'laten we geen tijd verdoen. Dat kinder-
tehuis, hoe ver zijn we daar vandaan?'

Ik liet hem de brief zien die mevrouw mij had meegegeven. Daarin stond toch nadrukkelijk dat de rust van de
kinderen streng gehandhaafd werd en de poort voor bezoek onder geen beding werd geopend behalve tussen 10
en 12 uur in de ochtend. Hij keek ernaar als een klipgeit
naar een klimverbod.

Amper tien minuten later hadden we de wijk Maupas
al doorkruist, waren we het station naar Echallens gepas-
seerd en stonden we voor de hoge muren van het insti-
tuut bij een grote koperen bel. Driemaal raden wie de eer
te beurt viel aan het schellekoord te trekken om iedereen in rep en roer te brengen. Na lang aanhouden werd
een luikje geopend door een onverzettelijke pleegzuster.
Ik dacht dat mijnheer, zoals ik zoveel belangrijke gasten
in Sankt Moritz had zien doen om hun zin door te drijven, wel een gewichtige stem zou opzetten, dat hij zijn
roem in de strijd zou werpen, namen van hooggeplaatste
vrienden of een smak geld, maar dit was alles wat hij
deed: 'Ik wil zo graag mijn dochter vasthouden,' sprak hij
zacht, en hij keek de onbekende achter de tralies recht in
haar hart. 'Ik kan gewoon niet langer wachten.'
Stil stonden ze tegenover elkaar, mijnheer hoopvol als
een hond voor een slagerij. Ten slotte werden de grendels
weggeschoven.
Van plezier pakte hij mijn hand. Zie je, leek hij te zeggen, gewoon laten weten wat je in je hart graag wilt.

Een half jaar hadden vader en dochter elkaar niet gezien, maar zodra we de slaapzaal binnengingen, kwam er beweging in het laatste bedje van de rij. Het was alsof Kyra, toen pas drie jaar oud, zijn nabijheid voelde. Ze klom overeind, alsof iemand haar geroepen had, klemde twee handjes om de hoge plank die moest voorkomen dat zij in de nacht uit bed zou vallen, en keek eroverheen.

'Tatakaboy,' riep ze, 'Tatakaboy!'

Dat zijn vijfentwintig zuur verdiende francs, dacht ik toen wij in het theater zaten en de muziek begon, die nieuwe baan van mij, als ik voor dat geld én reisleider spelen moet én kinderjuf, zowel iedereens bagage moet dragen als alle verantwoordelijkheid, en tot overmaat van ramp heb ik er nu niet één op mijn nek die niks zelf kan maar twéé, zonder dat het eind van deze dag ook nog maar in zicht is.

Ik keek eens om me heen om te zien of ik in het donker niet ongemerkt weg kon glippen. Wij bleken de enigen in de zaal die jonger waren dan honderd en wij werden van alle kanten aangestaard.

Vader en dochter leken van al die aandacht niets te merken. Armen om elkaar heen, wang aan wang zaten ze te luisteren naar de ouverture. Het meisje wiegde zachtjes mee met de muziek, en toen die aanzwol en mijnheer haar op het ritme van de pauken met kussen overdekte – een zoen voor elke slag en op de roffels telkens even neuzen – lachte ze uitgelaten, maar, zoals haar was geleerd te doen wanneer een voorstelling bezig was, zonder ook maar enig geluid te maken.

Als zij het kan, dan moet ik het toch ook kunnen, dacht ik, en ik nam me voor de hele riedel dan maar lijdzaam uit te zitten.

Toen ging het doek op.

Het ging om iemand die krankjorum was en dacht dat

hij de hele wereld aan zou kunnen. De hoofdpersoon zag de dingen niet zoals ze waren, maar zoals ze zouden móéten zijn, dus aan één stuk door kreeg hij op zijn facie. Maar dan stond hij telkens weer op en droomde als een gek toch weer zijn dromen, net zo lang tot hij er uiteindelijk helemaal aan onderdoor ging.

Niet iets waar je kinderen mee naartoe moet nemen, zou ik denken. Gelukkig was Kyra halverwege al in slaap gevallen. Toen het zaallicht aanging lag ze in mijnheer zijn armen als een engeltje op wolken.

'Da's ook wat,' zei ik om iets te zeggen te hebben, 'en u wilde haar dat hele verhaal vanavond nou juist graag laten zien.'

Hij keek me aan, verbaasd, alsof ik na al mijn voorzorg toch net nog het verkeerde had gezegd.

'Kyra?' lachte hij. 'Die heeft haar hele leven nog om het te zien. Nee, het ging mij erom dat jíj zoiets eens zag.'

De volgende ochtend wéér allemaal commotie. Op weg naar het station bedacht mijnheer ineens dat hij langs een horlogemaker wilde, niet de eerste de beste natuurlijk, er zijn er zat in deze stad, maar naar één bepaalde in de rue Marteray waar hij een nieuwe riem besteld had voor zijn horloge. Hij droeg het zijne namelijk niet aan een degelijke ketting in zijn vestzak zoals alle heren, maar aan een leren bandje rond zijn pols. Het was een geschenk van zijn oude vriend Diaghilev geweest, dus mevrouw had er een hekel aan. Daarom had hij het soms dagenlang niet om, maar uiteindelijk haalde hij zijn Santos toch altijd weer tevoorschijn.

Het ding is in Parijs gemaakt, begreep ik, en daar – als je het geloven moet – een hele mode, uitgevonden voor de een of andere vliegenier uit Zuid-Amerika, een van die krankzinnigen die steeds verder willen en steeds hoger. Hebben we meteen een beeld van het soort vrienden dat mijnheer aantrekt, want hij zegt die Santos vaak te hebben meegemaakt. Omdat die kerel als hij zijn rondjes rond de Eiffeltoren maakt allebei zijn handen aan het stuur moet houden, kan hij niet als een gewoon mens bij zijn zakhorloge. Als je zo goed een vogel na kunt doen, vlieg dan even langs een kerkklok zou ik zeggen, maar goed, als ze er in Parijs mee lopen, krijgen we het hier vanzelf.

De blutsen zitten in de deurpost van alle keren dat hij er met dat gevaarte tegenaan gelopen is, want de klokkast is van staal zo stevig als een auto. Als die mijnheer Santos neerstort zal zijn horloge er nog zijn, dat weet ik wel.

'Ik weet niet waarom een mens zo nodig een uurwerk moet hebben,' mopperde ik, bang dat we onze trein gingen missen, 'als hem er zo weinig aan gelegen is op tijd te komen.'

'Niet om zich te laten opjagen in elk geval,' zei mijnheer kalm. 'Het helpt alleen herinneren dat het leven te snel verloopt om het te verdoen.'

Soms is het bij hem of je luistert naar de raadsels van Ridl, de reuzin van het rotsgebergte.

7:33

Kom ik beneden om scheerwater te koken, gaat de schel, maar in de keuken is geen mens te bekennen. Achter het venstertje op het bellenbord verschijnt 9, het nummer van de logeerkamer, waar de Hongaarse een paar dagen geleden kwartier heeft gemaakt, de moeder van mevrouw. Ik hang een grote en een kleine handdoek te warmen over de koperen stang van het fornuis, zet een nieuwe pan water op, roep een keer 'Lise', roep 'Marie,

Marie', maar er komt helemaal geen antwoord. En daar schelt ze alweer.

'*Entrez.*'

'Ik ben het, madame Markus,' zeg ik voor de zekerheid nog voordat ik haar deur open, 'Peter, de stoker.' Mevrouws moeder is een beroemd actrice, en behalve aan Lise, die haar elke ochtend kleedt, laat zij zich doorgaans aan niemand zien zonder dat alles aan haar is op- en aangebracht.

'*Quand même,*' klinkt het, en hoe ze het doet weet je niet, maar in die twee woorden legt ze zowel een kreun van teleurstelling als een lijdzame zucht van berusting.

'Goedemorgen, madame,' zeg ik, nog steeds verscholen achter de halfopen deur, 'Lise komt eraan, kan ik vast ergens mee helpen? U bent vroeg wakker, hebt u wel goed geslapen?'

'Ik? Ik had beter gelegen in de loopgraven!'

Als ik voorstel om de luiken open te doen vraagt ze of ik misschien aan krankzinnigheid lijd, maar nu ik er dan toch ben mag ik wel alvast, 'vooruit dan maar', de haard aanmaken.

Terwijl ik daarmee aan de slag ga, hoor ik achter me dat ze gaat verzitten in de kussens, dat ze over het nachtkastje rondtast en haar sigarettenkoker openklikt.

'Heb jíj hem eigenlijk ooit zien dansen?' vraagt ze.

'Mijnheer Nijinski? Elke ochtend als hij zijn oefeningen doet. En buiten weleens, zomaar, als wij ergens door een weide wandelen of wanneer hij met Kyra speelt. En een keer heeft hij me voorgedaan hoe hij...'

'In het echt, bedoel ik.'

'Het echt?'

'Ja, op toneel.'

'Nog niet, dat zie ik vanmiddag voor het eerst. Ik heb er veel over gehoord natuurlijk.'

Ze tikt met haar sigarettenpijp tegen de lamp ten teken dat ze vuur wil. Ik loop met een brandende spaander naar het bed. Ze pakt mijn hand. Ze trekt hem zo ver naar zich toe dat ik voorover moet buigen. Onafgebroken kijkt ze me hierbij aan. Terwijl ze aan het mondstuk zuigt valt een warme gloed over haar gezicht. Haar haren zijn los en in de war van de nacht, maar ze is niet minder mooi dan op dat portret van haar dat beneden in de salon hangt. ('Beter dan Duse! Beter dan Bernhardt!' vertelt haar dochter daarover aan iedere gast die het horen wil, 'Rostand heeft het zelf gezegd, *Maman* was zijn beste Roxanne.')

'En,' haar greep verslapt, langzaam laat ze haar vingers van mijn hand glijden terwijl ze door één mondhoek rook uitblaast, 'geloof jij alles wat ze over hem zeggen?'

'Ik geloof wat uw dochter mij heeft verteld.'

'Hoe hij de zwaartekracht tart zeker?' lacht ze spottend. 'Liefde maakt blind!'

Ik weet niet of zoiets door de liefde komt, dat je een mens kunt zien zweven. Best mogelijk. Ik hoop het maar. Wat een troost zou dat zijn! Ik weet het niet. Ik hou verschrikkelijk veel van Lise, maar die staat stevig op de grond.

Mevrouw Nijinski is er inderdaad een keer over begonnen, dat mijnheer een bepaalde gave heeft. Ze was heel zeker van haar zaak, pakte haar album er nog bij en las een paar ingeplakte artikelen voor, twee uit een Engelse krant en één uit een Franse waarin zwart op wit stond dat een zaal vol mensen mijnheer een sprong had zien maken, waarbij hij even in de lucht was blijven hangen om vervolgens twee keer zo langzaam neer te komen als hij omhoog was gegaan.

Ik liet haar praten. Ik luisterde zonder te oordelen, want hoe kan iemand zich een oordeel aanmeten over de liefde van een ander? Het was haar manier om mij duidelijk te maken dat haar man nou eenmaal een kunstenaar was en dat je zijn gedragingen niet kon vergelijken met die van gewone mensen. Zij vertelde mij dit vorig jaar, kort nadat ik me voor het eerst bezorgd getoond had over zijn gedrag. Het was als geruststelling bedoeld, misschien minder voor mij dan voor haarzelf, want zij had gehuild voordat ik binnenkwam, dat kon je zien.

'Maar mevrouw,' zei ik, 'het is juist omdát mensen zoals hij zo ongewoon zijn, dat we extra voorzichtig met ze moeten omgaan.'

'Dat probeer ik, Peter.' Ze keek me aan, dankbaar, en pakte mijn hand. 'Lieve God, ja, laten we dat proberen, jij en ik.' Hierna draaide zij zich af en keek naar buiten. In de ondergaande zon vlamden de rotsen van de Piz della Margna oranjegoud tegen donkerpaarse wolken. Ons onderhoud leek hiermee afgelopen en ik overwoog net om zonder storen weg te gaan toen ze nog iets zei.

'Ik heb dat nooit begrepen.' Ze klonk zo zachtjes dat ik niet zeker wist of dit voor mijn oren bedoeld was. 'Toen niet.'

Ze bladerde door haar album terug tot het begin en vouwde voorzichtig een programma open dat zij daar had ingeplakt. *Carnaval* stond er in gulden letters.

'Stel je voor, het toneel omzoomd met zware fluwelen gordijnen, koningsblauw, rondom guirlandes van rozen. Schumann, dus iedereen vrolijk, Pantalone, Pierrot, Papillon flirtend, uitgelaten en ineens, licht, luchtig, soepel als een kat springt hij ertussen. Hij!' Ze wees op een foto van mijnheer vermomd als harlekijn. 'Een schok door de zaal, meteen! Al zat hij achter dat witte masker, iedereen wist het: dat lijf, die kracht, ik zweer je dat je het tot de laatste rij kon voelen. Van het ene moment op het andere waren wij in één ruimte met pure genialiteit.'

Ik keek naar de foto die ze ophield. Ik wou het graag

geloven, maar het was moeilijk voor te stellen. Een treurige clownskop zag ik, meer niet. Met opgetrokken schouders keek hij in de camera, op het punt in huilen uit te barsten.

'Ik was jong maar had al veel gezien, dankzij Maman, opera, ballet, toneel, alle grote namen van Europa, maar zoiets? Zo'n présence, zo'n karakter? Nooit. Bedwelmd zaten we te kijken, buiten adem, in trance, niet ik alleen, met mij de hele zaal. Als één man volgden we dat bovenmenselijke wezen. Het ging niet om de danser die zich daar over de planken voortbewoog, het was zijn geest die we zagen, helder alsof we met hem oog in oog stonden, het waren zijn gedachten die wij met de onze volgden: ondeugend, beminnelijk, uitdagend. Machtig, maar licht als een veertje, als staal zo sterk, de souplesse van iedere beweging, en dan die gave om, wanneer hij sprong, maar niet op aarde terug te willen komen. Hij tartte alle wetten van de zwaartekracht. De moeilijkste pirouettes, de zwaarste *tours en l'air* maakte hij nonchalant, alsof het hem niks kostte. Wat wij die avond zagen was geen dans, geen danser zelfs, het was de menselijke ziel die los probeert te breken uit dit leven. Mensen sprongen overeind, buiten zichzelf van bewondering. Ze schreeuwden, ze huilden, ze bedolven de bühne onder boeketten, handschoenen, waaiers, programma's. En daartussen stond hij, dat visioen, Vaslav, onaantastbaar.'

Ze sloot het album en staarde weer naar buiten.

'Dat was in Boedapest. Ik was eenentwintig. Alles wat ik zag was hoe sterk hij was. En ik wist het, ik wist het meteen, terwijl het maar door en door bleef klinken, dat applaus, dat die man daar, die door de wereld werd aanbeden, dat die op een dag van mij zou zijn.'

'Nee,' zeg ik tegen madame Markus. De vlam slaat in het hout en zet de hele logeerkamer in een oranje gloed.

'Nee, dat geloof ik niet, dat liefde blind maakt.' Waar ik de moed vandaan haal weet ik niet. Heb ik ooit eerder iemand voor wie ik werk tegengesproken, laat staan zo'n dragonder als mijnheer zijn schoonmoeder, die je met één blik door de grond kan laten zinken? 'Ik denk eerder dat je door de liefde alles scherper ziet.'

Op dat moment wordt er geklopt. Lise komt binnen en verontschuldigt zich voor de vertraging.

'En,' vraagt de actrice, 'hoe zijn de berichten van het front?'

Lise blikt eventjes naar mij, alsof ik haar betrapt heb.

'Het gaat, mevrouw,' antwoordt ze, maar ik hoor dat ze zich inhoudt.

'Staat zijn pet vandaag normaal of krijgen we de waan-zinaria weer voorgespeeld?'

Lise moet lachen maar omdat ik erbij ben durft ze niet goed, zodat het uitpakt als zo'n proest die je soms hoort van meisjes die na schooltijd nog wat staan te roddelen. Om zich een houding te geven loopt ze naar het bed. Ze trekt de dekens recht en schudt een kussen op.

'Je weet het nooit, mevrouw.' Ze slaakt een overdre-ven zucht om de oude dame te behagen. 'Niet met mijn-heer, met hem weet je het nooit.'

7:42

Als ik terugkom in de badkamer steekt alleen zijn neus boven het water uit, als een periscoop.

Zo vind ik hem wel vaker. Dan is hij op zoek naar stil-te, hij heeft mij dat eens uitgelegd. Als kind schijnt hij eens nagenoeg te zijn verdronken, nadat zijn vader hem in het water had gegooid in de hoop dat zijn zoon daar-door zou leren zwemmen. Minutenlang heeft hij toen, als je het moet geloven, in alle kalmte over de bodem van de Neva rondgewandeld totdat hem een touw werd toegeworpen. Daar beneden heerste volgens hem een rust zoals hij die daarna in zijn leven nergens meer heeft gevonden. Dat is één verhaal, het andere is van dokter Frenkel, die het zuurstofgebrek van toen als mogelijke oorzaak ziet van mijnheers gedrag.

Hoe dan ook, hij duikt op.

'Ik heb eigenlijk zo'n hekel aan het verleden,' verzucht hij alsof hij mij heeft horen denken. Hij komt overeind en stapt uit bad. 'Jij niet? Ik houd helemaal niet van geschiedenis. Nog minder van musea, ik vind het net begraafplaatsen.'

Ik houd hem de grote handdoek voor, die lekker warm geworden is van het fornuis. Dit is het soort praat waar hij telkens mee komt wanneer hij Tolstoj heeft liggen lezen. Daar gooit hij je de laatste tijd mee dood. Ergens ligt hier vast wel weer zo'n deel, het omslag helemaal gerimpeld van zijn natte vingers.

'Ik zou het niet weten, mijnheer,' zeg ik. 'Ik ken maar één museum en dat is hier in de stad, dat huis van Segantini. Weet u, net voor het badhotel rechts de weg op naar Champfèr? Daar heb ik weleens wat toeristen heen gebracht. Die kijken naar zijn schilderijen. Ik weet niet, ze lijken me wel mooi.'

Hij droogt zich en slaat een handdoek om, terwijl ik schuim voor hem sla in het koperen scheerbassin. Het water dat ik had opgezet, was door mijn oponthoud haast drooggekookt, gelukkig heeft Marie het voor me aangevuld.

'De mensen die vanmiddag naar me komen kijken willen allemaal de *Faun* zien of de *Jeux* of de *Spectre*, als het maar iets is wat ze al kennen. Hebben ze het niet gezien, dan in elk geval iets waarover ze veel hebben gehoord. Je hebt geen idee hoe iedereen aandringt op dat oude repertoire.'

Ik zet de scheerstoel voor hem neer.

'Ik neem het ze niet kwalijk. Het zijn toeschouwers, geen kunstenaars. Ik hou van ze. Alles wat ik doe, doe ik voor hen. Zelf zijn ze niet gewend om iets uit niets te maken. Ze denken dat scheppen iets buitengewoons is. Ze weten niet dat iedereen dat kan en als je het ze vertelt willen ze het niet geloven. Van dingen die nog niet bestaan kunnen ze zich geen voorstelling maken. Mijn theorie is dat ze er bang voor zijn. En terecht. Dat ben ik ook. Ik ben er gewoon alleen nog net iets banger voor dat alles bij het oude blijft.'

Ik neem een paar druppels olie in de palm van mijn hand en draai de dassenharen er even in rond, doop de kwast in het schuim en begin mijnheer zijn wangen in te zepen. Dit is afgelopen herfst zo gegroeid, dat ik ook deze taak maar op me heb genomen, na onze trektocht over de Morteratsch. Sindsdien zijn er steeds meer van dit soort klusjes ingeslopen. Ik zou een keer om opslag moeten vragen.

'Maar als dat oude nou iets moois was?'

'Wat het ook was, het is gewéést. Voorbij. Hooguit het enige wat nu nog mooi kan zijn is de herinnering eraan. Natuurlijk, die kan ik weer tot leven wekken. "O," zullen ze roepen, "móói," zoals ze de schilderijen in het museum mooi vinden. Omdat die áf zijn. Omdat die vastliggen. Maar wat daaraan is voorafgegaan, hoe er in het atelier dag in dag uit gevochten is, daar hebben ze geen idee van. Ze zouden zich geen raad weten in de aanwezigheid van zoveel twijfel, als ze alle mogelijkheden zouden kennen die je hebt moeten laten lopen om uiteindelijk uit te komen op dit ene.'

Zo orakelt hij. Ondertussen haal ik het mes heen en weer over de riem om het te scherpen. Ik weet niet of hij denkt dat ik alles wat hij zegt ook helemaal begrijp. Dat hoeft geloof ik niet.

Ik leg mijn hand tegen zijn voorhoofd, zachtjes duw ik zijn nek tegen het leren kussentje en zet het mes tegen zijn hals.

'En jij?' Hierna zal hij, om geen snee te riskeren, toch echt even zijn mond moeten houden. 'Zijn jouw herinneringen mooi of gaat het moois nog komen?'

Met mijn linkerhand trek ik de huid strak tegen zijn sleutelbeen. Ik duw het scherp lichtjes in het vel en schraap opwaarts naar de kin, eerst links en rechts de adamsappel langs, er daarna met de korte kant in kleine halen overheen. Na elke streek veeg ik het mes schoon en houd het lemmet even in het hete water. Ik glip er nog mee door het zachte kluitje onder aan de keel, en snoei wat borsthaar dat te ver omhoog is komen kruipen. Dan laat ik het nekvel los, draai zijn hoofd een beetje naar één kant en begin aan de eerste wang.

Mooi? Wat vind ik mooi? Er is zoveel. Het meeste daarvan zit aan Lise. De rest is ergens in de bergen.

Ik wil met een voorbeeld komen waar niks tegen in te brengen valt. Ik duik in mijn plezier op zoek naar iets, zo mooi dat hij het met al zijn knappe kunsten niet zou kunnen bedenken. Het eerste wat me te binnen schiet is gewoon haar lach, zoals ze je soms aan kan kijken, maar dat zeg ik niet want dat klinkt niet bijzonder genoeg. Het moet in één keer goed zijn. Haar wenkbrauwen dan, zoals ze die eerst samenknijpt, net voordat ze klaarkomt, totdat er kuiltjes en rimpeltjes verschijnen op haar voorhoofd en rode vlekjes overal en hoe dat dan allemaal in één adem wegzakt, glad trekt en ontspant. Maar ja, misschien hebben alle vrouwen dat. Stel je voor dat je met zoiets komt en iemand haalt er zijn schouders over op. Dit geldt dan eigenlijk voor alles wat zo heerlijk aan haar is... Hoe haar haren ineens loswaaieren wanneer ze zich over me heen buigt en zoals ze ons dan omsluiten – zo veilig als dat voelt! Dan is het of we met zijn tweeën in haar schuilen. Of dat ze zomaar huilen kan om een verhaal dat ze ter plekke zelf verzint. Machtig vind ik dat. Maar misschien is het eigenlijk niks. Ik weet het niet, ik heb geen vergelijk. Zelfs mijnheer, die je toch met de beste wil van de wereld geen vrouwenman kunt noemen, heeft in Parijs, hij heeft het zelf verteld, tegen betaling tenminste nog een hele batterij cocottes afgewerkt.

Ik begin te begrijpen waarom mensen het allermooiste meestal vóór zich houden.

De bergen dan maar. Zoals om een uur of vijf zonnige toppen kunnen weerspiegelen in een schaduwmeer. Of om precies te zijn: die vier grote rotsblokken op de Jenatsch, net voor de top, een half uur van de derde hut. Helemaal bedekt met mos zijn die en ze zien eruit alsof een reuzenkind ze eerst opgestapeld heeft en daarna omgestoten. Als ik zoiets zie kan ik een heel verhaal bedenken. Of wanneer je diep beneden je de lichtjes van een dorp ziet, de plotselinge troost dat, hoe eenzaam jouw wandeling ook is, het leven altijd ergens doorgaat.

Eén voor één passeren ze, uitzichten en inzichten waardoor ik me zo heb laten overweldigen dat het soms leek alsof mijn geest ervan naar adem hapte, en de een na de ander vallen ze tegen als ik eraan denk dat ik ze met iemand delen moet.

Dit zijn mijn herinneringen.

Ik vind ze mooi. Ik weet ze te vinden en kan ernaar teruggaan. Als ik wil kan ik ze altijd gaan bekijken.

Zoals toeristen komen kijken naar de schilderijen van Segantini.

'Ik ben geen kunstenaar, mijnheer,' geef ik hem uiteindelijk als antwoord.

Ik wip het puntje van zijn neus een beetje op en scheer

tot slot zijn bovenlip. We luisteren samen naar het laatste schrapen.

Zodra ik klaar ben, veert hij overeind.

'Dat kun je onmogelijk weten zolang je het niet hebt geprobeerd,' roept hij. Hij spoelt zijn gezicht af met een paar plenzen koud water en laat zich weer in de stoel vallen zodat ik de coldcream aan kan brengen. 'Het is een kwestie van durven, meer niet. Dat geldt voor alle kunst, dus ook voor die van het leven.'

Ik neem een lik uit de pot, wrijf de crème warm in mijn handpalmen en strijk die over zijn gezicht. De huid rekt mee als een rubberen masker.

'Probeer het, Peter, durf. Het is een schandaal om niet te leven.'

Alsof ik aan het kleien ben, duw ik zijn lippen samen tot ze tuiten en trek ze in een scheve brede grijns en dan weer terug. Ik trek ze naar voren en laat ze terugklappen zodat ze ervan smakken. Dit is stilzwijgend tot een spelletje uitgegroeid. Het is een man met vrouw en kind, iemand met geld en roem en grote verantwoordelijkheden naar wie iedereen opkijkt, maar als je hem zag zoals hij zich aan mij laat zien dan zou je dat niet raden. Negen van de tien keer gaat hij vrolijk in de beweging van mijn handen mee en trekt daarbij de gekste bekken.

Deze ochtend niet.

'Genialiteit is een vorm van domheid.' Hij komt iets overeind om me in de spiegel aan te kunnen kijken. 'Zul je dat onthouden?'

Ik zet mijn vingertoppen tegen zijn slapen en masseer ze. Het ene moment lijken zijn ogen spleetjes, het volgende sper ik ze wijdopen.

'Het enige wat je ervoor moet doen,' vervolgt hij, 'is zonder na te denken grote keuzes maken.'

7:55

Genieën, ik heb het er niet op. Iedereen beweert dat mijn-heer Nijinski er een is, maar dat weet ik nog zo net niet. Dan is het eerder nog een kind. Ik weet waar ik het over heb, want ik heb er wel degelijk één gekend, een alge-meen erkend genie, en geloof me, onnozel ben je beter af.

Op de gang loop ik Lise tegen het lijf. Zij heeft gedekt in de ontbijtkamer en staat op het punt te beginnen met serveren. Het schijnt dat mevrouw al aan tafel zit, dat haar moeder in aantocht is, en dat de vraag aan mij is waar haar Vaslav nou toch blijft.

Ik klop aan, steek mijn hoofd om de deur en zeg dat mijnheer al naar haar op weg was toen hem ineens een idee te binnen is geschoten, een of andere beweging voor de voorstelling van vanmiddag, een artistieke inval die hij eerst snel nog even wilde uitproberen. Ik lieg het, maar zo hoef ik tenminste niet weer helemaal naar bo-ven de badkamer in om hem op te jutten. Mevrouw kijkt blij verrast.

Ideeën zijn heilig in dit huis. Wat dat betreft zijn ze geen van allen helemaal goed snik. Zou ik met een groot gebaar de pendule van de schoorsteenmantel vegen en roepen dat het een artistieke inval was, ik denk dat ik er nog mee weg zou komen ook. In elk geval moet voor mijnheer zijn invallen al het andere wijken.

Ik weet niet of dit altijd verstandig is.

Maar wat weet ik?

Voordat ik hier kwam werken hoorde je nooit over een inval, nou ja, behalve in berichten over plaatsjes aan de frontlinie in combinatie met het aantal slachtoffers dat erbij was gevallen.

Een jaar of zeven moet ik zijn geweest toen er zo'n zogenaamd genie bij ons thuis kwam, de welgeleerde heer Nietzsche, hier even verderop, in Sils. Voor zover wij wisten was het gewoon een man die 's zomers boven de kruidenierswinkel logeerde omdat hij van de natuur hield. In ons dorp zei het niemand iets, die naam, toen niet. Iedereen noemde hem gewoonweg de professor. Hij kwam van beneden, voor zijn gezondheid zoals zoveel mensen, en zoals al die lui wilde hij zo veel mogelijk toppen beklimmen.

Er was afgesproken dat Noldo hem elke week een dag lang mee de berg op zou nemen, en omdat de filosoof goed was van betalen en wel zag dat wij zijn geld konden gebruiken, werd ik erbij verhuurd enkel om zijn aktentas te dragen, een groot vierkant ding dat meer weg had van een postbuidel. Ik moest de riem dwars over mijn borst dragen met nog een extra slag om mijn schouder om te voorkomen dat het gevaarte bij elke stap tegen mijn knieën sloeg, anders was ik er zo over gestruikeld.

Wanneer we op een mooi punt aankwamen vroeg de grote man om de klapstoel die mijn broer op zijn rug droeg, en ging hij in de verte zitten staren. Na een tijdje wenkte hij me, meestal een beetje driftig alsof hij haast had, haalde pen en papieren uit de tas, legde hem als een dienblad over zijn knieën en ging daarop dan zitten schrijven. Ondertussen aten Noldo en ik een stuk worst of mijn broer wees me op plantjes en bloemen en leerde mij de namen. Hij wees ze aan en ik moest ze opdreunen. Daar heb ik nóg profijt van.

De professor schreef als een bezetene. Zat hij eenmaal dan kregen wind en hagel hem niet meer van zijn plaats, en wanneer Noldo vond dat we op huis aan moesten om vóór de schemer van de smalle paadjes af te zijn, moest hij soms een truc bedenken of mijnheer Nietzsche als een schooljongen zijn pen afpakken en hem zijn aantekeningen uit handen grissen. In de paar maanden dat wij de man hebben meegemaakt schijnt hij maar liefst vier belangrijke boeken te hebben geschreven, naar ik me later heb laten vertellen stuk voor stuk meesterwerken, waarvan twee zelfs binnen één maand. Dit wist ik toen natuurlijk allemaal niet. Ik kende niemand die iets schreef, zelfs nog geen brief. Ik begreep niet waarom die vreemde kerel zich door ons met veel moeite de berg op liet leiden naar een prachtig vergezicht om dan voorovergebogen te gaan zitten staren naar een stuk papier.

Terwijl Noldo met mij ravotte, wij samen in een meertje gingen zwemmen of hij mij aan een touw een stuk liet afdalen in een spelonk, zat die geleerde vent daar maar geleerd te wezen. Ik wist niet beter of dat obsessieve gekrabbel wás schrijven, en ik had er meteen een gezonde afkeer van.

De professor stopte me van alles toe, meestal snoepgoed, maar het bleef oppassen want voor hetzelfde geld was het een kleurige kiezel die hij onderweg had opgeraapt. Vaak liet hij mij mijn ogen dichtdoen en mijn handen ophouden en dan legde hij er wat geld in, maar ook een keer twee rollen rijstpapier met een Japanse prent erop, een opgezette nachtegaal, zelfs eens een sigaar, alsof hij dan vergat dat ik een kind was. Zo sprak hij ook. Ik heb een tijd gedacht dat hij misschien een dominee was, omdat hij het steeds maar had over dingen als hoop en liefde en vergeving, waar wij ook in de zondagsdienst wel over hoorden. Noldo en ik trokken dan maar een aandachtig gezicht, zoals we in de kerk deden wanneer onze gedachten heel ergens anders waren, maar na een tijdje nam de professor daarmee geen genoegen meer.

Op een dag kwam Noldo, van wie ze in Sils zeiden dat hij met een eindje touw nog een beer kon vangen, aanzetten met een sneeuwvos die vastzat in een van de vallen die wij tijdens het lange wachten van pure verveling op de berg hadden uitgezet.

De professor pakte het dier over van mijn broer, die het aan de staart triomfantelijk omhoog hield, en droeg het in zijn armen alsof het een kind was. Hij ging ermee zitten, een eindje bij ons vandaan, en begon ertegen te praten. God weet hoelang hij zo gezeten heeft, maar toen hij opstond waren de man zijn ogen rood van het janken.

Hierna begon het. Hij betaalde ons om alle vallen die we hadden uitgezet onklaar te maken. Als we onderweg een herder tegenkwamen probeerde de professor hem ervan te overtuigen dat hij zijn geiten beter gewoon in de natuur kon achterlaten omdat God ze daarvoor had bestemd, en tot twee keer toe heeft hij voor veel geld een hond vrijgekocht, de ene van een jager die het dier getraind had om aangeschoten fazanten dood te bijten, de andere van een boer die het beest vals gemaakt had en liet hongeren in de hoop dat het zijn erf dan agressiever zou verdedigen. Allebei de keren mocht Noldo de onderhandelingen voeren, 'tot elke prijs', en als hij dan met die gemene krengen, die hapten naar alles wat bewoog, terugkeerde, drukte de professor ze een tijd tegen zijn borst en kroelde met zijn neus door hun stinkende vacht alsof het schoothondjes waren.

'Alles is door liefde te genezen,' zei hij als we hem waarschuwden. Dat ze hem de strot niet hebben afgebeten snap je niet.

De beesten kalmeerden wel wat onder zijn aanraking alsof ze luisterden naar de dingen die hij ze influisterde, maar het was nooit van lange duur. Soms liepen ze nog een eindje met ons op, maar zodra er in de struiken ook maar iets ritselde, vlogen ze daarachteraan om het aan stukken te scheuren.

Eentje hebben we nooit meer gezien, de ander vonden we een paar dagen later terug op de plek waar de professor met hem had gezeten. Stijf als een plank lag hij op zijn rug in de sneeuw. Tot zover mijn eerste les in de liefde.

75

Steeds vaker werden Noldo en mijn vader door onze dorpsgenoten aangesproken op het gedrag van de professor. Halverwege de herfst hebben ze hem maar verteld dat er dat jaar op grote hoogte uitzonderlijk vroeg veel sneeuw was gevallen zodat al te veel paden onbegaanbaar waren. Of mijnheer Nietzsche dit geloofde weet ik niet. Het betekende in elk geval het einde van onze uitstapjes. En van mijn bijverdiensten.

Daarop besloot de professor dan maar meteen, nu de passen nog openlagen, naar Turijn te reizen, en hij stelde Noldo voor hem daarheen te begeleiden. Dat is een ramp geworden. Amper waren ze er aangekomen of ergens op straat stuitten ze op een koetsier die bezig was zijn paard af te ranselen. Volgens Noldo was die vent straalbezopen en sloeg hij het dier met een stok rond de ogen. De professor begon te schreeuwen, rende eropaf, sloeg zijn armen om het beest en beschermde het met zijn eigen lichaam tegen de aanval van de dronkeman. Zo bleef hij hangen, jammerend rond de hals van dat paard, tot twee agenten hem ervanaf haalden.

Noldo nam de professor onder zijn hoede en bracht hem naar zijn hotel, waar hij nog drie dagen als een gek heeft zitten schrijven. Zowat elk uur produceerde hij een nieuw epistel voor een van zijn vrienden, dat Noldo dan weer in allerijl naar de post moest brengen. Op de vierde dag arriveerde een van hen, gealarmeerd door wat hij had gelezen, in de stad, nam de professor mee en liet hem opsluiten in een krankzinnigengesticht in Basel.

Door mijn ouders en iedereen in het dal is om het lot van de professor vooral erg hard gelachen. Misschien kwam dat door de manier waarop mijn broer erover vertelde toen hij thuiskwam, ruim een half jaar later. Hij klonk verongelijkt. Voor zijn goede zorgen om de patiënt had hij van diens vriend nog geen bedankje gekregen. In plaats van zijn afgesproken vergoeding voor de hele reis te vangen was hij afgescheept met een fooi. Hij speelde de hele straatscène na met driftige gebaren, maar dat was niet genoeg om zulke hoon te verklaren. Het was of de professor de mensen hier persoonlijk gekrenkt had met zijn excentrieke gedrag en dat ze zijn ongeluk nu eigenlijk niet meer vonden dan zijn verdiende loon.

Ik was klein.

Ik hield me stil.

Ik probeerde de professor uit mijn hoofd te zetten, maar als ik in bed lag zag ik hem zitten, ergens op een rots hoog boven de wereld met zijn papieren op de tas die ik voor hem had meegezeuld. Ik wist niet precies wat een gek was. Ik kende ze tot op dat moment alleen uit verhalen. Ik weet nog dat ik dacht dat dit waarschijnlijk het ergste was wat ik in mijn leven ooit zou meemaken. Ik had alleen geen idee wat het allemaal betekende, dat je iemand kon opsluiten omdat hij een dier probeerde te beschermen. Elke nacht zag ik hem met twee gebalde vuisten aan die manen hangen terwijl agenten bezig waren hem ervan los te scheuren. Ik probeerde me te herinneren wat de professor allemaal tegen me gezegd had – had ik nu maar beter opgelet – maar er wilde me niks ongehoords te binnen schieten. Ik probeerde een hekel aan hem te hebben, net als de anderen, maar wanneer ik dan, om er maar bij te mogen horen, met hun spotternijen mee lachte, was het alsof de professor mij weer aankeek met die grote donkere ogen van hem – ik zie ze nog – boven die enorme druipsnor.

Alsof plotseling alle troost ontbrak.

Dit is het enige wat ik hem echt kwalijk zou kunnen nemen: dat plotselinge besef hoe klein ons dal is en de gewaarwording dat wij hier, anders dan de rest van de wereld, geen horizon kennen.

Voor het meifeest verscheen dat jaar zoals wel vaker een troep toneelspelers uit Padua of Mantua of zo, die in het park aan het meer van lappen en klapdeuren een decor opbouwden. 's Middags trokken ze zingend door het dorp in kleurige pakken vol ruiten en strikken en met pluimen op hun hoed. Tegen het donker kwamen ze opnieuw door de straten, dit keer met maskers op en lampions aan lange stokken, en zo lokten ze iedereen mee naar hun toneel, dat nu werd aangelicht met honderden lampjes waarvan de weerschijn over de hele waterspiegel danste.

Wat precies het verhaal was dat ze vertelden ben ik vergeten, maar ik weet dat er een lelijke man in voorkwam die was opgegroeid in een heel groot huis zonder spiegels. Op een dag wordt hij verliefd op een mooi jong meisje. Van binnen voelt hij zich zo goed en zo gelukkig dat hij niet kan begrijpen waarom ze toch steeds van hem wegrent. Hij probeert van alles om haar te laten zien hoe mooi zijn wereld eruitziet, steeds meer, steeds gekker, maar naar alle andere mannen kijkt ze liever dan naar de lelijkerd. Ten einde raad koopt hij van zijn laatste centen een gouden pak en hij zet er een grote hoed bij op met kleurige veren, alles om de wereld maar te laten zien hoe mooi en hoe vrolijk hij zich van binnen voelt. Uiteindelijk houden ze hem met zijn allen een spiegel voor en ter plekke sterft hij aan de waarheid.

Ik dacht dat mensen in het lachen zouden blijven. Hun gebulder rolde over het meer. Iedereen joelde van voldoening dat het vreemde wezen aan zijn verdriet was bezweken. Andere spelers pakten de dode zijn hoed af en deden hem nog eens na terwijl ze uitbarstten in een lied waarbij ze het mooie meisje op de schouders namen.

Het leek wel of mijn moeder buikpijn had, zo sloeg ze dubbel met twee handen in haar zij. Ze lachte hierom veel harder dan ze ooit gelachen had om het lot van de professor, en heel anders, maar toch hoorden die twee ongelukkigen in mijn gedachten voortaan bij elkaar. Van plezier drukte mijn moeder mij tegen zich aan. Ze probeerde iets te zeggen, maar telkens werd ze onderbroken door haar eigen gierlach.

'Hè, hè,' bracht ze ten slotte uit. De tranen liepen nog over haar wangen. 'Genadige Here God, hè, nou hè, Petertje toch van me, hè hè jongen, zie je nou, kindlief, dat is wat ervan komt als mensen meer van zichzelf willen maken dan ze van geboorte zijn.'

De volgende ochtend heb ik alles wat ik van mijnheer Nietzsche had gekregen in mijn zakken gepropt, de gekleurde kiezels, de Japanse prent en de opgezette nachtegaal. Daarmee ben ik het pad naar Marmurè op gelopen en daar heb ik ze begraven in een spelonk onder een stapel stenen.

In één moeite door had ik daar iedere herinnering aan de professor achter moeten laten. Ik dacht ook dat me dat gelukt was. Al die jaren heb ik amper nog een gedachte gewijd aan hem of aan onze tochten met Noldo.

Tot vorig jaar aan het eind van de zomer, toen ik met mijnheer Nijinski in de buurt van Furtschellas wandelde. Zomaar ineens begon hij erover dat bloemen toch ook levende wezens waren en dat we ze daarom niet mochten vertrappen.

8:10

'Och, als dat nog maar op tijd is,' roept Marie zodra mijnheer Hanselmann de keuken binnenwandelt met een mandje van zijn fameuze kaasstengels. 'Wij lopen hier vandaag anderhalf uur voor op ons eigen verstand. Nou ja, wie weet, snel dan, snel, ze zítten nog aan tafel.' Ze pakt ze aan, spreidt ze in waaiervorm uit over een dienschaal en stuurt Lise daarmee naar boven. 'Half negen, nooit gaat er hier iemand van tafel voor half negen en als je haast hebt zitten ze tot half tien, maar vandaag... Uitgerekend nu u zelf bent gekomen.'

'Ik kwam voor onze vriend,' zegt de confiseur terwijl hij de punten van zijn snor opdraait. 'Ik dacht hij zou misschien wat aanmoediging kunnen gebruiken.'

Drie, vier middagen in de week rijd ik mijnheer Nijinski naar de tearoom van Hanselmann. Die heeft speciaal voor hem een aantal Russische recepten op zijn repertoire genomen, zoals krokante *koelibiak*, die hij tot voor een paar maanden met verse zalm vulde en tegenwoordig, sinds mijnheer geen vlees of vis meer eet, met paddestoelen en spinazie.

'Ongetwijfeld zou het hem goed doen u te zien,' zeg ik, 'maar mevrouw heeft aangegeven dat mijnheer vanochtend onder geen beding gestoord mag worden. Wij hebben opdracht alle bezoek naar haar door te verwijzen.'

'Ach, en als mevrouw een opdracht geeft...'

'Ik kan haar laten weten dat u er bent,' zeg ik voor de vorm, maar ik ken het antwoord.

'Nee, dank, zo dringend is het niet.'

Mevrouw Nijinski heeft het niet op Hanselmann. Zij wantrouwt iedereen die zijn vriendschap aanbiedt aan haar man. Liever heeft ze hem voor zichzelf. Zij heeft nou eenmaal hard voor hem gevochten.

Voordat hij naar Sankt Moritz kwam om hier voor zichzelf te beginnen heeft Hanselmann een jaar in Petersburg gewerkt in de keukens van de arme tsaar. Van de zomer, na een gerucht over verschrikkingen die in Jekaterinenburg zouden hebben plaatsgevonden, zijn bij Hanselmann de etalages wekenlang leeg gebleven. Als buitenlander in Rusland voelde hij zich 's avonds vaak alleen,

heeft hij eens verteld, en zocht dan afleiding in de keizerlijke theaters. Daar heeft hij mijnheer regelmatig gezien.

'In het Mariinski, helemaal vanaf het schellinkje, maar
dat kon niet verdommen, want zodra hij opkwam, man,
onze Vaslav, dan dacht je dat je op de eerste rij zat. Ik
zweer het je, wat een kerel. Hoe deed hij dat? God weet
het! Mensen staken hun handen naar hem uit, want, ik
lieg het niet, het was net of je hem aan zou kunnen raken.'

Tijdens de middagen bij Hanselmann komt er bij wat
glazen port van alles ter sprake. Ook mijnheer zijn oude
leven. Zij hebben mij daarvan eens iets verteld, een keer
toen ik hem op kwam halen en zij nog geen zin hadden
om op te breken. Ik kreeg een pul bier en later nog een,
maar het was niet genoeg om de vieze smaak mee weg
te spoelen die hun ontboezemingen bij me achterlieten.
Dan begrijp je wel waarom mevrouw dit niet graag heeft.
Zij is benauwd voor alles wat zich voor hun huwelijk
heeft afgespeeld en nou, als je hoort wat ik dan zo opvang, ik kan haar geen ongelijk geven. Het is, laat ik het
voorzichtig uitdrukken, zo anders dan zijn leven nu. Alsof een ander het geleefd heeft. Zo anders sinds zij hem
uit die wereld gered heeft. Als je mijnheer nu ziet met
zijn kleine meisje op de schouders, dan zou je toch niet
raden... Dat mensen zo leven, ik heb dat nooit geweten.
Je moet er niet te lang bij nadenken. Als ik het niet uit
zijn eigen mond gehoord had, zou ik gezworen hebben
dat iemand het had verzonnen om hem zwart te maken.
En toch, als hij over die jaren spreekt, je zou het schandaal bijna vergeten. Of nee, je vergeet het niet, maar je
kunt je verontwaardiging niet volhouden omdat er bij
hemzelf zo helemaal geen schaamte is, geen enkele. Integendeel, de minste herinnering aan die tijd pakt hij op
met een uitgelatenheid alsof iemand hem een puppy cadeau doet. Hij stoeit ermee en laat zich meeslepen, en

wanneer zijn speeltje na een tijdje bij hem vandaan huppelt kijkt hij het met open mond en grote blije ogen na.

Nog een wonder dat mevrouw haar man en mij met een gerust hart samen op pad laat gaan. Toen ik eenmaal doorhad hoe zij hem van anderen afschermde, voelde ik me gevleid dat zij mij wel vertrouwde. Hele dagen trokken mijnheer Nijinski en ik eropuit zonder dat zij zich ook maar enige zorgen leek te maken over de ontboezemingen die hij mij onderweg deed. Net alsof wij van de bediening wat meer bij het gezin hoorden dan andere mensen. Dit was het aardige waarop ik in zo'n privébetrekking had gehoopt en dat ik altijd had gemist bij de hotelgasten, voor wie wij geen gezicht hadden.

Dit heb ik nog een hele tijd geloofd. Tot de dag waarop ik Lise vertelde dat ik met mijnheer zoveel betere gesprekken voerde dan met mijn eigen vrienden.

'Vast,' lachte ze, 'een gesprek met ons is voor die lui alsof ze in zichzelf praten. Die nemen ons even serieus als het behang. Dan voelen ze zich vrij. Alsof ze een praatje oefenen voor de spiegel, dat is waar wij goed voor zijn, als manier om hun gedachten op een rij te krijgen. Wat dacht je wat ik allemaal niet opvang? Maar het betekent niks. Ja, dat je geen enkele bedreiging voor ze bent, dat betekent het. Dat ze denken dat je toch te onnozel bent om de volle omvang te bevatten, te onbelangrijk om iemand te kennen aan wie je het door zou kunnen brieven. Ik haat het. Als mevrouw zich iets persoonlijks laat ontglippen kap ik het af. Meteen. Haal jij je maar niks in je kop, lieve jongen. Elk feitje dat die vent zich heeft laten ontvallen is een bewijs dat hij jou niet voor vol aanziet.'

Wie weet, misschien is dat een verklaring voor mevrouws onverschilligheid over mijn omgang met haar man.

Voor hem geldt dit niet. Mijnheer is zelf van eenvoudige komaf. Die denkt niet in rangen en standen. Dat weet ik.

Ik heb Lise niet tegengesproken, toen niet. Zij heeft het van begin af aan maar niks gevonden dat ik zoveel optrok met mijnheer. Af en toe zei ze er iets van, eerst speels, een beetje zeurend alsof ik met mijn werk haar tekortdeed, niks wat een beetje vrijen niet kon sussen, maar langzaamaan groeide haar ergernis, dat merkte ik wel, samen met haar weerzin tegen mijn meester, soms bijna achterdochtig, tot ik die met duizend kussen niet meer weg kon nemen.

Uiteindelijk zweeg ze. Ze klaagde niet meer, maar als ik iets vertelde wat mijnheer en ik onderweg hadden gezien of meegemaakt, dan deed ze of ze doof was. Het was dezelfde stilte die er bij mijn ouders viel wanneer ik fantaseerde over het deinen van mijn bootje op de zee. Dat laat ik me in het hiernamaals nog eens uitleggen, waarom mensen zich buitengesloten voelen als je probeert ze te betrekken bij iets waar je zelf zo vol van bent. Ik dacht dat het geen kwaad kon en haalde mijn schouders erover op. Ik nam gewoon aan dat zij me miste. Er waren inderdaad dagen waarop ik meer van mijnheer zag dan van haar. Dat zij daarom jaloers was. En dat streelde mijn ijdelheid.

'Dan kom ik later terug,' zegt Hanselmann. Hij zet zijn hoed op en wil gaan, als hij zich bij de deur nog even omdraait. 'Och ja, nu ik hier toch ben kan ik net zo goed meteen de schalen alvast meenemen. Staan ze ergens bij de hand, Marie?'

Hij bedoelt de hotelzilveren terrines waarin hij eenmaal in de week de *sjtsji* laat brengen, zurekoolsoep die hij speciaal voor mijnheer op het lunchmenu heeft gezet. Ik denk ook niet dat er verder veel vraag naar is. Er drijven hele bladeren in en week geworden brood. Hier krijgt geen van ons het door zijn strot, alleen mijnheer is er dol op.

'Drie hebben we er hier van u,' antwoordt Marie. 'Links staan ze, onder de pomp.'

Lise veegt haar handen aan haar schort af en wil ze voor hem gaan pakken, maar Hanselmann is haar voor. Hij bukt zelf voor het kastje, tilt ze eruit en komt weer overeind. Plotseling vertrekt zijn gezicht – gespeeld, dat ziet een kind – alsof hij iets aan zijn rug heeft, en demonstratief geeft hij zijn vaatwerk aan mij.

'Ach, Peter, zou jij ze dan misschien even voor me naar de wagen willen dragen?'

Zodra we buiten gehoorsafstand zijn, houdt hij me staande. Hij trekt een brief tevoorschijn en een biljet van tien francs.

'Deze voor mijnheer Nijinski. Die voor jou.' Hij stopt ze in mijn linkerzak. 'Ik heb de persoon in kwestie gezegd dat ze elkaar niet in de stad moeten ontmoeten. Absoluut niet in de stad. Je kent mijn berghut? Hier is de sleutel.' Die stopt hij in mijn rechterzak.

'Zolang het maar niets is wat hem overstuur maakt,' zeg ik. 'Niet vandaag. Dat kunnen we niet hebben.'

'Wat ben jij, zijn impresario? Het gaat om iemand die hij zien wil, neem dat van me aan. Iemand die speciaal voor hem van ver gekomen is. Elf uur heb ik gezegd. Denk je dat hem dat gaat lukken?'

'Elf uur? Ik zal het zeggen.'

'En geen woord tegen haar, hè, lieve God, die zou krankzinnig worden! Afgesproken? Geen woord.'

Ik knik.

'Zó'n vent, ik heb het altijd tegen iedereen gezegd: die Peter is zó'n vent!' Hij neemt de terrines van me over alsof ze niks wegen en haast zich ermee naar zijn auto.

8:30

Tijd voor de vuurkorven. Dit is een dagelijkse routine.

Mijnheer staat erop zijn oefeningen in de frisse lucht te doen. Waarom dat niet behaaglijk kan is me een raadsel. De serreramen gaan naar beneden en de deuren naar het balkon worden wagenwijd opengeschoven. Om hem te behoeden voor een longontsteking breng ik wat warmte in de buitenlucht. Dat valt nog niet mee. De gietijzeren bakken, die ik na gebruik altijd blus, leeg, afborstel en uit zicht zet, schuif ik elke ochtend weer op hun plaats. Dit komt heel nauw, want zodra de rook de gevel raakt, trekt hij daarlangs omhoog, slaat hij onder de dakgoot, komt in een werveldraai terecht, waardoor hij zo terug naar beneden rolt en op mijnheer zijn longen slaat. Twee keer moet ik op en neer naar de voorraadschuur in de tuin om hout te halen, nog eens voor het stro en daarna is het aanmaken geblazen. Zodra de vlam erin is, was ik mijn handen en waarschuw mijnheer, als hij niet al staat te wachten, dat hij kan beginnen.

Hij heeft – eeuwig zonde van het pleisterwerk – in de serre een dubbele barre laten aanbrengen. Twee dunne houten palen waarmee je normaal een paardenkraal zou afbakenen, zitten op twee hoogtes, een voor houvast als mijnheer staat, een voor houvast als hij hurkt. Ook legt hij er af en toe een voet op om beenspieren te rekken, één staaf voor zover als hij kan en een voor nog verder.

Al met al duurt het minstens een uur en vaak langer, zodat ik erbij moet blijven om het vuur een beetje op te stoken of soms moet ik het ook juist temperen, want enigszins behaaglijk mag ook weer niet. Als ik dan daarbij zit te vernikkelen en klaag over de kou, lacht hij me uit en roept dat ik in dat geval beter met hem mee kan doen, omdat zijn bloed na tien minuten zwoegen vanzelf warm wordt. Het is waar, hij draagt nooit meer dan een wit over-hemd met open kraag en een dunne zwarte broek, maar het werk brengt hem op temperatuur, dat kun je zien. Na een half uur hangt rond zijn hele lijf een laagje stoom. Als de zon erop schijnt straalt die damp van hem af zoals de halo rond een heilige. Dan lijken zijn ademstoten wel witte pluimen die hij tussen zijn tanden geklemd houdt.

Mijnheer stapt in de harsbak en verpulvert wat van de kristallen onder zijn leren zolen.

De brief van Hanselmann brandt in mijn zak. Die hoor ik mijnheer nu te geven. Daar heb ik tien francs voor aangenomen, maar ik wil de kalmte nog even rekken en krijg het niet over mijn hart.

Er gaat een rust uit van dit vaste ritueel. Eindelijk iets waarin deze dag hetzelfde is als alle andere. Voor het eerst vandaag haal ik eens diep adem. Waarom zou het ook gewoon niet allemaal goed kunnen gaan, houd ik mezelf voor. Voor hetzelfde geld staan wij hier met zijn tweeën morgenochtend weer net zo, hangt hij zijn hand-doek op dezelfde plek, harst hij zijn schoenen weer en gaat het leven verder.

Ik heb er wel aan moeten wennen, aan deze hele verto-ning iedere ochtend. Waar het op lijkt, ik weet het niet. Nog het meest op wat je acrobaten in het circus wel ziet doen, maar dan zonder de vrolijkheid. Hij begint met het rekken van al zijn spieren, maar veel verder dan je doet wanneer je stram bent van het skiën, langer en dieper en hoger en af en toe, nou ja, je snapt gewoon niet wat je ziet, dan pakt hij zijn voet beet alsof die van een ander is en draait hij aan zijn been als een beenhouwer die bezig is een losgesneden poot uit de kom te draaien. De eerste keer denk je gewoon dat het kapsel scheurt en de pezen zullen knappen. Dan komt het knieën buigen, eindeloos, om die dijen op kracht te houden en dat gaat dan over in maar springen en maar springen, op en neer, er komt geen einde aan, in alle posities zoveel keer zoveel, hij heeft het me eens uitgelegd, want je moet niet denken dat hij hierbij de hele tijd tot tien telt of tot honderd, zoals een zinnig mens zou doen, het mocht eens makkelijk, welnee: alles tellen ze bij het ballet in achten. Heel verraderlijk is dat, want ook al zit je aan de kant, onwillekeurig tel je mee en voor je het weet tel je op dezelfde manier je eigen voetstappen en de treden van de trap en lig je 's avonds nog te tellen in je bed.

Kortom, de eerste drie kwartier heeft het niks van dansen, maar daarna komt de grammofoon erbij of vaker nog een pianist uit een van de hotel-restaurants, die met zijn bontkraag op voor het open raam zit en korte stukken op de vleugel speelt. Een enkele keer komt er iemand die echt van wanten weet, dat verschil hoor ík zelfs, een echte concertpianist, iemand als Bertha Asseo, die helemaal uit Wenen is gekomen omdat zij vanmiddag tijdens de voorstelling mijnheer gaat begeleiden.

Gistermiddag kwam zij al langs om te horen welke stukken mijnheer wilde dat zij vandaag zou spelen, zodat ze die kon voorbereiden, maar hij wilde het haar niet vertellen. Mevrouw werd erbij gehaald, maar hoe zij ook aandrong, hij hield vol dat het nog geheim was en er kwam geen woord over zijn lippen. Beteuterd droop madame Asseo af met de belofte dat zij vanochtend terug mocht komen met dezelfde vraag.

Ondertussen werkt mijnheer Nijinski onverstoorbaar zijn routine af. Stel je voor, jaar na jaar, dag in dag uit, hetzelfde, van kinds af aan. 'Als je in een vreemd land bent,' heeft hij eens gezegd, 'en er is geen mens die jouw taal spreekt dan kun je twee dingen doen: óf je laat het erbij zitten, de woorden zakken langzaam weg en je verleert hem, óf je begint in jezelf te praten. Elke dag dreun je de zinnen, de gedichten, de begrippen op die je je nog herinnert, uit alle macht, om je identiteit niet te verliezen. Zo moet je het zien. Dit lichaam is mijn taal, en maar weinig mensen spreken hem.'

We zijn bij de pirouettes aangekomen. Dit soort woorden leert hij mij. *Piqué, fouetté.* Dat gaat vanzelf. Ze slijten in. Als hij een nieuwe beweging inzet, noemt hij vaak hardop de term die daarbij hoort, *sisson, entrechat, contretemps.* Eerst dacht ik dat dit een gewenning was, iets waarvan hij niet eens meer doorhad dat hij het deed. Later drong het tot me door dat hij dit misschien wel speciaal voor mij deed. Zoals ouders voorwerpen benoemen in de hoop dat hun kroost het ze nazegt.
Echappé!
Het is zijn manier om mij in te lijven.

Op één been staat hij en met het andere zwenkt hij zichzelf aan, en zo blijft hij maar draaien als een tol, tien, vijftien, twintig wendingen. Het openen en sluiten van de armen houdt de vaart erin, terwijl het lijkt of zijn hoofd op één plek blijft en de blik altijd naar voren.
Ik kniel bij de vuurkorven. Terwijl ik ze oppor, houd ik, tussen de vlammen door, mijnheer in de gaten.

Aan hoeveel rariteiten heb ik dit laatste jaar niet moeten wennen? Bij schandalige verhalen over zaken waar ik nog nooit van had gehoord, moest ik een gezicht trekken alsof ik ze de normaalste zaak van de wereld vond. Bij alledaagse dingen, eenvoudig als de natuur waartussen ik ben opgegroeid, moest ik spelen dat ze mij net zo wonderbaarlijk voorkwamen als hem. Toch, tussen al dat eigenaardigs, heeft niets mij zo beziggehouden als deze vraag: in hemelsnaam, wanneer besluit iemand tot zo'n leven?

88

Wanneer weet een kind dat het wil dansen? Wanneer voel je dat je zoiets in je hebt? Dat je misschien meer kunt dan een ander. Dat je vermoedt dat je iets kunt bereiken als je je leven daar maar helemaal naar inricht. Wanneer durf je dat te geloven? Dat je veel meer mogelijkheden hebt dan mensen je vertellen. Dat je het lot in eigen hand kunt nemen, hoe kom je daarachter? Dat er een weg is die verder niemand gaat en dat je weet dat je die toch in moet slaan? Ongelooflijk en dan nog maar een kind! Wat is het moment waarop het zo'n eenzaamheid aangaat, waarop het zo'n waanzin voor waar durft aan te nemen?

Dit is wat ik tot nog toe heb opgevangen.

De ouders van mijnheer waren Polen, 'beroemde dansers', zegt mevrouw, al heb ik haar ook eens horen zeggen dat ze als acrobaten in het circus werkten. En hij heeft een zus, Bronja, die ook bij het ballet zit. Ik stel het me maar voor zoals de kinderen van onze bakker, die nu zelf ook een bakkerij begonnen zijn, of zoals mijn vaders droom dat ik toch ooit nog eens, net als Noldo, bij hem op het land kom werken. Ter wereld kwam mijnheer in Kiëv, een uur na een voorstelling waarin zijn moeder op toneel nog had staan dansen. Het gezin was altijd op tournee, zodat de kinderen opgroeiden in hotelkamers en tussen de coulissen. Mijnheer heeft verhalen over eindeloze ritten door bergen en steppen, steden en vlakten van de Kaukasus tot de Baltische Zee en van Siberië tot in Turkestan. Toen hij drie was trad hij, als je het moet geloven, voor het eerst op, samen met zijn zusje in een matrozendans die hun vader voor ze had uitgedacht. Ook had hij ergens nog een broer, de naam ben ik vergeten, die op zijn zesde uit het raam gevallen is en sindsdien in een gesticht zat, maar die is afgelopen najaar overleden.

Toen mevrouw hem dat nieuws kwam brengen zaten Lise en Marie voor mijnheer te poseren, stokstil, hoewel hij ze helemaal niet schetste zoals ze zijn, maar in Russische klederdracht met vrolijke pastelkleuren.

'Niet huilen,' troostte hij, 'mijn broer was zwakzinnig, voor hem is het zo beter,' maar toen ik hem later die dag met zijn verlies condoleerde, sloeg hij dicht, dus ik begin er niet meer over.

Hoe dan ook, zijn moeder heeft haar man, die haar ontrouw was, uiteindelijk verlaten, en omdat zij haar kinderen niet meer kon onderhouden, heeft ze Vaslav op zijn tiende naar de keizerlijke balletschool in Sint-Petersburg gestuurd.

Het schijnt een scharminkel te zijn geweest, die alleen voor de commissie mocht verschijnen omdat zijn vader een beroemd artiest was, maar zodra de keuringsarts zijn kuiten zag – geen wonder, want het lijken wel kanonskogels – werd de kleine Vaslav aangenomen. Hiermee verloor zijn moeder alle rechten op haar kind, want toelating – zo waren de regels – betekende dat Vaslav officieel geadopteerd werd door de tsaar. Van de honderden jongens die met hem auditie deden bleven er uiteindelijk zes over. Dit waren acht jaar lang zijn enige vrienden. Wat dat voor opleiding is geweest mag God weten, want inmiddels draaien al vier van zijn vijf jaargenoten door ziekte, moord en zelfmoord hun pirouettes voortaan verder op een wolkje.

Een hele militaire aangelegenheid, als ik het goed begrepen heb, die balletschool, met uniformen en rangen en strikte discipline. Ook in de winter oefenden ze er voor het open raam. Vandaar die waanzin om enkel in een hansopje je spieren te willen rekken in de vrieskou! Daar stond tegenover dat deze excercities werden gehouden in een soort paleis – mijnheer heeft me daarvan een boek met afbeeldingen laten zien – in ruime, hoge zalen vol spiegels, verguld houtwerk en kroonluchters van kristal. Het complex had een eigen kerk, een ziekenhuis en een theater. En badhuizen, waar de jongens na alle kwellingen hun spieren konden laten herstellen en masseren en waar hun voeten elke dag door gespecialiseerde artsen werden verzorgd. Het voedsel op die school was van dezelfde kwaliteit als in de paleizen van de tsaar, die – dit heb ik weer van Hanselmann – ook regelmatig lekkernijen uit zijn eigen keuken bij de school liet bezorgen.

Na twee jaar kregen de jongens in het belangrijkste theater van de stad hun eigen kleedkamer en een landauer uit de keizerlijke stallen om ze erheen te rijden. Mijnheers eerste optreden daar was als negerjongetje, zijn haren zwartgeverfd en van zijn oren tot zijn voetzolen ingesmeerd met kohl.

Het meeste van dit soort dingen weet ik van mevrouw. Wat een succes haar echtgenoot was, meteen vanaf het begin, en hoe iedereen zag dat de kleine Nijinski voorbestemd was voor iets uitzonderlijks. Dan glundert ze als een moeder die opschept over haar kind.

Hierom vertrouwt zij mij, omdat zij ziet dat ik geïnteresseerd ben in datgene waarover zij het liefst vertelt: alles wat ooit zo uitzonderlijk geweest is aan haar man. Het zijn zaken waar ik hem zelf niet over aan de praat krijg, met geen mogelijkheid, wat ik ook probeer. Als ik hem naar die eerste jaren vraag haalt hij zijn schouders op.

'Dat zou je aan dat jongetje zelf moeten vragen,' zegt hij dan, 'maar die is al zoveel jaren niet meer onder ons.'

Gelukkig is mevrouw scheutiger. Zulke dingen te horen maakt mij vrolijk, dat er ergens zoveel schitterends bestaat. Als ik dan mijn ogen dichtknijp doe ik een minuutlang alsof ík dat ben die door die keizerlijke zalen loopt, rondom weerkaatst door honderd spiegels. Na zo'n verhaal leeg ik de asladen met minder tegenzin.

De eerste maanden briefde ik die verhalen door aan Lise, wanneer ons werk gedaan was en wij voor het slapen gaan nog even met zijn tweeën zaten. Over het verguldsel, de muzikanten die elke avond in de eetzaal voor de jongens speelden en het vuurwerk na de voorstelling. Ik dacht haar een plezier te doen, maar na een paar keer zei ze dat ik dat soort praat maar voor me moest houden.

Het irriteerde haar. Ik begreep niet goed waarom. Misschien dat zij toen al iets voorvoelde. Je snapt niet dat de macht over de wereld niet in de handen van de vrouwen is; die hebben alles minstens een jaar eerder door dan wij.

'Kijk nou eens goed,' zei ze. 'Kijk hoe wij eraan toe zijn, waar wij hier zitten, hoe wij eruitzien. In godsnaam, neem het leven zoals het is. Ik weet best dat een ander er meer uithaalt, moet ik me dat door jou dan nog eens laten inwrijven? Wat koop ik voor mooie verhalen over iemand van wie ik morgenochtend de wc weer moet schrobben?'

Eerst dacht ik dat ze het zei uit onvrede over onze positie of uit jaloezie, later begreep ik dat er mensen bestaan die van het koesteren van dromen juist onrustig worden.

Stel je toch voor dat iedereen zo dacht, dan zou er nergens meer gedanst worden.

9:10

Daar hebben we madame Asseo. Ik kan haar al van ver zien aankomen, want ze is nogal formidabel. Ze ploegt tegen de helling op en om de zoveel passen stopt ze om in onze ijle lucht haar adem te hervinden. Ik attendeer mijnheer, die amper halverwege zijn routine is, op de pianiste. Hij is juist bezig met een beweging die hij heeft aangekondigd als *pivot* en die hij maar eindeloos herhaalt om daarbij zijn been zover als menselijk maar mogelijk is uitgedraaid te krijgen en daarna toch nog weer net iets verder. Dan staat hij daar – zoiets absurds – en pakt dat been van hem, dat hoger dan horizontaal en ter zijde van zijn tors de lucht in steekt, met twee handen beet, niet alsof het een van zijn eigen ledematen is maar iets zelfstandigs waar hij toevallig even naast staat. Met geweld duwt hij zijn bovenbeen nog wat naar buiten en draait het iets verder uit. Intussen, om de onderliggende spieren te vinden en los te maken, kneedt hij met zijn vingers in het vlees alsof hij een ham aan het keuren is die bij de slager op de toonbank ligt.

Kortom, het bezoek komt ongelegen.

'Als het is om mij nu een half uurtje te begeleiden mag ze bovenkomen,' zegt hij, 'maar over de voorstelling vanmiddag wil ik geen gezeur.'

'Maar hij had het me beloofd,' sputtert madame Asseo als ik haar bij de tuinpoort wil tegenhouden, 'vanochtend zouden wij het repertoire doornemen.'

'Mijnheer Nijinski is nu bezig met zijn oefeningen.' Ik wijs op het balkon recht boven ons, waar nu en dan een arm boven de balustrade uit te zien is en ineens twee, drie keer ook zijn hoofd alsof hij zijn *jetées* benut om te controleren of ik mijn missie al volbracht heb.

'En ík dan?' vraagt de vrouw terwijl ze me opzij duwt. In haar zenuwpiepen hoor ik al de aanloop tot een hele fieteldans. 'Ik weet dat het maar een benefiet is dat wij vanmiddag gaan geven, en dat de grote Nijinski daar geen cent voor krijgt, hij zomin als ik, of dacht je soms dat ík er iets aan overhield? Is dat wat er gedacht wordt, dat ik hier voor mijn eigen gewin ben en dat ze mij daarom als de eerste de beste loonslaaf kunnen behandelen, maar ik kom speciaal uit Wenen, zeg ik je, allemaal vanuit de goedheid van mijn tere hart, want geen sou houd ik hieraan over, geen ene grosschen, integendeel, ik leg er enkel op toe, maar betekent dat dat Bertha Asseo er dan ook maar met de pet naar gooit? Ha, dan hebben ze toch de verkeerde voor zich.'

Ondertussen is ze doorgestoomd tot aan de trap. Het is opzij springen of onder de voet gelopen worden. Toch werp ik me nog tussen haar en de voordeur om te voorkomen dat ze aanbelt. Ze legt haar hand op haar hart, kalmer plotseling en plechtig, alsof ze een grafrede houdt.

'Best mogelijk natuurlijk dat een ander minder nobel is dan ik, ja, zelfs heel voorstelbaar; dat zo'n man de grootste kunstenaar van onze eeuw is wil nog niet zeggen dat zijn gevoelens even fraai zijn als zijn reputatie. Wat een deceptie zou dat zijn, wat een klap in het gezicht van alle fijngevoelige mensen! Maar goed, misschien is het ergste waar, misschien vindt jouw meester ons optreden niet zo belangrijk. Het is tenslotte maar ten bate van het Rode Kruis – wat kan hem de wederopbouw schelen, de eindeloze grafvelden in de natte, kille aarde rond Verdun, wat maalt hij om de uitgestrekte armen van de hongerende oorlogswezen, om alle militairen van wie het halve gezicht is weggeschoten, het volledige onderlijf of erger – maar weet dan dat al die bezoekers die vanmiddag van heinde en verre naar onze voorstelling komen, stuk voor stuk mensen met een hart voor hun medemens en voor de kunst, die een fortuin neerleggen om hem te zien dansen, dat die weldoeners recht hebben op kwaliteit. Ook van mij.'

Deze gedachte aan haarzelf en hoe onterecht zij geschoffeerd wordt, ontroert haar zo dat haar onderlip begint te trillen.

'Ik ben bij dit hele gebeuren maar een voetnoot, jawel, spreek me niet tegen, mijn rol vandaag is weinig meer dan die van figurant, ik weet het toch, nee, nee, mijn gevoelens hoeft niemand te sparen, alsjeblieft, laat niemand opstaan en zeggen dat het anders is, dit is niet het moment voor vleierij, ik weet mijn plaats.'

Daar zijn de tranen.

'Maar dit weinige dat ik mag doen, dit dienstbaar zijn, daarvoor wil ik alles geven. Zo zit ik in elkaar, het is volledige overgave of niets. Alles wat ik wil is spelen op een manier die de grote Nijinski waardig is.' Nu wordt het haar echt te machtig. 'Is dat zoveel gevraagd? En als mij mijn inzet moet worden verweten, wel, dan moet dat maar.'

Madame Asseo trekt een zakdoek tevoorschijn. Juist op het moment dat ze daarin half snuitend, half blèrend, haar neus verbergt, gaat de voordeur open en kijkt mevrouw Nijinski om de hoek om te zien wat voor dier daar op haar stoep geslacht wordt.

'Maar Bertha,' roept mevrouw, 'in hemelsnaam! Peter toch, wat heb je aangericht?'

'Ik, mevrouw?'

'Alles wat ik wil,' de pianiste strekt haar handen naar mevrouw Nijinski uit en strompelt alsof ze gewond is langs mij naar binnen, 'is horen welke stukken ik straks moet uitvoeren, de titels weten, Romola, dan zou ik rust vinden. Zodat ik alle nummers van tevoren één keer door kan spelen, één keer, meer vraag ik niet.'

'Geen denken aan,' zegt mijnheer.

Hij neemt een aanloop en maakt met zoveel kracht een zweefsprong dat het even lijkt alsof hij dit keer dan toch echt voorgoed zijn vrijheid kiest en uit het raam zal vliegen. Naast me hoor ik mevrouw naar adem happen. Zijn landing dreunt na onder onze voeten en maakt de boodschap in één klap duidelijk: hier wordt gespeeld met krachten die geen afleiding dulden. Met opgeheven kin en twee armen in de lucht staart hij ons aan, uitdagend, alsof hij een volle zaal tot applaus dwingt.

'Ik ben geen circuspaard dat weet op welke maat hij zijn rondje door de piste moet lopen.'

'Alsjeblieft Vaslav,' fluistert mevrouw, 'dat ouwe mens! Doe het dan uit vriendschap. Ze is nerveus. Stel haar gerust en zeg even: op welke muziek wil je straks dansen?'

'Dat weet ik nu nog niet.'

Mevrouw kijkt mij aan alsof ik samen met haar voor hetzelfde probleem sta.

'Goed dan,' zegt ze kalm, 'ik begrijp het, er zit niks anders op. Bertha Asseo zal nog even geduld moeten hebben. Het spijt me dat we je gestoord hebben.'

'Heeft hij het er met jou over gehad?' vraagt ze zodra we op de gang staan.

'Met mij? Welnee, mevrouw, en dan nog, daar heb ik toch geen verstand van, al die namen, ik zou ze niet uit elkaar kunnen houden.'

Zonder haar pas te vertragen blikt ze eventjes opzij en schat in of ze me moet geloven of dat ik hem de hand boven het hoofd houd. Ondertussen stevenen we recht op mijnheer zijn werkkamer af.

'En al zijn voorbereidingen?'

'Och, er is zoveel.'

We staan voor zijn deur.

Ik heb de sleutel aan mijn bos.

Ze kijkt me aan en wacht.

Een bibliotheek die is getroffen door een storm, daar lijken zijn vertrekken nog het meeste op, iets wat het midden houdt tussen een uitstalling op de jaarmarkt en de grot van Aladdin.

Mijnheer heeft de laatste maanden onophoudelijk gewerkt. Overal slingeren de boeken en de prenten die hem hebben geïnspireerd. De hele winter, elke dag als ik hier vuur kwam maken, was ik eerst zeker tien minuten bezig om alles wat brandbaar was op veilige afstand van de haard te brengen. En dan maar hopen dat hij in zijn enthousiasme niet alsnog een van de toneelkostuums die Negri op zijn aanwijzingen gemaakt heeft en die op hangers aan alle deurknoppen en kasten hangen, te dicht bij de vlammen zou houden. Dan staan er wankel tegen de muur geleund nog allerlei rollen met de prachtigste stoffen, die de afgelopen tijd zijn aangeschaft maar het nooit verder hebben gebracht dan een idee. En alles ligt bezaaid met tekeningen. Talloze vellen zijn van de dikke stapel op zijn bureau uitgewaaierd over de grond. Van alles zit ertussen, van ontwerpen voor kostuums en decors tot uitgewerkte voorstellingen van scènes of zomaar, kinderlijk gekrabbeld, wat gezichten. De meeste bevatten notities van danspassen: allemaal kruisjes en pijlen, rondjes en strepen als de voetafdrukken van een mysterieuze vogel die zich – hink-stap-sprong – over het papier heeft voortbewogen.

Behoedzaam loopt mevrouw te midden van de chaos.

Her en der pakt ze een stuk papier op en terwijl ze de bewegingen ontcijfert probeert ze er nu en dan enkele uit, nooit meer dan alleen in aanzet: het begin van een draai, de aanloop tot het heffen van een arm, het nijgen tot een buiging. Bijna onmerkbaar verplaatst ze het gewicht van haar ene op haar andere been en voeren haar voeten in het klein wat neergeschreven passen uit. Wanneer ze de betekenis van zo'n vel doorgrond heeft, klemt ze het tussen flank en elleboog en pakt het volgende op. Zo werkt ze zich beweeglijk door zeven, acht van haar mans choreografische notities, puzzelend en peinzend, soms met gebogen hoofd pauzerend en dan ineens weer

verder, soepel, alsof ze meewuift op de wind van zijn gedachten.

Uiteindelijk stopt ze abrupt. Het papier kreukt onder
haar vingers, zo krampachtig drukt zij het ineens tegen
haar borst.

De nachtvlinders. Zo moet het gaan heten, het ballet
waaraan hij werkt en dat hier over de vloer ligt uitge-
spreid. Mevrouw wist van het bestaan. Ik heb zelf gehoord dat ze er met zijn tweeën over spraken. Mij heeft
mijnheer er weleens wat over verteld wanneer ik binnen-
liep om te stoken, maar veel heb ik er niet van begrepen.
Ja, dat het schandalig was vooral. Over zoiets had ik toch
nog geen fatsoenlijk mens ooit horen spreken voordat de
Nijinski's in mijn leven kwamen! Nou ja, vroeger met
mijn vrienden hadden we het weleens over zulke vrouwen, en twee jaar terug heeft de receptionist van het Monopole mij er een aangewezen. Ik kon het niet geloven,
het was een echte dame, maar de man hield vol dat zij
toch echt zo iemand was en dat zij aasde op zijn gasten.
Ik weet dus dat ze bestaan en, nou ja, eerlijk is eerlijk, je
denkt er af en toe aan, maar dat zo'n figuur op toneel zou
kunnen worden uitgebeeld!

Toch is dit mijnheers idee. De hoofdpersoon van zijn
ballet moet zo'n vrouw voorstellen, maar dan op leeftijd, een bejaarde hoer, ik zeg het maar zoals het is. Zij
is verlamd en misvormd door alle ziektes die ze bij haar
werk opgelopen heeft. In liefde handelt zij. Dit is haar
manier van overleven. Onvermoeibaar verkoopt zij jong
aan oud, jongens aan meisjes, vrouwen aan vrouwen,
mannen aan mannen. Hij had ook schetsen gemaakt van
hoe dit in zijn werk moest gaan. Die hield hij me voor
met een heel verhaal over hoe het er straks op de planken uit zou zien. Ik had echt liever dat hij mij niet zo in
vertrouwen nam en dat heb ik met zoveel woorden ge-

zegd ook. In elk geval liet ik dit duidelijk merken. Toen vertelde mijnheer dat het wel degelijk alles met mij te maken had omdat ík het was geweest die hem aan het idee geholpen had – ik! Nou zullen we het krijgen. Ja, hield hij vol, ik was het toch geweest die hem verteld had over mijn tochten, lang geleden, met mijn broer en de professor. Om die reden was hij een boek van hem gaan lezen, een boek waar hij nu helemaal van in de ban was. Hij liet het me zien. Het was een van die laatste werken die mijnheer Nietzsche schreef terwijl hij met Noldo en mij op pad was. Terwijl mijnheer daarin las, beweerde hij, was zijn idee voor dit ballet gekomen. Dit maakte me echt boos en dat heb ik hem gezegd ook, want de professor was onder alle omstandigheden een heer, iemand van wie ik nooit een onvertogen woord gehoord heb.

'Het is de laatste hoop die de wereld rest,' verdedigde mijnheer zijn plan. 'Daar zal het over gaan, de liefde, in alle vormen waarin wij haar kennen. Er is maar één ding, Peter, waarvoor mensen bereid zijn alle verschillen die er tussen hen bestaan opzij te schuiven om samen te werken aan een gemeenschappelijk doel, het enige wat ze kan verlokken om de wapens neer te leggen, en dat is het bedrijven van de liefde.'

Ik dacht aan Lise, het landschap van haar lichaam, glooiend van haar onderlijf naar haar borsten, zoals ik dat vanochtend zag terwijl ik met mijn hoofd tussen haar dijen lag. Hoe haar hele lichaam kronkelde en zij mij met haar knieën in een klem hield om maar te zorgen dat ik daar zo lang zij wilde op mijn plaats zou blijven. Het zachte vlees van haar bovenbenen tegen mijn oren gedrukt, het genot van die stilte, in de liefde volledig te zijn afgesloten van elkaar door elkaar.

'Voor hen die oorlogszuchtig zijn,' zei mijnheer, 'is de liefde de grootste hinderpaal. Wantrouw dus de zedenprekers en iedereen die kuisheid predikt, want zij zijn boodschappers van het kwaad.'

'Al goed, mijnheer; iemand die op mijn kuisheid uit is, komt sowieso te laat.'

Na verloop van tijd komt mevrouw weer tot zichzelf. Ze legt de papieren terug op tafel. Voorzichtig strijkt ze met vlakke hand de kreukels glad. Ze plet de vezels onder de druk van haar palm, vouw voor vouw, alsof ze hiermee tijd probeert te winnen. Ze veegt nog wat vellen bij elkaar, doet alsof ze die sorteert en daarvan stapeltjes wil maken, maar haar gedachten zijn ergens anders. Ten slotte recht ze haar rug en kijkt mij aan. Ik schrik ervan, dat smeken in die blik, ergens tussen ongeloof en verontschuldiging, zoals Lise onlangs keek toen ze bij het afstoffen de Chinese vaas had omgestoten.

Alsof ík de tijd nog terug kan draaien.

'Ik zal madame Asseo vragen later terug te komen,' zeg ik zacht.

9:47

Eigenlijk ben ik op zoveel koppigheid natuurlijk bloedjaloers.

'Wat mevrouw aan eigenwijs te veel heeft,' verzucht ik zodra ik de keuken binnenkom, 'dat heb ik te weinig.'

Ik heb die enorme pianiste weggewerkt en moet wat stoom afblazen, dus schep ik een beker melk uit het vat en roep het eerste wat me invalt, gewoon om iets te zeggen.

Marie en Lise zitten aan tafel, de een is alvast aan het doppen, de ander poetst het zilver voor het souper dat vanavond na de voorstelling is voorzien.

'Als het maar niet zo verdomd verleidelijk was om op

je plek te blijven zitten,' mopper ik nog even verder. 'Met een klein beetje van háár durf, God weet hoe ver wij al gekomen waren, wat jij Marie?' Ik neem een slok en haal de rug van mijn hand langs mijn mond. 'Niet dat je mij hoort klagen. Moet jij eens kijken hoe ver Lise en ik het in ons leven tenslotte al hebben geschopt. Hè lieverd, hoe ver zijn wij al niet? Toch op zijn minst tien, misschien wel twaalf kilometer van de plek waar we het daglicht zagen. Nee, ik moet zeggen, het schiet lekker op.'

Ik ratel als een klepper bij slecht zicht en heb daar zelf best lol in, maar dan hoor ik me ineens als enige aan tafel om dat grapje grinniken. Marie werpt kort even een blik opzij naar Lise, die onverstoord over haar werk gebogen blijft. Zij heeft de punt van een werkdoek om haar wijs- en middelvinger gevouwen en wrijft daarmee driftig heen en weer over een lemmet.

Ik denk nog: wat gek, dat mes dat ís toch al op glans? Maar zij zet een kracht alsof ze door het scherp heen wil boenen.

'Wie zijn blik altijd maar vooruit heeft, vergeet te kijken hoe zijn pad loopt.' Marie slingert de boon die ze net gehaard heeft met een grote boog in de pan met water. 'Voor hij het weet stapt hij ernaast.'

Het is mijn eigen schuld. Ik ben doodmoe, ik was vroeg op, die paar uur lijken al een hele dag. Bovendien, ik ben een man, anders had ik de situatie wel kunnen aanvoelen. Dan had ik het gehoord aan Lises stem.

'Gek misschien,' zegt zij zonder op te kijken, zachtjes alsof het een geheim is, 'maar sommige mensen zijn gewoon tevreden met wat ze hebben.'

Eindeloos, de vormen van liefde. Ergens daartussen moet er toch een zijn waarmee je kunt ontsnappen aan de wereld die bij je geboorte voor je wordt afgebakend.

Het gaat er niet om zeker van je zaak te zijn, dat zie je aan mevrouw. Die twijfelt aan de uitkomst van deze dag zoals wij allemaal, nog meer misschien, maar zij heeft zich nou eenmaal een duidelijk doel gesteld, jaren geleden al, op haar eenentwintigste in Boedapest, en daar – God zegene de greep – stevent zij op af. Vervloekt, de risico's die zij bereid is daarvoor te lopen. Alleen omdat zij ooit een droom had. Omdat haar een geluk voor ogen stond voor zichzelf én voor hem, een geluk dat zij, als het dan niet vanzelf komt, in staat is desnoods van het leven af te dwingen. Het gevaar dat zij daarvoor, willens en wetens, nu met mijnheers gezondheid neemt. Onverantwoord.

Ieder ander zou ik zoiets kwalijk nemen, maar bij haar lukt me dat niet. Integendeel. Als zij mij aankijkt zoals daarnet in mijnheers werkkamer, bijna in paniek om alles wat ze op het spel zet, dan wil ik haar geruststellen. 'En nou ook volhouden,' zou ik bijna willen zeggen. Dan heb ik moeite om me in te houden. Zo twijfelen en toch doorzetten. Het neemt me voor haar in. De dwaasheid! Wat ik ervoor geven zou om dat te durven, al is het maar één keer, alles een keer in te zetten op je eigen leven. Of nee, het is méér. Gokken met je eigen leven is tot daaraantoe, maar een risico durven nemen met de levens van degenen die je lief zijn!

Ergens in die onverantwoordelijkheid schuilt een enorme liefde. Ik voel het. Ik zie het toch aan haar. Zoals zij van hem houdt. En toch. Ik vraag me af of je die óók kunt dansen, de liefde die alles in de waagschaal stelt alleen omdat ze in zichzelf gelooft.

Toch zou ik geen liefde weten die minder reden had om zeker van zichzelf te zijn. Die twee? Als je eenmaal gehoord hebt wat daaraan allemaal voorafging, dan zou je de Nijinski's geen kans van slagen geven.

Niet dat mevrouw hierover ooit ook maar met één woord heeft gerept natuurlijk. Soms walst ze zo stug over iedere verwijzing naar mijnheers verleden heen dat je je afvraagt of ze er wel weet van heeft. Maar er komen hier genoeg mensen over de vloer en als ik een ruimte binnenga kan ik mijn ogen en mijn oren moeilijk op de gang laten.

Bovendien, mijnheer laat zich regelmatig wat ontvallen. Hij heeft het over dergelijke zaken heel anders dan alle anderen, nooit besmuikt of zelfs maar nadrukkelijk, nee, meestal noemt hij sodomie als iets terloops in een verhaal, omdat het nou eenmaal bij zijn leven hoort, tussen neus en lippen door, gewoon, alsof er niks schandelijks aan is.

De eerste keer dacht ik dat ik het verkeerd verstond. Later zei hij het nog eens, toen drong het langzaam tot me door en wist ik niet waar ik moest kijken. Maar alles went, en het was niet eens zo lang daarna dat ik mezelf erop betrapte dat ik, wanneer mijnheer weer iets aankaartte met betrekking tot, nou ja, degenen die hem vroeger hadden liefgehad, al niet eens meer rood werd, dat het me telkens minder moeite kostte niet te gniffelen en dat ik niet eens meer in mezelf even om die onbeschaamdheid vloekte of niks.

Omdat hijzelf zich er zo volslagen niet voor schaamt, denk ik.

Omdat hij er zelf niets vreemds aan hoort, hoor je na verloop van tijd het meest intieme aan alsof hij je niet meer vertelt dan dat hij ooit ergens iets at of dronk of dat hij ademhaalt.

Zonder schaamte is er schijnbaar geen schandaal.

Het is maar goed dat ík de liefde niet hoef uit te beelden! Mij is het een raadsel. Misschien is dat niet erg. Er is zoveel waarvan ik niks begrijp en toch komt elke dag de zon op en hebben wij hier allemaal te eten. Maar als ik Lise zo zie zitten, gebogen over dat zilverwerk alleen om mij niet aan te hoeven kijken, vraag ik me af of niet de hele wereld zijn verstand aan het verliezen is. Als nou één stel altijd zeker van zijn toekomst is geweest...

Die van haar en mij lag zo vast als de oude weg langs San Gaudenzio, waar altijd al een pad liep lang voordat de Romeinen het bestraatten. Zolang er mensen zijn zal het hier de enige route blijven, niet omdat je onmogelijk een andere weg door de bergen zou kunnen vinden, maar omdat deze er nou eenmaal ligt, recht en makkelijk begaanbaar, en hij zijn nut al zo lang heeft bewezen.

Onze eerste kus, daarmee kan ik Lise altijd op de kast krijgen. Zeker als er een ander stelletje in de buurt is.

Anderen hebben vaak zo'n duidelijk moment: die bevroren vijver waarop ze elkaar voor het eerst hebben gekust, een lied, een dansfeest, een bankje met een uitzicht dat voor hen tot in de eeuwigheid met hun geluk verbonden blijft. Het decor waartussen zij zich voor het eerst realiseerden dat ze samen verder door het leven zouden gaan, staat in hun ziel geëtst. In gezelschap trekken ze hun herinnering daaraan keer op keer tevoorschijn als een foto, alsof hun hart een donkere kamer is waarin alleen die ene avond waarop ze verliefd werden even wat licht gevallen is.

Ik weet nooit wat ik daartegenover moet stellen. Zo'n gewaarwording hebben wij nooit gehad. Lise en ik wáren allang samen voordat we wisten dat mannen en vrouwen meer deden dan eens kijken wie het hoogste in een boom durft te klimmen.

Al zeker tien, twaalf keer waren wij getrouwd, zij met als sluier een kaasdoek of een tafellaken, ik met twee ringbouten op zak waarvan ik er na het jawoord eentje aan haar vinger schoof, voordat iemand ons vertelde dat pasgehuwden elkaar niet zo gretig achternazitten enkel om buutvrij te spelen.

Van schrik hebben we daarna een aantal maanden helemaal niks meer gespeeld, tot we uiteindelijk op een middag na schooltijd op een veld bij het meer de ceremonie toch weer hebben opgepakt, nu alleen wat serieuzer. Ik herinner me dat gevoel waarmee iedere jongeman vast wel een keer te maken krijgt: dat je aan de winnende hand bent in een spel waarvan niemand je de regels goed heeft uitgelegd.

Als ze mij later vroegen wanneer Lise en ik geliefden werden, noemde ik altijd dit moment, de middag waarop onze tongen elkaar vonden. Niet dat we ons daardoor van het ene moment op het andere ineens echt één voelden, zoals ik mensen wel had horen beweren, of omdat we nu na lang hunkeren plotseling overdonderd waren door onze intimiteit – hoe zou dat bij ons ook kunnen, wij die van kinds af aan samen in bad waren gedaan en inmiddels ieder plooitje dat we aan ons lijf ontdekten nieuwsgierig met onze kleine vingertjes voor de ander al wel hadden gespreid. Het maakte juist zo duidelijk en voor het eerst een groot verschíl tussen ons zichtbaar.

Het was net alsof er, rondtastend in die vochtig warme holte, niet één verlangen werd gewekt, maar twee: dat van mij naar haar en dat van haar naar mij. De lust die ik daar de kop op voelde steken, ook al gold die Lise, léék niet op de plannetjes die wij tot dan toe samen hadden gesmeed. Alle ondeugd die zij en ik daarvoor hadden bedacht had ons dichter bij elkaar gebracht, gierend uitgelaten, omdat wij ons één voelden tegen de wereld, nou ja, in elk geval één tegen Durisch, de kruidenier bij wie wij een greep in de bak met zoethout deden. Maar het ongeduld dat nu door mijn aderen zinderde wílde alleen maar iets van haar, steeds weer en heviger, van háár, en over mijn plan van aanpak kon ik met geen ander overleggen.

Hierover dacht ik toen niet na, ik was te druk bezig mijn zin te krijgen, maar als ik er later weleens aan terugdacht was het alsof ik het gewoon voor me zag, hoe wij ons die middag uit elkaar hebben moeten terugtrekken. Anders kan ik het niet zeggen. Ineens waren zij en ik ons niet meer samen aan het vermommen om de volwassenen voor de gek te houden en een toneelstukje voor de wereld op te voeren, maar nu moest ik een houding zien te vinden tegenóver haar.

Voortaan waren wij elkaars publiek. Hoe heerlijk ik het allemaal ook vond, hoezeer het me ook opwond om mezelf in deze nieuwe hoedanigheid aan haar te laten zien, tegelijk voelde ik me ook verstarren, alsof ik tegenover Lise plotseling iets op te houden had.

Zoals mijnheer een bepaalde pose aanneemt voordat hij een sprong gaat maken, ja, daar leek het nog het meeste op. Je weet niet precies waarom je alles zo aanspant, alleen dat iedereen vóór jou, voordat zíj die sprong waagden, het ook zo heeft gedaan.

Dat betekent het om een man te worden, denk ik, en meer niet: dat je een rol aanneemt die altijd maar op één manier gespeeld is. Daarom voelt hij die eerste keer net zo onwennig als vertrouwd. Onbewust heb je je al je hele leven voorbereid, de maniertjes heb je afgekeken, zoals het eeuwig wijdbeens zitten, van alle mannen die je kent. Kleine dingen zijn het, nauwelijks merkbaar, iets in je blik, iets in je stem, de manier waarop je je arm om haar heen legt, breder, steviger, alleen nooit meer vanzelfsprekend. Het is zoiets als heel hard roepen om jezelf niet te hoeven horen. De eerste tijd geef je daarvan een imitatie totdat het inslijt en je zelf een voorbeeld wordt voor jonge jongens.

Voortaan waren onze lijven afgebakend, je had dat van

mij en dat van haar en die lagen daarna nooit meer zonder bijgedachte tegen elkaar.

Zij vindt dit niet leuk om te horen, dus zeg ik het niet meer. Zij vond die gedachte niet 'romantisch' en schaamde zich daarvoor ten overstaan van anderen die hun eerste samenzijn als het meest innige bejubelen, maar zo is het wel en ik weet toevallig ook dat zij dat toen net zo heeft gevoeld, want het eerste wat zij na die middag deed was mij verbieden ooit nog zomaar bij haar in de tobbe te stappen.

Niet lang daarna zal het geweest zijn dat het tot mij doordrong dat wij echt voor altijd samen zouden blijven. Het geluk dat er toen door me heen stroomde! Niet omdat er voor ons iets spannends en nieuws stond te beginnen, zoals bij andere mensen, nee, juist omdat wij alles van elkaar al kenden. Zo veilig als dat voelde.

Nu zit ze daar, mes na mes na vork en lepel, lepel, mes, servetring, lepel, en ze schaamt zich. Ik zie het toch?

'Van over de hele wereld komen de mensen hierheen om te zien hoe wij hier leven,' zegt Lise verongelijkt. 'En als ze dan na twee weken weer naar huis moeten, jammeren ze dat het al voorbij is.' Ze slaat de doek uit, vouwt hem op met korte, boze halen en begint het bestek te sorteren per couvert. 'Dat is de enige klacht die ik hier ooit gehoord heb, als ze na hun vakantie weer terug moeten naar beneden, dat ze niet gewoon voor altijd in ons dal kunnen blijven. "Tien, twaalf kilometer van de plek waar wij het daglicht zagen..."'

Ze schaamt zich en ik ben het die haar het gevoel geeft dat ze ergens in tekortschiet.

Kil klinkt het ketsen van massief zilver tegen zilver.

'Iedereen die ik ken is er trots op dat hij hier geboren is. Maar ach,' zegt ze bitter, 'die boeren hier! Wat weten die?'

Ik weet niet hoe je van iemand kunt houden zonder méér voor hem te willen. Liefde is ook nieuwsgierigheid naar hoe het verder gaat.

10 :*15*

Intussen brandt in mijn zak nog steeds die brief van Hanselmann. Ik zou er vast beter aan doen die maar te vergeten en hem morgen met zijn tien francs aan de confiseur terug te geven. Willen we die afspraak nog halen dan zouden we nu ogenblikkelijk weg moeten. En dan nog, het is niet alsof er hier in huis zo'n tekort aan drama is dat we eropuit moeten trekken voor een beetje extra.

Mijnheer heeft net gebeld ten teken dat hij met zijn oefeningen klaar is en ik op het balkon de korven kan doven en wegruimen. Daarvoor sjouw ik twee koperen bakken naar boven, de ene voor as en uitgedoofde sintels, de andere voor alles wat nog gloeit.

Nooit is het me gelukt een briket of een stuk hout te verkwisten waar nog leven in zit, zelfs al is het maar een beetje. Het is een afwijking, dat weet ik wel. Een normaal mens zou er een emmer water overheen gooien. Ik niet.

Ik kan het niet. Ik houd zulke stukken apart en gebruik ze in een van de andere kamers voor een volgend vuur. Het slaat nergens op en brengt me niks dan last, maar zo doe ik dat. Als mensen mij zo bezig zien, denken ze dat ik al die moeite neem uit zuinigheid, heel lovenswaardig, om geen spaander te verkwisten, en dat heb ik ook mezelf een tijdlang wijsgemaakt, maar als ik nou eerlijk ben dan is het enige wat ik sparen wil de gloed.

Brandt een vuur op dan ben ik tevreden, dan heeft het zijn nut gehad, zijn natuurlijke verloop, maar zolang het toch nog ergens zijn gang gaat, krijg ik het haast niet over mijn hart het te doven. Het idee dat het ergens waar niemand het zien of vermoeden kan, nog fonkelt. Vaak woedt er diep binnenin nog iets, vreet het zich door de middelste ringen van een houtblok heen, heel stil dwars door het hart zonder dat je dat er zomaar aan de buitenkant vanaf ziet. Wordt zo'n blok vochtig, omdat mevrouw er voor het slapengaan een vaas op leegt met het idee mij zo te helpen, of wanneer Lise te kwistig is met haar sop als ze de schoorsteenmantel schrobt, dan gaat mij dat door merg en been.

Dat sissen eerst, dat klinkt mij als het spuiten van bloed uit een opengesneden hals, anders kan ik het niet zeggen. Daarna komen er bubbels op en belletjes en hoor je een geborrel zoals wanneer er druppels terugvloeien in de luchtpijp van een geslacht schaap.

Iedereen die ooit een avondlang gestaard heeft naar het dansen van de rondlikkende tongetjes in een open haard zal het toch met me eens zijn: het is een levend iets, zo'n vuur. Is het dan eigenlijk niet zonde het te smoren zolang er ergens nog iets gloort?

10:20

'Onmogelijk!'

Het enige wat hier gloort is een zenuwcrisis.

Meteen heb ik spijt van mijn goeie trouw, maar halverwege de schans kun je niet keren.

'En Hanselmann, zeg jij, die weet hiervan?' Mijnheer Nijinski laat de brief zakken en staart me aan.

'Hij heeft me de enveloppe gegeven, ik weet niet of hij de inhoud kent.'

'En verder, heeft hij verder iets gezegd? Nou niet kinderachtig, zeg het me.'

Ik haal de sleutel uit mijn zak en leg hem voor mijnheer op het bureau.

'Dat het beter was elkaar niet in de stad te ontmoeten.'

'Nee, nee, natuurlijk niet, niet in de stad, geen denken
aan, niet hier.'

Mijnheer legt zijn hand op de sleutel, bedachtzaam.

'De persoon in kwestie, zei hij, is om elf uur boven in
de blokhut.'

'Nu al?' Geschrokken kijkt hij naar zijn pols, zoals hij
dat gewend is, merkt dat hij zijn horloge niet draagt en
blikt dan naar het uurwerk op de schoorsteenmantel.

'Over een kleine drie kwartier.'

'Zomaar ineens? En dan, dan zit ik daar. Onmogelijk,
er is gewoon geen tijd. Over een paar uur is het aanvang.'

'Ik weet het, mijnheer, ik heb hem al meteen gezegd
dat u het vandaag te druk hebt en dat het allemaal een
erg slecht idee was, maar hij hield vol dat het om iemand
gaat die u vast zou willen zien.'

Met zijn korte, brede vingers omklemt mijnheer de
sleutel.

'Zal ik voor de zekerheid vast inspannen?'

Hij antwoordt niet maar herleest de brief nog eens, laat
hem zakken en kijkt me aan, lijkt zich dan te bedenken,
werpt er nog één blik op en ineens verkreukelt hij hem in
zijn vuist.

'Ga jij.'

'Ik, mijnheer?'

'Ik heb Kyra en haar oma een wandeling beloofd zodra
Miss Grant te kennen geeft dat ze voor vandaag klaar is
met haar lessen. Ga jij en maak daarginds voor hem de
haard vast aan.'

Hij stopt me de sleutel in handen, gooit de brief in het
vuur, grist van zijn bureau een van de schoolschriftjes
die ik voor hem gekocht heb, en loopt daarmee de kamer
uit.

'Maar mijnheer,' roep ik nog, 'welke boodschap kan ik dan brengen?'

De woorden wiegen even op de vlammen tot het papier op de hete lucht omhoog geblazen wordt. Ik por het met een pook veilig naar achteren. Blauwe rook rolt langs de gloeiende randen.

10:35

Voor hetzelfde geld, denk ik weleens, kun je verontwaardigd zijn. Dat de mensen je wereld niet gewoon laten zoals je hem kent. Misschien is dat ook wel de boosheid van Lise, en de angst van mijn ouders, dat gevoel dat er voortdurend aan je wordt getornd.

Hadden wij één dal verderop gewoond, ergens in de vallei tussen de Piz da Staz en de Chalchagn, dan was geen mens tot ons doorgedrongen zonder zijn nek te breken. Dan hadden wij niet beter geweten of ons bestaan was de norm en niks geen verandering. Ik had me voor het leven van mijn ouders laten spannen, tevreden in hun voren voortgeploegd en mijn dromen nooit verder hebben laten woekeren dan de volgende bergkam.

Denk niet dat ik daarnaar niet net als Lise kan verlangen. Zo veilig als dat zijn zou, zo precies de rust die zij voor ons voor ogen heeft. Wij zouden 's avonds samen bij het vuur zitten en over de zee horen als over ridders en tovenaars en zoveel ander moois in liedjes en verhalen. Er is nu eenmaal niets heerlijker dan weten wat je hebt. Dat is een verlokking die ik best begrijp.

Tevredenheid is evengoed een hartstocht, dat zie ik wel aan Lise. Het is iets waar zij in gelooft, waar ze elke keer opnieuw voor op moet komen. Ook de grenzen die een mens zichzelf stelt moeten dus bevochten worden, misschien zelfs vuriger nog wel, omdat de twijfel niet alleen van buiten kan komen, maar ook van binnen. Vergis je niet, er gaat verdomd veel passie in passief.

Misschien ben ik daarvoor dan gewoon niet sterk genoeg. Zoiets heeft mijn vader mij een keer verweten toen hij zich gekwetst voelde door mijn verlangen om de wereld te zien, dat ik vertrouwen mis. Alsof ons gezin een geloof is waarvan ik dreig af te vallen.

Zolang ik me herinner komen ze vanuit alle windstreken hier aangewaaid, mensen die ons leven aandoen alsof het een bezienswaardigheid is. Wanneer de vrouwen mij bij zich riepen en naar me vooroverbogen, snoof ik parfums op die in vlagen van hun wapperende kleding sloegen. Aaiden ze me vertederd over mijn bol dan luisterde ik naar het gerinkel van hun juwelen. De kleuren en de stoffen die ze droegen, sabelbont en zijde dat met iedere lichtval wisselde van kleur. 's Avonds in bed probeerde ik alle talen na te doen die ik overdag had opgevangen, van loopjes luchtig als een liedje tot keelklanken als een kleffe klodder. Zoveel indrukken, ik zou niet weten hoe een kind daar weerstand aan zou kunnen bieden.

Maar meer dan al die vrolijkheid die ze van beneden meebrachten, meer dan de glimmende muntjes die ze mij, voordat ze weer verder flaneerden, nog snel even in handen drukten, raakte ik betoverd door hun blik. Hun kijk op mij. Daar was iets in, nieuwsgierigheid, misschien ook mededogen, wat mij deed ontwaken.

Mij en iedereen die mij vertrouwd was, zagen zij zoals ze tijdens hun wandelingen onze rotsen en hellingen bekeken: altijd licht verwonderd, alsof zij in hun mooie stadspaleizen helemaal waren vergeten dat zoiets ongerepts nog kon bestaan, met vochtige ogen vaak, vertederd het hier te hebben teruggevonden, maar vooral ook enigszins terughoudend, omdat je het nou eenmaal nooit weet met de natuur, zo meteen zak je er tot je middel in weg of wordt er ineens ergens iets woest. Hun belangstelling voor mijn zongebleekte krullen leek even oprecht als die voor de besneeuwde hellingen: kijk nou toch, daar skiën we een paar keer vanaf en dan snel weer naar de bewoonde wereld.

Wanneer ze na een week of hooguit twee weer vertrokken, hoorde je ze soms wel jammeren, maar mij leken de meesten vooral opgelucht dat ze niks hadden gebroken, uitgelaten dat hun beneden een leven wachtte.

Niet voor iemand onder willen doen, wie weet ligt daar wel het begin. Ik herinner het me als een nervositeit. Alsof een woelmuis zijn nest probeert te bouwen in je maag. Ongedurig. Zoals vroeger, als je naar bed moest terwijl in het dorp het bruiloftsfeest maar net begonnen is en je naar de muziek ligt te luisteren die door het hele dal weerkaatst. Ondraaglijk idee dat je aan de vrolijkheid geen deel hebt en niemand jou daar mist. Zoals dat gaan zal als je dood bent.

Met afgunst heeft het niks te maken. Dat heeft mijn moeder in haar onmacht wel geroepen, dat ik boven mijn stand droom. Dat het mij erom gaat beneden ergens fortuin te maken en dan ook in mooie kleren rond te kunnen stappen. Verdriet valt mensen lichter als ze het kunnen wijten aan iets lelijks.

Maar hoe oud zal ik geweest zijn, drie of vier? Ik kon amper lopen of ik wilde er al op uit, dat heeft zij zelf altijd verteld aan iedereen die het maar wilde horen, hoe ik mijn beertje met een stuk worst en een halve boterham in een sloop propte, onder de spijlen van de erfafscheiding door kroop naar het pad en aan de afdaling begon, te jong in elk geval om al te zien dat je ouders niet écht de koning en de koningin zijn uit de sprookjes. Waar dat toen door kwam, mijn verlangen naar verderop, dat weet ik niet. Niet omdat ik niet tevreden was, in elk geval.

Ik geloof trouwens niet eens dat het leven beneden zoveel beter is.

Het is niet boven, dat is alles.

Ik noem het nieuwsgierigheid, Noldo noemt het onvolwassen. Zijn raad aan mij is om, zoals hij dat uiteindelijk zelf ook heeft gedaan, maar eerst eens dat gezin te stichten waar mijn moeder nou al jarenlang op wacht en met haar het hele dal. 'Dromen kun je je hele leven nog.' Onze beste jaren hebben wij tenslotte al verdaan. Het ís al een wonder, zegt hij telkens, dat Lise zoveel geduld heeft met zo'n 'twijfelaar' als ik, dat moet wel echte liefde zijn, want iedere andere mooie vrouw had eieren voor haar geld gekozen. Als zij niet zo aan me hing had zij allang een kerel gezocht die geen enkel voorbehoud maakt, iemand die haar niet jaar in jaar uit aan het lijntje houdt – het is gewoon een zonde er maar zo op los te leven – maar die haar eindelijk eens ten huwelijk vraagt, zoals dat hoort, eentje die doorheeft dat hij zijn kloten niet alleen voor zijn plezier gekregen heeft, maar eens voor nakomelingen zorgt. Als ze het wachten eenmaal zat is, waarschuwt hij, gaat Lise ervandoor. Dan schiet ik over en word ik als de ouwe Trenzo, die de hele dag alleen maar in zijn eentje voor zijn hutje naar het voorbijgaan van de wolken zit te kijken.

Noldo weet waar hij over praat, want, al is het hem niet gelukt, hij heeft tenminste geprobeerd hier weg te komen. Na zijn afdaling met professor Nietzsche naar Turijn zat hij daar, nadat die arme man eenmaal was afgevoerd, zonder een rode cent. Met een transportboot is hij naar Civitavecchia gereisd en van daar naar Rome gewandeld, waar hij sliep met een meisje uit Campania en later met een Piemontese, waarover hij mij als hij gedronken heeft nog wel vertelt, maar altijd in het diepst geheim want ook al was het ver vóór haar tijd, Noldo's echtgenote heeft er een handje van lelijk jaloers te worden op het minste of geringste dat zich zonder haar heeft afgespeeld. En nog verder trok Noldo in het gevolg van een jonge Britse edelman, die opgravingen wilde bezoeken op de hellingen bij Napels en in de Maremmen en kerken wilde bestuderen in Perugia, Urbino, Florence en heel veel kleine plaatsjes daartussenin. Mijn broer wijst ze mij, als wij met zijn tweeën zijn, nog weleens aan op de landkaart die hij onderweg had aangeschaft en die hij sindsdien altijd op zak heeft.

Nog steeds, na al die jaren, kan hij zomaar ineens beginnen over beelden of schilderijen die hij toen gezien heeft. Hij probeert ze te beschrijven, maar dan gaat het over licht van zee en kleuren die wij helemaal niet kennen, over eilanden en draperieën die wij nooit hebben gezien, gebroken pilaren en de gekste gebouwen die wij ons hier niet goed kunnen voorstellen. Ik vraag altijd door, al was het maar omdat hij er zo vol van is, maar zijn kinderen bijvoorbeeld zegt het niks en zijn oude kameraden verveelt het alleen, zodat hij er dan maar altijd snel weer over ophoudt.

'Je leven aanvaarden zoals het is, is ook een uitdaging,' heeft hij me ooit gezegd, 'misschien wel de grootste waarvoor een mens kan komen te staan.'

Wie weet heeft hij gelijk en voelen wij allemaal dezelfde onrust, zijn het precies dezelfde zenuwen die Lise zo onzeker maken en mijn ouders zo verdrietig. Het zijn die verre klanken van het feest.

Zouden wij gelukkiger zijn geweest als we nooit iets hadden opgevangen van de melodieën in de verte? Als we één dal verderop hadden gewoond? Ik weet het niet. Wat voor zin heeft het je daarover op te winden? De mensen zijn nou eenmaal naar boven gekomen. Zolang ik me herinner dein ik al op hun levens mee en als ze weer weggaan blijven die door mijn hoofd zingen. Dat is het enige wat ik ze zou kunnen verwijten, veel van die passanten en de Nijinski's net zo goed, dat ze me aan de wereld medeplichtig hebben gemaakt.

10:*55*

Het is gaan sneeuwen. Als ik de scherpe bocht neem halverwege de Giop zie ik onder me de stad liggen, die door de trage, dikke vlokken in honderdduizend stukjes lijkt uiteen te vallen, langzaam vervaagt zij, even later al is zij volledig opgelost. Hier en daar gloeit nog een lichtje dat iemand snel heeft aangestoken, maar even later doven ook die in de verblindende stilte.

De berghut van Hanselmann ligt richting Corviglia aan een zijpad. Aan de rechterkant moet het ergens zijn, een houten brug over de greppel, maar alles stuift en het is lastig te zien waar de berm ophoudt en het erf begint. Het is geen grote bui. Door de donkergrijze kern schijnen lichte kringen, een teken dat de wolk aan de bovenkant al aan het verwaaien is. Met een minuut of twintig is hij voorbij. Op een normale dag zou ik een boom opzoeken en hem uitzitten.

Je vraagt je af wat mensen er ooit toe heeft gebracht hierboven te gaan wonen. Vroeger, bedoel ik, wat kan onze allereerste voorouder hebben bezield? Was er beneden nou zó'n tekort aan land, ging het er daar echt zo slecht aan toe, was het leven daar zo uitzichtloos dat het iemand een goed idee leek steil omhoog te klauteren en tegen de rotsen eens een akker aan te leggen? En toen de eerste slagregens zijn nieuwe aanplant hadden weggespoeld, de beken buiten hun oevers traden, hun weg zochten over zijn land en alle vruchtbare aarde meesleurden, toen het daarna begon te vriezen en de eerste vroege sneeuw zijn aarde openbrak en zijn oogst bedierf, waarom heeft hij volgehouden? En in het voorjaar dan, toen hij onder de smeltresten de diepe voren ontdekte die het schuifijs de afgelopen maanden dwars over zijn land getrokken had en hij begon door te krijgen dat hij weken nodig zou hebben om het weer enigszins te effenen en daarna nog eens een maand voordat hij alle meegekomen gruis en kiezels had verwijderd, toen hij begreep dat hij dit elk jaar opnieuw zou moeten doen en dat de grond hier nooit meer dan een half jaar vruchtbaar zou zijn en meestal minder, hoe heeft hij volhard?

Toegegeven, op momenten zoals nu, dat de ijskorrels onder je kraag en je manchetten slaan, wanneer je ze voelt smelten in je hals en het vocht druipt zo langzaam langs je ruggenwervels naar beneden, als de vlokken aan je wimpers kleven en je dóór moet en nergens kunt schuilen terwijl de windvlagen over je natte gezicht jagen totdat je neus- en oorholtes er pijn van doen, ja, dan vervloek ik het weer hierboven ook wel. Maar uiteindelijk gaat de storm altijd liggen en dan ben ik in mijn element.

Een goede sneeuwbui haalt de eenzaamheid uit de lucht. Dat is denk ik waarom ik me na een dik pak zoveel beter voel. Zuiverder. Alsof ikzelf échter ben en het leven ineens eerlijker. Het alledaagse ligt bedekt. De kou is uit de lucht. Het vriest misschien nog wel, maar je voelt het even niet. Je bent nog steeds alleen, maar je mist de anderen niet. Omdat je je heel even niet van ze bewust bent. Hun sporen zijn uitgewist. Alsof ze nooit hebben bestaan. En zolang er geen anderen bestaan, kun je je ook niet door ze verlaten voelen. Er is iets aan verse sneeuw wat hoop geeft.

Dit is wat Lise niet begrijpt. Als die een dag of twee niet bij haar moeder of haar zusters of vriendinnen langs is geweest, is ze als de dood dat ze daar iets gemist heeft. En neem van mij aan dat in die levens echt niet heel veel meer gebeurt dan in het onze. Aanvankelijk dacht ik dat dit iets van vrouwen was, een van die zachte zorgelijke zaken die een man niet goed kan aanvoelen – is Noldo twee maanden op expeditie dan vertrouw ik erop dat zijn kracht en zijn kennis hem net als altijd gewoon weer thuisbrengen en als het zover is, gaan we met een kan bier bij elkaar zitten alsof hij nooit weg is geweest. Maar Lise heeft de mensen om zich heen hard nodig, dagelijks, zoals ze niet zonder eten of drinken kan. Alsof ze zichzelf niet genoeg is en haar leven pas bestaat als het door anderen wordt gezien. 's Winters als het pad naar Sils een aantal dagen dicht is wordt ze nerveus, duurt het wat langer dan normaal dan zit ze soms gewoon in een hoekje te rillen als het zwakste vogeltje in een nest waarvan alle andere twee dagen geleden al zijn uitgevlogen.

Wanneer ik ernaar vraag zegt ze bang te zijn dat er misschien iemand ziek geworden is voor wie ze nu niet zorgen kan, of dat een van haar dierbaren in het noodweer iets zal overkomen, maar mij lijkt het eerder andersom. Alsof ze bang is dat ze zelf onder de sneeuw zal verdwijnen en voor hen onvindbaar wordt.

Die eerste mens die hier omhoog geklauterd is, kan volgens mij niet anders dan een dromer zijn geweest. Zijn hele leven had hij daar beneden over de vlakten rondgelopen en er het land bewerkt en elke dag moeten toezien hoe de wolken er altijd maar in alle vrijheid overheen trokken. Niet één leek op een ander, nergens een vaste vorm, steeds maar uitdijend, uitwaaierend, alles voortdurend in beweging. Zo zacht leken ze ook, zo licht. Dat iets zo snel gaan kon en zo ver. Hij probeerde de anderen erop te wijzen, maar die haalden hun schouders op. Op een dag heeft de man al zijn moed verzameld. Hij heeft afscheid genomen en is ze achternagegaan, de wolken, zoals hij altijd al gewild had. Hij is ze net zo lang gevolgd tot de voet van onze bergen hem de weg versperde. Toen hij omhoog keek langs de rotsen die vóór hem lagen, wist hij dat dit voor hém de goede weg was. Waarom zou je van een afstand naar iets blijven kijken als je er ook in op kunt gaan?

Dat moet de man zijn van wie ik afstam. Ben ik hier dan de enige die ziet hoe de wolken zich elke ochtend tegen de hellingen verzamelen om rond de middag een voor een over de kammen te kruipen en verder te trekken? Vooruit, schreeuwt het in mij, erachteraan!

11:*14*

Als ik de sleutel in de deur steek blijkt die al van het slot. Dus klop ik aan en roep een keer, maar antwoord komt er niet, zodat ik maar naar binnen stap.

Hanselmanns berghut is niet groot, twee vertrekken en een badruimte, van oorsprong niet meer dan een plek voor wandelaars om wat te schuilen bij slecht weer, maar hij heeft hem ingericht met brede ligbanken, oosterse tapijten en grote cederhouten meubels uit zijn Russische periode, de kussens overdekt met zware, kleurrijke stoffen. Muf ruiken ze, beschimmeld, er is in dit huis te lang niet gestookt. Naast de voordeur staat een paar natte overschoenen in een plas smeltwater dat is uitgesijpeld over de planken die in de loop der tijd door de erosie van de helling hieronder zijn scheefgezakt. Ze kraken onder mijn voeten wanneer ik de voorkamer oversteek en de deur naar de salon openduw.

Ik schraap mijn keel om mezelf kenbaar te maken.

Geen reactie. Toch heeft iemand hier een olielampje

aangestoken, maar het kousje is nagenoeg op zodat het enkel nog wat flauw flakkert.

'Hallo?' probeer ik nog.

Buiten klaart het ondertussen al op, alleen hangen de draperieën zo dik voor de ruiten dat het licht amper doordringt. Ik loop naar de ramen, trek eerst de trijp opzij, dan de linnen voorhang omhoog. In het dal wolkt de staart van de storm na, maar hier breekt de zon al door.

Mij raakt ze met haar eerste gloed voluit, heerlijk, recht in mijn gezicht. Mijn huid, die strak stond van de kou, ontspant. De pijn trekt uit mijn voorhoofd. Ik laat me even warmen, adem een keer diep in en rek me dan goed uit om ook mijn spieren bij te laten komen. Steeds meer licht valt de kamer binnen, waarin alle kleuren nu tot leven komen. Langs de gordijnen strijkt het, die smaragdgroen opglimmen, warm reflecteert het in het koper van het Turkse dienblad naast me, en van de keramieken schaal die daarop staat uitgestald lijken de blauwe, gouden en oranje glazuren zachtjes op te gloeien.

Dan valt er een zonnestraal achter me de kamer in, recht op de man die weggedoken in een hoge leunstoel naar me zit te kijken. Eerst voel ik zijn aanwezigheid – heb ik echt al die tijd zijn blikken in mijn rug gehad? – dan zie ik zijn contouren duidelijk weerspiegeld in de ruit.

Ik draai me om.

Het duurt even voor mijn adem mij heeft ingehaald, maar de onbekende blijft me onverstoorbaar aankijken. Waakzaam en schichtig tegelijk, als een beest dat in het nauw zit. Ja, een dier, daar lijkt hij op het eerste oog het meeste op, een droevig dier, diep weggedoken in zijn vacht. Zijn handen klauwen gespannen om de stoelleuningen. Door zijn haren loopt één witte streng als de tekening in een vel. De rest van zijn zware lijf oogt vormeloos onder de ruime plooien van een bontjas, en zijn hoofd, waarvan de bovenkant ongewoon groot is, een waterhoofd welhaast, gaat half schuil in de opgeslagen kraag van hermelijn.

'Hij durft het niet,' verzucht de man. Kort schudt hij zijn hoofd en kijkt dan op. Zijn ogen lijken vochtig nu ze glinsteren in de zon. 'Zeg het maar gewoon. Het is verloren tijd. Hij komt niet.'

Sergej Pavlovitsj

Ik ben God in een lichaam.
Iedereen heeft dat gevoel, maar niemand
maakt er gebruik van.

Vaslav Nijinski

I

Zo lang Sergej Pavlovitsj zich kon herinneren werd hij
door dezelfde droom geplaagd. Beelden die maar bleven
komen, ook de afgelopen nacht, keer op keer hetzelfde
verhaal, en die in zijn gedachten maar doorgingen, ook
wanneer hij uiteindelijk rechtop ging zitten met zijn
ogen open.

Anders dan je zou denken had deze nachtmerrie niets
te maken met zijn huidige verantwoordelijkheden.
Al werd hij er de laatste jaren vaker door geplaagd dan
vroeger, met deze droom was hij al vertrouwd vanaf zijn
vroegste kindertijd, toen geen mens kon vermoeden wat
voor imperium de kleine Serjosja nog zou opzetten.

Het begon altijd op dezelfde manier met een verlaten
stuk land, een open plek in het bos of een kaalgeslagen
bouwterrein, en werklui die van alle kanten toestroom-
den, kalkbouwers en metselaars, mortelmengers, tim-
merlui, eerst een paar, dan tientallen, kriskras overal
vandaan, een opperman en een landmeter, pakkers,
stukadoors en plafonneurs, houtheiers en klinkleggers.
Allemaal afzonderlijk gooiden ze hun materialen ergens neer, trokken hun gereedschappen tevoorschijn en
gingen aan de slag, speciedraaiers en schaafbazen, krul-
lenjongens, schommelknechten, ieder voor zich. Er was
geen tekening, geen plan maar de staketwerkers sloegen
lange juffers de grond in, brachten steigersjorring aan
en iedere nieuwe verdieping van de stellage die ze be-
plankten werd onmiddellijk ingenomen door een leger-

tje metselaars dat alvast aan de façade begon.

Sergej Pavlovitsj stond zelf midden in die chaos. Hij gaf aanwijzingen maar niemand luisterde. Hij klampte de mensen aan en probeerde ze tegen te houden, richting te geven. Hij stak zijn handen in de lucht en riep dat iedereen moest wachten op de architect, maar die bleek in geen velden of wegen te bekennen en, alsjeblieft, of ze nou eerst niet moesten overleggen, vroeg hij, maar hoe hij zichzelf ook overschreeuwde, geen van de werklieden leek hem te horen.

Binnen de kortste keren stónd er iets en in versneld tempo werd de constructie verder opgetrokken. Het leek heel wat te gaan worden: een groot Russisch buiten met brede ramen, paarsgeblazen zonneglas en gele luiken of een klein zomerpaleis met een voorgalerij van Dorische zuilen.

Hij herkende de gebouwen wel, maar hij wist niet waarvan. Waren het huizen die hij ooit bezocht had, die hij op schilderijen had gezien, of bedacht hij ze nu zelf? Hij probeerde erachter te komen wie eigenlijk de opdrachtgever van dit project was, maar niemand gaf hem antwoord.

Waar Sergej Pavlovitsj op de bouwplaats zijn hoofd ook om de hoek stak, overal was alles stof en zweet. Hij struikelde er over de losse moppen en het aangekoekte gietcement. Behanglijm en verfdamp sloegen op zijn longen. Wat had een man als hij hier ook te zoeken? Hij zocht een uitweg uit de puinhoop, maar zijn voeten bleven plakken in de smeerkalk en overal werd hem de weg versperd door maashouten en blusbakken. Kespen knapten en stortten naar beneden, waarna er steeds meer boven op hem viel, bikijzers en schrikpalen, een regen van troffels, gootbeugels en truwelen. Maar goed, uiteindelijk kroop hij over een hoop deurdelen en tussen losse planken door toch altijd weer naar buiten.

Hij sloeg zijn kleren schoon, keek op en, verdomd, het hele bouwwerk stond overeind. De steigers en de werkers bleken te zijn verdwenen, de muur was zachtroze gepleisterd, er hingen zijden draperieën voor de ramen, alsof er al een tijd een gelukkig gezinnetje in woonde.

Dit was doorgaans het moment waarop Sergej Pavlovitsj schreeuwend wakker schrok, zodra hij de gevel bekeek. Soms drukte iemand hem in zijn halfslaap nog de sleutel van de voordeur in zijn hand en zocht hij, vloekend op de domheid van de werklui, een tijdlang tevergeefs waar hij naar binnen kon. Meestal nam hij die moeite echter niet meer. Hij wist zo wel dat er ondanks al die inspanning en gevaren, het vele harde werk en alle mooie ideeën ten spijt, niet meer tot stand was gebracht dan wat je zag: enkel een façade, nooit meer dan één enkel eensteens muurtje, waarin nog voordat hij zich goed en wel had afgewend de eerste scheuren zouden verschijnen.

Was hij nou maar zo iemand geweest die geen enkel geloof hecht aan dromen! Wat moet dat heerlijk zijn, 's ochtends je schouders ophalen en met een glimlach de resten van de nacht achterlaten tussen de lakens die de meid straks af komt halen. Maar daarvoor was Sergej Pavlovitsj te zeer met hun werking vertrouwd.

Dromen waren zijn metier. Het was zijn dagelijks werk ze te verwezenlijken. Dit vormde de basis van zijn roem en van zijn gezelschap. Honderden werknemers waren afhankelijk van zijn vermogen om de wildste gedachten en meest ongerijmde ideeën tot leven te wekken. Inmiddels was dit zijn tweede natuur, dat wist iedereen: Sergej Pavlovitsj Diaghilev kon het onvoorstelbare zichtbaar maken.

Mensen hadden hiervoor veel bewondering. Dit kwam, hield hij zichzelf voor, omdat ze het zelf nooit hadden geprobeerd. In werkelijkheid kwam er namelijk maar verdacht weinig bij kijken. Iets schoot je te binnen en je vertelde erover aan de juiste mensen. Dat was eigenlijk alles.

Je gedachten onder woorden brengen, meer is er niet voor nodig om iets nieuws te scheppen.

En dan kwam nog het geld natuurlijk en de hele organisatie en advocaten en eindeloos veel briefpapier en telegrammen, treinkaartjes en de soupers met critici en theaterdirecteuren, diva's, donateurs en andere weldoeners, maar uiteindelijk kwamen ze allemaal, de altijd uitverkochte zalen en al die lange rijen voor de kassa's, om iets te mogen meemaken wat ooit gewoon geboren werd in stilte.

Dit was het echte wonder: dat iedereen met eigen ogen wilde aanschouwen hoe een mens een gedachte had verbeeld die hem zomaar op een nacht op een zuchtje wind door een open raam was komen aanwaaien.

Nee, de dromen van Sergej Pavlovitsj vervlogen niet. Dit was zijn grote verdienste en zijn grote verdriet.

Hij kon de gedachten van de nacht, nadat hij er zoveel jaren de vruchten van had geplukt, onmogelijk meer naast zich neerleggen. Nooit wist hij welke ingeving misschien nog eens een vervolg zou krijgen in de werkelijkheid en welke niet. Zo kon het bestaan dat zijn eigen demonen hem vaak waarachtig leken. In de loop van de jaren had hij bovendien een overgevoeligheid ontwikkeld voor allerlei indrukken. Meestal ging het om een of ander onbenullig voorval, dat hem ineens enorm gewichtig voorkwam, of om handelingen die een ander verrichtte zonder er ook maar bij na te denken, waarin hij dan juist een voorteken meende te zien. Kortom, hij was bijgelovig.

Wanneer iemand in zijn bijzijn wat zout morste of zijn

hoed een ogenblik op bed legde, zette Sergej Pavlovitsj het op een schreeuwen. Niets kon hem dan kalmeren behalve het opvegen van de verdoemde korrels of het onmiddellijk verbranden van het voorwerp waarvan Sergej Pavlovitsj zeker wist dat het hem ellende zou bezorgen. In theaters moesten kleedkamers die het cijfer dertien droegen, worden omgenummerd. Liet een toneelknecht ergens een ladder overeind staan dan leidde dit onherroepelijk tot zijn ontslag. In iedere kamer, ook als hij op reis was, had hij altijd een aantal iconen aan de muur hangen en nooit liep hij er een voorbij zonder een kruis te slaan, niet uit enig vroom geloof in het bestaan van God, enkel voor de zekerheid. Ook passeerde hij geen spiegel zonder erin te kijken, niet uit ijdelheid, want hij had een uitgesproken hekel aan zijn eigen voorkomen, maar om te zien hoe het met zijn gezondheid was gesteld. Tijdens de cholera-epidemie in Sint-Petersburg bleef hij zo uren naar zijn uitgestoken tong staan kijken om te zien of die al zwart uit begon te slaan, en op een keer, toen een kennis hem gebeld had om een afspraak wegens ziekte af te zeggen, kon geen mens Sergej Pavlovitsj nog aan zijn verstand brengen dat het onmogelijk was dat hij nu rodehond had opgelopen via de kabels van de telefoon.

Wanneer je van je dromen leeft is dit de keerzijde, het is niet altijd meer duidelijk wanneer ze overgaan in waan en zelfbedrog. Wat dat betreft is het net liefde.

Dus zat hij hier.

In het Engadin.

Te wachten.

In de kou.

Terwijl hij met Ethel en Ottiline op Piccadilly had kunnen zitten, had kunnen lunchen in het Adelphi, luisteren naar de laatste roddels uit Bloomsbury, uitkijken over de rivier.

'Ben je krankzínnig geworden?' had Ottiline geroepen toen hij vertelde waarom hij hun afspraak voor vandaag moest afbellen. 'Dat lukt je nooit. Je denkt toch niet dat zíj jou ook maar bij hem in de buurt zal laten? Zo'n hele reis en dan met hangende pootjes afdruipen, nee, het spijt me, ik sta het gewoon niet toe. Alsjeblieft Sergej, jij bent nou eenmaal niet geboren om te bedelen.'

Hierin had ze natuurlijk ongelijk, dacht hij, zijn hele leven voelde als één grote gunst die hij voortdurend bij iedereen moest afsmeken.

'Het zal in elk geval een gelegenheid zijn hem nog eens te zien dansen,' had hij geantwoord.

'Doe het niet, ik smeek je, doe het jezelf niet aan. Je zult er daarginds helemaal alleen voor staan.'

Maar er was Hanselmann, die hij nog uit Sint-Petersburg kende en die, na zijn vlucht voor de bolsjewieken, in Sankt Moritz een patisserie begonnen was. Die kerel, indertijd in dienst als kok of koekenbakker aan het hof, had zich een tijdlang in zekere kringen begeven, en daar een plotselinge liefde opgevat voor het ballet, waarna je hem weleens zag op premièreavonden in het Mariinski, bezig zich aan deze of gene op te dringen. Hoe dan ook, toen Sergej hem na aankomst in Genève aan de telefoon kreeg bleek Hanselmann meteen gevoelig voor zijn verhaal en had zich opgeworpen als bemiddelaar. Sensatiezucht, zoveel was duidelijk. Bij het horen van de naam Diaghilev had de man al naar adem gehapt en toen hij doorkreeg dat de leider van de Ballets Russes hem persoonlijk om een gunst probeerde te vragen had hij een gilletje nauwelijks kunnen onderdrukken.

In zoverre had Ottiline in elk geval gelijk, bedacht Sergej Pavlovitsj met een glimlach, het ging hem slecht af bij iemand in het krijt te staan.

Arme sul van een Hanselmann! Die had, helemaal nerveus natuurlijk, wel degelijk zijn best gedaan, dat moest hij toch toegeven. Hij was het geweest die deze berghut als ontmoetingsplaats had voorgesteld en hij had hem er, hoewel het was gaan sneeuwen, hoogstpersoonlijk heen gereden en hem voor de deur afgezet met een fles van zijn beste wijn en een rieten mand vol sandwiches en zandgebak alsof het om een picknick ging. Eerst wilde hij nog mee naar binnen om de haard voor hem aan te steken, maar de gedienstigheid van de man was Sergej Pavlovitsj zo op de zenuwen gaan werken dat hij dat aanbod resoluut had afgeslagen. Nu had hij spijt, want het huis was ijzig. Het voelde haast nog vochtiger dan buiten terwijl er nergens brandhout was te vinden. Goddank had hij zijn bontjas om hem warm te houden en verder zat er voorlopig niets anders op dan een lampje aan te steken, ook al zo'n miezerig ding, en diep in de hoogste leunstoel weg te kruipen.

Terwijl hij daar zo zat, met niets om hem van het wachten af te leiden, begon hij zijn lichaam te voelen, pijntjes in zijn onderrug en rond zijn schouders, vermoeidheid in zijn benen en zijn hoofd. Zo oud was hij nou toch ook weer niet, zesenveertig pas, maar zijn conditie was belabberd. De laatste jaren was Sergej Pavlovitsj veel te zwaar geworden, want verdriet zet sneller aan dan suiker. Zijn vlees was week, zijn spieren waren slap en in plaats van nu eens wat extra beweging te nemen, zag hij iedere inspanning tegenwoordig juist als een gevaarlijke belasting van zijn nu eenmaal precaire constitutie.

Dit weet hij zelf aan al die dansers om hem heen. De hele dag waren die allemaal maar in de weer hun lijven op te rekken en dubbel te vouwen, soepel te maken en strak te trekken. Zover je kijken kon enkel vel en pezen, het was om moedeloos van te worden. Ieder huidplooitje werd opgemeten, elk grammetje geteld. Van 's ochtends negen tot 's middags vier stonden ze zich in het zweet te werken en dan anderhalf uur voor aanvang opnieuw en daarna nog de voorstelling. Moet een normaal mens daar de strijd mee aangaan? De nabijheid van zoveel gezondheid, oreerde hij soms, was funest voor zijn gestel, want het had hem de moed helemaal doen opgeven. Wat je immers ook zou proberen, uiteindelijk bleef je tegen zoveel schoonheid toch altijd lelijk afsteken.

Ja, toen hij jong was, toen had hij zijn best gedaan iets van dat grote lijf van hem te maken. Vroeger in Petersburg ging hij weleens zwemmen in de Neva, voornamelijk omdat hem dat verboden was, en daarna, op het gymnasium in Perm, zwom hij zelfs het hardst van alle jongens. Ook met andere sporten deed hij moedig mee. Nou ja, behalve dan met hardlopen. Daarvan had hij een afkeer omdat, ondanks zijn forse lengte, zijn onderbenen nogal kort waren zodat hij onmogelijk kon winnen. Toch was hij zich die eerste jaren verder nauwelijks van zijn bouw bewust geweest.

Dat kwam later pas, op Bikbarda, het landgoed van oom Pavel waar ze de zomers doorbrachten te midden van de bossen. Ver van school en van zijn kameraden moest de jonge Sergej daar voor enkele maanden nieuwe vrienden zien te vinden. Omdat er in het huis geen kinderen van zijn leeftijd waren, speelde hij er soms met jongens uit de omgeving. Lang duurde dat nooit omdat die boerenkinderen zijn interesses voor theater en muziek niet deelden en geen enkel begrip hadden van de Russische, laat staan van enige buitenlandse literatuur.

Het moet de zomer zijn geweest waarin Sergej veertien was dat hij dan op Bikbarda uiteindelijk iemand vond met wie hij alle dagen optrok. Toen stond hij voor dag en dauw op, vergat gewoon te eten en verdween met zijn nieuwe vriend de wouden in tot diep in de avond.

Het was een vriendschap die de familie Diaghilev nogal verbaasde omdat deze Goega, de zoon van de houtvester, al jong van school was gegaan. Hij leek eerder minder ontwikkeld dan de kinderen wier intellect de voorgaande jaren door Sergej Pavlovitsj te licht was bevonden. Maar van de natuur wist Goega alles en hij had er zichtbaar plezier in om de 'jongeheer' – zoals hij hem de eerste weken stug was blijven noemen totdat die jongeheer hem op straffe van een afranseling tot tutoyeren had gedwongen – alles bij te brengen waarmee deze als stadskind onbekend was.

Samen doorwoelden ze de grond op zoek naar mollen of naar wurmen. Om de beurt lieten ze elkaar aan een touw neer in een oude grot om er vleermuizen te vangen, en zagen ze een vossenhol dan kropen ze er tot aan hun middel toe in weg. Ondertussen leerde Sergej de namen van struiken en planten, welke paddenstoelen giftig zijn en welke het best smaken bij paardenlever. Snoeien leerde hij en hagen binden en hoe je bomen zo kappen kon dat je tot op de centimeter wist waar ze zouden neerkomen. De jongens aten onderweg wat ze maar plukken konden. Hadden ze dorst dan klommen ze over een hek een wei in en molk Goega een koe zo dat de straal recht in Sergejs mond liep. Tenminste, dat was de bedoeling. Vaker spoot het in zijn ogen of liep het in zijn kraag, wat alleen maar meer pret gaf. Op het heetst van de dag sliepen ze op het mos of in het veld tussen het graan. Kwamen ze bij een meertje dan trapten ze hun kleren uit, doken erin, zwommen om het snelst naar de overkant en lieten zich daar op de oever drogen in de zon.

Zo gebeurde het dat Sergej, tussen het vele dat hij die zomer wijzer werd over de natuur, ook over zichzelf het een en ander kwam te weten. Op een avond viel hem aan zijn spiegelbeeld iets op en hij bekeek zichzelf nauwkeuriger dan ooit. Wat hij zag vond hij bij de pracht van de natuur nogal afsteken. Elke dag ontdekte hij wel iets wat hem niet eerder opgevallen was, de vorm van zijn eigen hoofd bijvoorbeeld, hoe lelijk het eigenlijk bij de slapen naar voren stulpte. Hoe was dat nu mogelijk, dacht hij, dat hij dit nooit eerder had gezien: zijn schedel leek verdomme wel een uitgelopen ei.

Al jong was hem verteld dat zijn bevalling buitengewoon zwaar was geweest en zijn moeder het leven had gekost. Dit had hem veel verdriet gedaan, maar schuldig had hij zich daarover nooit gevoeld. Nu hij die kop van hem eens goed bekeek verscheen echter de hele barensscène bloederig voor zijn geestesoog en was het alsof hij op zijn schouders het moordwapen zag staan.

Zo onnatuurlijk groot als dat voorhoofd was ten opzichte van de rest, nu ja, behalve dan ten opzichte van zijn heupen, want die waren weer te breed, terwijl zijn borst hierbij in verhouding maar smalletjes afliep. En wás zijn huid nou zo dik of hoe kwam dat eigenlijk, dat je bij hem zijn spieren nauwelijks zag bewegen? Hij was best sterk maar dat toonde niet. Op zijn dijen, in zijn armen, zelfs over zijn rug zag je geen pezen lopen, tenminste niet zoals je ze bij Goega zag wanneer die naast hem hurkte of iets zwaars optilde. En dan zijn vingers; als je ze vergeleek met die van Goega kon je daar maar één ding over zeggen: ze waren kort.

De zoon van de houtvester had lange, gespierde handen, en Sergej betrapte zich erop dat zijn blik maar steeds weer naar diens zongebruinde knokkels werd getrokken, alsof daar iets mooiers was te zien dan om hen heen, en hoe het hem elke dag opnieuw fascineerde dat Goega's duimen zo laag waren ingeplant en dat zijn ringvingers bijna net zo lang waren als zijn middelvingers, zodat zijn handen, wat die ook beetpakten, altijd iets sierlijks hielden. Soms, wanneer Goega op zijn buik lag, en hem aankeek rustend op zijn ellebogen, de vingers zo'n beetje ontspannen uitwaaierend, palm half open en ietwat geknikt ten opzichte van de pols, dan was dat exact de houding waarin op het grote schilderij dat thuis op het landgoed boven de haard hing de maenade tussen de wijnranken lag uit te rusten van de jacht.

Op een dag bedacht hij met schrik dat Goega ongemerkt weleens op dezelfde manier naar hém zou kunnen liggen kijken. Wie weet vroeg de zoon van de houtvester zich ook af hoe een hoofd zo'n vorm kon krijgen als dat van Sergej, hoe een mannelijk lichaam zo op een peer kon lijken en waarom een mens door het leven moest met dergelijke paphanden.

Een tijdlang oefende Sergej zich erin zijn handen voortdurend zo'n beetje licht gekruld te houden, ring- en middelvinger steeds strak tegen elkaar gekleefd als bij de figuren van El Greco, maar uiteindelijk was het makkelijker om zijn manchetten los te laten hangen, zodat zijn vingers voor driekwart bedekt bleven. Ook wilde hij ineens zijn pet onder geen beding meer afzetten, en de laatste mooie weken van die zomer had Sergej, wanneer zijn kameraad met een lange aanloop en een luide kreet in het water dook, niet één keer zin meer om te zwemmen.

Die herfst, na zijn kennismaking met de natuur, zei hij tegen zichzelf dat hij niet een van die wezens was die daarvoor zijn geschapen. Dat hoofdstuk sloot hij af zoals hij soms een mooi boek terug in de kast kon zetten – glimlachend over het genoegen dat het hem verschaft had en tegelijk toch zeker dat hij het in dit leven niet nóg eens zou openslaan – en met hernieuwde geestdrift richtte hij zich volledig op de studie van de kunsten.

De prenten van Rembrandt en de afbeeldingen van Rafaël en andere grote kunstenaars die in het huis van de Diaghilevs in Perm aan de muur hingen, werden voor de jonge Sergej Pavlovitsj meer dan zomaar mooi. Toen hij ze nader begon te bestuderen bleek elk een hele wereld te

herbergen, eindeloze vergezichten nog ver voorbij de af-
gebeelde voorstelling, waarin hij kon ronddwalen en zich
terugtrekken en helemaal verliezen. Hij kreeg de sleutel
van de huisbibliotheek die vele beroemde geïllustreerde
werken bevatte, levensbeschrijvingen van kunstenaars
en *catalogues raisonnés* van beroemde kunstcollecties.
En altijd was de woning in de Groot Siberiëstraat vol
verhalen en muziek, want eenmaal in Perm zetten de
Diaghilevs het rijke culturele leven dat zij in Petersburg
gewend waren gewoon voort. Vele van hun oude kun-
stenaarsvrienden bleken bereid voor hen de lange boot-
tocht over de Wolga en de Kama naar de provinciestad
te ondernemen, waar het ingedroogde culturele leven
opbloeide alsof er plotseling een bron was opgeweld. Sergej Pavlovitsj, die zich in Petersburg nog weleens een-
kennig had getoond en zich sommige avonden van alle
drukte afzijdig hield, maakte er een punt van voortaan
geen enkele soiree meer te missen. Hiermee kreeg hij het
zo druk dat, als hij nog weleens aan Goega terugdacht en
aan hun lange zomerdagen, het nooit lang duurde voordat hij afleiding vond in de woorden en de klanken die
door het grote huis speelden.

Tweemaal in de week werden er bij de familie thuis
literaire avonden gehouden, waarbij de nieuwste romans
werden voorgelezen, soms door de schrijvers zelf. Er was
een muziekgroep die vrijwel alle dagen oefende voor de
concerten die zij regelmatig gaven, en nooit sloeg de jongeheer des huizes een repetitie over. Eens in de week
werd er gezongen, vaak door Sergejs vader en zijn stief-
moeder, die schitterende stemmen hadden. Soms trad
ook zijn tante Alexandra op, die een beroemde sopraan
was en bovendien familie van Tsjaikovski, de componist
die door Sergej sinds hij bij hem in Klin had gelogeerd
'oom Petja' werd genoemd. Via tante Alex had hij ook
andere componisten ontmoet, zoals de arme Moessorgs-

ki, die zij altijd op stel en sprong liet opdraven wanneer haar vaste begeleider was verhinderd. Maar meest van al raakte Sergej toch onder de indruk van de opera's die thuis werden uitgevoerd, waarbij hij zich vanaf de eerste noot vereenzelvigde met de tragische held of de exotische heldin die zich voor de een of andere onmogelijke keuze zag gesteld, verscheurd tussen liefde, eer en opoffering. Zolang de voorstelling duurde wogen zijn eigen zorgen niet en geloofde hij eventjes niet helemaal alleen te zijn.

Kortom, gaandeweg ontdekte hij buiten de natuur een ander leven, waarin een mens aan alles wat hem zwaar viel, pijn deed, of te lelijk voorkwam, een nieuwe vorm kon geven en nieuwe zin. En hoewel Sergej Pavlovitsj nooit meer op dezelfde manier in zichzelf had geloofd als vóór de zomer waarin hij er met Goega opuit was getrokken, hij had ook nooit meer getwijfeld aan de mogelijkheden die hem daarna nog restten.

'Krankzinnig!' hoorde hij zichzelf nu hardop zeggen. Hij schrok van zijn eigen stem die weerkaatste tegen de kale planken van de berghut. 'Wat een waanzin.'

Hij schudde zijn hoofd. Alsof hij niks anders aan zijn kop had. Goega! Hoelang was het geleden dat hij aan Goega had gedacht? Al hing zijn leven ervan af, hij zou zich die jongen niet eens meer voor de geest kunnen halen. Heel even stelde hij zich voor hoe die boerenkop er nu zou uitzien, op middelbare leeftijd, en er liep een rilling over zijn rug. Om zijn hoofd weer helder te krijgen nam hij zijn omgeving eens heel nauwkeurig op.

Dit deed hij wel vaker wanneer zijn herinnering een loopje met hem had genomen, en dat gebeurde de laatste tijd nogal eens. Alsof alles wat voorbij was harder aan hem trok dan het heden. Hij liet zijn blik langs de steunbalken glijden en over de houten wanden. Hier en daar waren die zo donker dat het leek of het vocht erdoorheen trok. Hanselmann had wat mottige jachttrofeeën opgehangen en een reproductie van een schilderij van Segantini waarop een mooie jonge moeder te zien was die met haar haren verstrikt zat in de besneeuwde takken van een kale boom. Hij had naar Ottiline moeten luisteren; natuurlijk was het gekkenwerk om ertussenuit te glippen op het drukste moment van het seizoen.

Daar hoorden zijn gedachten naar uit te gaan! Naar de repetities voor *Les Sylphides*, die daarginds in volle gang waren zonder dat hij erbij was om zijn mensen aan te sporen, en naar Bakst, die het maar steeds verdomde om met zijn schetsen voor *La Boutique Fantastique* af te komen. Daar had Sergej Pavlovitsj nu horen te zitten, in dat benauwde ateliertje boven Covent Garden, in die zwaarzoete pitrietwalm die daar altijd opsteeg uit het mandenwinkeltje eronder, om de kunstenaar ermee te dreigen dat, als er nu over twee dagen nóg geen maquette was, hij de opdracht in zou trekken om hem aan Picasso te geven of anders aan Derain. Nog los van de inspanningen om tot eind maart elke dag twee voorstellingen, altijd maar alternerend, op de planken van het Coliseum te krijgen, ondertussen de tournee naar het Manchester Hippodrome te plannen en dan nog – strikt in het geheim – alle contracten en de schema's op papier zien te krijgen voor de volgende serie waarmee het gezelschap zo meteen, eind april al, in het Alhambra op Leicester Square moet staan, en dat – aangespoord door het succes van de afgelopen maanden – met maar liefst drie balletten op één avond. Om nog maar te zwijgen over de verdeling van de kerstrecette en de onverwachte winst – dankzij de plotselinge klapper van *The Children's Story* – en het terugbetalen van de investeerders. Als hij toch dacht aan de hele machinerie tussen de artiesteningang en het voordoek en alle radertjes die daarin op dit moment zou-

den kunnen vastlopen! Er hoefde zich uit het hele corps
de ballet maar één aspirant te verzwikken of er zouden
beslissingen moeten worden genomen waarmee Massine geen enkele ervaring had.

Langzaam begon de dwaasheid van zijn reis naar Sankt
Moritz hem naar het hoofd te stijgen en heel even raakte
Sergej Pavlovitsj los van zichzelf. Hij slaakte een kreetje
van plezier om zijn eigen onverantwoordelijkheid, ongeveer zoals de kapitein uit een van de verhalen van Pol-
jotkin die zijn schip en zijn bemanning midden in een
storm in de steek liet om de achtervolging in te zetten
op de meermin die hem in zijn dromen was verschenen.

Het verblijf in Londen was dit jaar sowieso wat uit de
hand gelopen. De rijen voor de kassa bleven maar groeien
en na 11 november was er geen houden meer aan. Sindsdien stonden ze elk weekend helemaal tot aan Trafalgar
Square. Het leek wel of mensen na het nieuws van de
wapenstilstand nog maar twee dingen wilden: zelf uit
dansen gaan – want ook de danshallen van Soho puil-
den iedere avond uit – of een kaartje kopen om vanuit je
luie stoel te zien hoe anderen door de lucht zwieren. Het
seizoen van de Ballets Russes was door alle euforie zes
maanden verlengd.

Al die vrolijkheid had Sergej Pavlovitsj nogal overvallen. Natuurlijk had hij net als iedereen de vorderingen
van de Franse, Britse en Amerikaanse legers afgelopen
zomer nauwgezet gevolgd, evenals de ineenstorting van
Bulgarije en de onderhandelingen van de Amerikaanse
president, maar er was ook de *Sheherazade* die zijn aandacht opeiste en die algehele zenuwcrisis in de aanloop
naar de societypremière van *Sâdko*, zodat de abdicatie
van de Kaiser op 9 november voor vrijwel iedereen in het
gezelschap als een volledige verrassing was gekomen.

Het nieuws dat de oorlog voorbij was kwam twee dagen later, terwijl Sergej Pavlovitsj met Massine zat te dineren bij Osbert Sitwell en zijn vrienden in Chelsea, en na de eerste uitgelatenheid was iedereen begonnen te speculeren over de toekomst van Europa. Een enkeling uitte zijn vrees voor de opmars van de bolsjewieken, maar Sergej Pavlovitsj voelde dat de meesten, om hem niet te kwetsen, hun afkeer van het nieuwe Rusland temperden.

Voortaan was hij thuisloos. Het land dat hem had voortgebracht was opgehouden te bestaan, de mensen die hij had liefgehad en de vrienden met wie hij was opgegroeid waren uit hun huizen verdreven of vermoord of erger nog. Het was dus mogelijk om het machtige, grootse land van je geboorte, met zijn rivieren en zijn bossen en de uitgestrekte landerijen van je jeugd, de oude steden waar je blindelings de weg kon vinden, waar je toegang had tot iedereen die ook maar van enig belang was, van het ene op het andere moment te verliezen. Op een ochtend was je wakker geworden en had je alles wat je dierbaar was, aangetroffen in handen van het soort kerels dat je vroeger alleen op vrijdagavond weleens op straat zag als ze op weg waren naar de achterbuurten om daar hun weekloon te verzuipen. Je bezittingen waren er allemaal nog maar je mocht er niet meer komen en er was volk in gekropen van het allerlaagste allooi dat nu tussen jouw lakens sliep en als kakkerlakken door je voorraadkasten wroette.

De taxi die Osbert na het diner eindelijk had gevonden, liep bij de Admiralty Arch vast in de hossende, deinende menigte. Met zijn grote voorhoofd had Sergej Pavlovitsj tegen het raam geleund, starend naar de zwaaiende mannen en de vrouwen die hun lippen tegen de ruit drukten. De klokken van St. Martin's probeerden boven het zingen van de meute uit te komen.

Dit moest dus voortaan zijn territorium zijn, was het

door hem heen gegaan terwijl ze stapvoets over het plein reden en hij zijn blikken richtte op de kerk. Daarachter lag de wijk waarbinnen zijn leven zich dit seizoen afspeelde, van zijn appartement in het Savoy tot het decoratelier tegenover de ingang van de opera in Covent Garden, heen en weer tussen het Coliseum en de repetitiestudio's op Shaftesbury Avenue. De beschutting van St. Martin's Lane, daar hield hij vooral van, van de zijstraatjes vol kostuumateliers en prentenzaakjes, van het doolhof van steegjes naast en achter de theaters waar je door de openstaande ramen die vertrouwde geur van vette schmink kon ruiken, Leichner nummer vijf en nummer zes en nummer negen. Hier en daar tegen het matglas van de kleedkamer het silhouet van een acteur of een actrice. Veilig voelde die buurt, waar je, wanneer je eigen droom niet uitkwam, ongezien die van een ander kon binnenwandelen.

Dergelijke buurten kende Sergej Pavlovitsj ook rond de grote theaters van Parijs, Berlijn, Wenen of Barcelona. Dat waren de stratenplannen waaruit hij voortaan een eigen vaderland zou moeten samenstellen. Aan het hoofd van zijn gezelschap zou hij daartussen heen en weer reizen, die wijken vol troost waar de zelfkant en het sprookje enkel werden gescheiden door de artiesteningang. Iemand die nergens volop bij hoort, een man als hij, met dat altijd van het een naar het ander laaiende verlangen, kon zich daar, aan welke zijde hij zich ook begaf, voortdurend elders wanen.

Heel wat vreugdetranen werden er die avond van de wapenstilstand afgehuild rond Trafalgar Square, maar Sergej Pavlovitsj zat als verlamd in zijn taxi. Terwijl een stel jolige jongens uit de East End, zwaaiend met de Sint-Jorisvlag het frame vastpakten en de automobiel goedmoedig op zijn wielen heen en weer lieten veren, probeerde hij uit alle macht de dierbare gezichten voor de geest te halen van de vriendenkring die in het Adelphi op hem zou zitten wachten om het goede nieuws te vieren: lady Ottiline Morrell natuurlijk, het echtpaar Bakst en Lytton Strachey, Clive Bell en Roger Fry, D.H. Lawrence met zijn vrouw en Maynard Keynes, Lydia Lopokova, al die mensen die hun best deden hem het gevoel te geven dat hij zich bij hen mocht thuisvoelen.

Dit was het moment geweest waarop het, ineens, tot hem doorgedrongen was dat geen van hen – hoe lief ze hem ook waren – hem ooit volledig kennen kon. Dat er maar één bestond nu, verdomd maar één naar wie hij verlangde – omdat die ene zijn ziel eens hoop gegeven had en het gevoel misschien dan toch, al was het tijdelijk, voor iemand van belang te kunnen zijn – ja, dat moet het moment geweest zijn waarop Sergej Pavlovitsj eigenlijk al besloten had dat hij, al zijn trots ten spijt, toch nog een poging wagen moest om Vaslav voor zich terug te winnen en hem los te breken uit de klauwen van dat wijf.

En toen die mijmering onderbroken werd door de taxichauffeur, die gebaarde nu toch echt met zijn voertuig niet meer voor- of achteruit te durven, terwijl de deur werd opengetrokken door een stel studenten die – aan de ene kant erin en aan de andere eruit – dwars door de automobiel liepen alsof het een gangetje was en hem in hun polonaise vrolijk mee naar buiten trokken zodat hij uiteindelijk de rest van de weg over het plein te voet door de menigte moest afleggen, het grootste deel daarvan meehossend aan de arm van een struise en standvastige matrone, toen kon Sergej Pavlovitsj zich in die anonimiteit dan eindelijk *sans gêne* laten gaan, en iedereen die even stilstond, hem aankeek en omhelsde wist zeker dat het vreugdetranen waren, net als die van henzelf, van dankbaarheid dat het bloedvergieten was gestopt en de overlevenden vanuit de hel naar huis kwamen.

Riep daar nu iemand?

Sergej Pavlovitsj schoot overeind in zijn fauteuil. Het duurde een tel voor zijn adem weer in de pas liep met zijn hart en hij besefte waar hij zich bevond: die verschoten perzen, dat afgedankte Russische meubilair waarvan het cederhout door het vocht was kromgetrokken en het fineer aan alle hoeken loshing, alles kil, de kussens muf, in één klap van het slagveld naar het voorgeborchte. Dit was de hut van Hanselmann en jawel, het was zover.

Tocht trok ijzig door het vertrek. In de hal stond nu de voordeur open en opnieuw maar luider dit keer werd daar zijn naam geroepen.

Hij had zijn mond al geopend om zich kenbaar te maken, maar ineens bedacht Sergej Pavlovitsj zich. Zijn hele reis had hij ondernomen in afwachting van dit moment, maar alles wat hij nu nog wilde was er weer van wegvluchten. Hij voelde zijn moed door zijn tenen wegsijpelen de aarde in, zoals het groene grenadiertje overkomen was bij de aanblik van de grot van Baba Jaga, en al zijn plannen en de hele toespraak die hij had voorbereid en honderd keer had doorgenomen vloeiden mee weg en hij kon zich ineens niet meer voorstellen dat er in de Russische taal een woord bestond dat zo meteen als Vaslav tegenover hem zou staan door een van hen als eerste zou kunnen worden uitgebracht.

Misschien als ik me heel stil houd en diep wegkruip in mijn stoel, dacht hij, en net doe alsof er niemand is.

'Nou vooruit dan, wéés zo eigenwijs,' had Ottiline vorige week uiteindelijk verzucht, 'wil je niet naar rede luisteren, ga dan maar dat hele eind en hááal hem terug, het is tenslotte niet alsof je nog iets te verliezen hebt.'

Hoe kon iemand zo'n ongelijk hebben? Hoe had hij zelf over het hoofd kunnen zien dat het tegendeel juist waar is: zolang een voorstelling alleen nog in je hoofd bestaat kan ze daar de weelderigste en de wildste vormen aannemen, maar zodra de dansers de repetitieruimte binnenkomen sneuvelt het ene mooie idee na het andere omwille van dat enig mogelijke.

Degene die zojuist vanuit de hal geroepen had, opende nu de deur. Door de onverlichte kamer liep hij naar het raam en keek erdoor naar buiten over het dal. Zijn silhouet tegen het winterlicht.

Tien jaar eerder was Vaslav zijn leven binnen komen lopen, in Sint-Petersburg, tijdens een souper bij Cubat om het succes van *Boris Godoenov* te vieren. Tot dan toe had iedere liefde Sergej Pavlovitsj wel aannemelijk geleken, elke jonge man een liefdeskandidaat, daarná was alleen die ene nog bestaanbaar.

Op het moment dat prins Lvov hem die avond gniffelend vertelde over zijn nieuwste beschermeling had hij nog nadrukkelijk verveeld gereageerd. Met tegenzin had hij zijn ogen opgeslagen om de zoveelste aanwinst te aanschouwen in die eindeloze parade van prinselijke huppelkontjes. Maar toen werd de naam afgeroepen: 'Vaslav Nijinski!'

Op een teken van de gerant werden de deuren geopend en de kleine danser had de ruimte betreden zonder op of om te kijken. Anders dan zijn voorgangers had hij geen enkele moeite gedaan bevallig over te komen op al die invloedrijke heren rond de tafel; integendeel, zonder ze een blik waardig te keuren was hij de eetzaal overgestoken, in de volle lengte, niet alsof hij daar te gast was, maar alsof de ruimte van hem was en ieder ander er te veel.

Kalm en zeker liep hij, licht verend als een roofdier op de steppe. Aangekomen bij het raam had hij eerst de overhangende gordijnen opengetrokken alsof de sfeer van de aanwezigen hem te benauwd was en te muf en hij ernaar snakte eerst de wereld binnen te laten in het rokerig halfduister. Daarna had hij de gazen voorhang met één hand opzij geduwd, min of meer zoals degene die zojuist de berghut had betreden dat nu deed. En net als deze man had Vaslav een tijdje naar buiten staan kijken, zijn silhouet afgetekend tegen het licht van de gaslampen aan de buitenmuur en de weerschijn van de vuren en flambouwen op de straat. Aan tafel was toen het gesprek voor de duur van deze vertoning verstomd. Enkel had er wat besmuikt gelach geklonken, binnensmonds gespeelde verontwaardiging, en juist toen Sergej Pavlovitsj zich begon af te vragen wat daar buiten nou eigenlijk te zien was dat zoveel interessanter was dan hun gezelschap, had zijn blik die van de jongeman gekruist.

Die had naar hem staan kijken, God weet hoelang al, niet rechtstreeks maar via de reflectie in het glas had hij in alle rust Sergej Pavlovitsj opgenomen, van alle aanwezigen juist hem. De blik van de jongeman had hem zo geraakt dat hij op zijn lip had moeten bijten om zich goed te houden. En ten slotte, toen alles wat er tussen hen te zeggen viel al zonder enig woord gezegd leek, had Vaslav zich omgedraaid en naar hem gelachen.

Ja, zo draaide hij zich om.

Zoals die schim hier voor het raam in de hut van Hanselmann, precies zo.

Bijna zo.

Alleen...

'Hij durft het niet!'

De waarheid raakte Sergej Pavlovitsj zoals een losgeraakt stuk gletsjer de oppervlakte van een meer. Van alle mogelijke scenario's die hij tijdens de lange reis van Londen naar Sankt Moritz de revue had laten passeren –

van elkaar zonder een woord uit te kunnen brengen in de armen vallen tot en met een ordinaire worsteling waarbij hij als het nodig was tot bloedens toe zou gaan – had hij alleen met dit ene geen rekening gehouden: dat hij Vaslav vandaag in het geheel niet te spreken zou krijgen. In steeds grotere kringen dijden de gevolgen daarvan uit door zijn bewustzijn.

Hij keek op naar de kerel die zojuist zo ruw zijn dromen binnen was komen vallen. Wat was dat voor vent, moest je die om uitleg smeken?

'Zeg het maar gewoon,' sprak Sergej Pavlovitsj met een stem zo klein dat het hem zelf verbaasde. En toen daarop nog geen antwoord kwam, schudde hij zijn hoofd. 'Het is verloren tijd. Hij komt niet.'

2

Zijn hele leven lang al, elke avond weer zag hij ertegen op: die eerste paar minuten na de voorstelling waarin alles uit elkaar valt en verbleekt. De luchters worden gedoofd. De kleurfilters worden voor de richtlampen weggeschoven terwijl de toneelmeester de bakken met het werklicht ontsteekt. Zetstukken worden weggerold. Een danser trekt het gaas van zijn pruik voorzichtig bij de bakkebaarden los, de prima ballerina ontknoopt alvast de linten van haar spitzen. Hun gezichten zijn bezweet en door de uitgelopen kohl lijken alle ogen die hem aankijken ziek en hol. Het achterdoek wordt intussen neergelaten en van de trek gehaald zodat de bosschages achter het paviljoentje aan het meer nog enkel doorkijk bieden op een stenen muur.

Mensen die dromen onttakelen! Zij deden alleen hun werk, hij kon het ze moeilijk kwalijk nemen, sterker nog, hij had ze hiervoor zelf in dienst genomen, maar goed beschouwd waren dit soort lui in het leven toch zijn natuurlijke vijanden.

Wanneer de toneelknechten zo'n maat of dertig voor het slotakkoord omhoog kwamen gekropen vanuit de catacomben van het theater, waar ze de hele laatste akte hadden zitten drinken en kaarten of erger, en hij ze in hun stofjassen tussen de coulissen heen en weer zag sluipen, liepen hem de rillingen over de rug. Alsof de ratten alvast met trillende snorharen rond de tafelpoten snuffelden terwijl jij nog volop aan het dessert zat.

'Geen verloren tijd, monsieur Diaghilev,' sprak de onbekende nu. 'Integendeel.'

Sergej Pavlovitsj viste zijn monocle uit zijn vestzak, klemde die tussen oogkas en wenkbrauw en begon de kerel die zojuist zo bruusk de voorhang voor de werkelijkheid had opgetrokken, misprijzend op te nemen, van boven naar beneden en weer terug.

'Het is enkel, weet u, hij heeft het zo druk,' hakkelde de ongelukkige. Zo te zien was het een boerenbediende zonder enige opleiding en dit was blijkbaar zijn manier om mensen op hun gemak te stellen. 'Ja, dat is hem,' ging hij nog altijd in verwarring verder. 'Dat wil zeggen: de boodschap die hij mij vroeg aan u over te brengen, mijnheer. Dat het uitgerekend vandaag een drukke dag is.'

'Nogal.'

'U weet wel, met het optreden en zo.'

Sergej Pavlovitsj knikte ongemakkelijk onder de blikken van de vreemde met zijn halfslachtige boodschap.

Ineens vroeg hij zich af hoe hij er in de ogen van die kerel eigenlijk uit moest zien, zo weggedoken in de kraag van zijn bontjas, half weggezakt in die beschimmelde crapaud, met vochtige ogen als een oude matrone. Hij haalde de rug van zijn hand een keer over zijn wang, en ging wat rechtop zitten, iets meer als een man.

'Alle kans, hoor, ondanks alles, dat mijnheer Nijinski tijd vindt om zo meteen nog even langs te komen,' suste Vaslavs bediende, die zich intussen even omdraaide, licht vooroverboog, de sneeuw uit zijn natte haren schudde en met vlakke hand nog wat vlokken van zijn schouders sloeg. Daarop deed hij zijn jas uit en trok de kraag open van zijn hemd, dat in de sneeuwbui helemaal tot aan zijn middel vochtig was geworden. Het kleefde aan zijn borst zodat je erdoorheen de tepels zag en een schemering van korte zwarte haartjes. 'Als u me toestaat,' zei hij, 'zal ik het hier eens snel goed warm voor u maken.' Hij had het brede gezicht dat je hier in de streek vaak zag, de huid leerachtig bruin door het altijd scherpe licht in deze ijle lucht. En van die Italiaanse ogen. 'Brandt het vuur eenmaal dan zal ik gauw eens zien of er niet iets is wat ik u aan kan bieden. Zodat u tenminste iets te drinken heeft. Nietwaar, u wilt terwijl u wacht vast wel iets drinken?'

Sergej Pavlovitsj gromde iets, nog altijd overdonderd, terwijl de ander zich uit de voeten maakte. Hij sloot zijn ogen. Hij dacht weer aan Vaslav, maar die verscheen niet meer helder voor zijn geest zoals daarnet.

'Vervloekte bemoeial,' mompelde hij in het Russisch. Als die bediende van hem hier zou blijven rondhangen, zouden ze na al die jaren nóg niet vrijuit kunnen spreken.

'Als ik zo vrij mag zijn?' klonk het achter hem.

Stond die kerel daar weer! Eerst doen of je wegloopt en dan gauw terugsluipen, wat was dat voor onmens dat hij niet rustte voordat hij iemand een hartverscheuring had bezorgd?

'Wat nu weer?'

'Het is alleen,' de bediende hield zijn blik op de grond, aarzelend over de vrijheid die hij op het punt stond te begaan, 'ik wil u laten weten dat ik blij ben om u hier te zien.'

Zie je, geen gevoel voor verhoudingen! Een ondergeschikte die ongevraagd het woord nam was al een fenomeen dat in Sergej Pavlovitsj' kringen onbekend was en hij wist heel zeker er nooit eerder een te hebben ontmoet die het nodig had gevonden zich uit te laten over zijn gevoelens.

'Kijk aan,' reageerde hij enigszins piepend. Hij schraapte zijn keel en herhaalde een octaaf lager: 'Ach toch, kijk eens aan.' Nu was het zaak snel overeind te komen uit die luie stoel, want met dit soort types wist je niet wat voor ontboezeming je nog meer te wachten stond en dan kon je maar beter met ze op gelijke hoogte zijn, klaar om opzij te springen.

'Ik bedoel, het gaat mij om mijnheer. Hij. In zijn toestand.'

'Toestand?'

'Ik weet zeker dat u hem veel goed zult doen.'

Na deze raadseltaal keek de man vluchtig op zijn horloge, draaide zich om, verliet het vertrek en sloot de deuren zorgvuldig achter zich, want het was zo'n kerel die alleen opduikt als je hem niet gebruiken kunt en verdwijnt zodra je hem iets wilt vragen, zoveel was Sergej Pavlovitsj wel duidelijk. Die toon! Alsof ze een vriendschap deelden. Zo'n boerenkinkel.

Het klonk bijna alsof die van het een en ander op de hoogte was, maar dat – snel klopte hij het af op de ongelakte onderzijde van een houten tafel – nee, dat was God verhoede toch ondenkbaar.

Misschien leed men in dit land zo'n gebrek aan personeel dat de Nijinski's voor de huishouding niemand anders hadden kunnen vinden. Nou ja, zo goed als zeker was het vriendelijk bedoeld, dacht hij, en was dit alleen maar weer een van die mensen die nu eenmaal geboren leken om dwars door de scène te lopen. Daar had je er onevenredig veel van. Ze bezaten de lompheid van een brandwacht die het toneel overstak terwijl de voorstelling in volle gang was. Ze droegen niet het juiste kostuum, speelden in het verkeerde stuk. Speelden niet mee. Ze bedierven de illusie. Alsof ze ineens de bühne opkwamen om het decor af te breken zodat je niet meer volledig in het verhaal kon geloven.

Op een moment als dit kon Sergej Pavlovitsj zich aan de werkelijkheid verschrikkelijk ergeren; alsof de mensen die het echte leven bevolkten ineens zijn bestaan in twijfel trokken en er ergens in een hoekje samen om stonden te lachen. Dan zakte het bloed naar zijn schoenen, de energie uit zijn lijf en voelde hij een onweerstaanbare drang om weg te vluchten.

Toch was hij geen laffe man.

Integendeel.

Als een dolle hond kon hij van zich afbijten. Geen zinnig mens wilde Sergej Pavlovitsj dwars op zijn weg vinden. Onder geldschieters en concurrenten stond hij bekend als een straatvechter in het tenue van een dandy. Zodra het nodig was om zijn dansers te verdedigen ging hij met hun afpersers op de vuist, en hun criticasters ontmoette hij desnoods, zoals na de première van de *Sacre*, 's ochtends vroeg in het Bois de Boulogne voor een duel. Toen de onderwereld van Madrid en Monte Carlo van het succes van de Ballets Russes een graantje had proberen mee te pikken waren de bendeleiders er snel achter gekomen dat er geen dreigement bestond waardoor de Rus zich liet intimideren, en liever dan zijn plannen door het hof in Sint-Petersburg te laten dwarsbomen had Sergej Pavlovitsj zijn aanstelling en zijn familie, zijn vrienden en zijn vaderland opgegeven omwille van zijn artistieke vrijheid.

Dit waren stuk voor stuk gevechten die hij aanging zonder erbij na te denken, niet uit moed, niet eens uit overmoed, enkel omdat hij voelde dat hij in zijn recht stond. Omdat hij geloofde in de zaak waarvoor hij opkwam, zijn kunst en de mensen uit wie die voortkwam, de mensen van wie hij hartstochtelijk hield, artiesten die hun talenten volledig gaven om zijn dromen te verwezenlijken. Al zijn producties en ondernemingen, van het kunsttijdschrift dat hij in Petersburg op poten had gezet tot zijn balletgezelschap, alle grote schilders, schrijvers en componisten die hij in de loop der jaren om zich heen verzameld had en de werken die hij hen tot stand had helpen brengen, waren de elementen waarmee hij de wereld van het alledaagse, waar hij nooit in had gepast, herscheppen kon.

De kleine Sergej had, omdat hij nu eenmaal anders was dan alle anderen die hij kende, van kind af aan zijn persoonlijk leven zelf moeten bedenken. Misschien was dit wel de enige creatie die hij ooit volledig op eigen kracht tot stand had gebracht. De nieuwe vormen die hij uitvond in de kunsten waren even radicaal als de nieuwe manieren die hij had bedacht om te kunnen leven en om lief te mogen hebben. In het theater vond hij de rechtvaardiging van de keuzes die hij vanaf zijn vroegste jeugd had moeten maken, radicaal, om te kunnen worden wie hij was.

Voor de mensen die hem daarbij hielpen kwam hij zonder voorbehoud in het geweer. Wat een ander mens voelt voor zijn familie voelde Sergej Pavlovitsj voor zijn danseressen en zijn dansers, voor de orkestleden en de ontwerpers, de belichters en de choreografen, voor de decorbouwers en de atelierbedienden, voor zijn componisten evenzeer als voor de tweeling uit Perm die voor aanvang in de foyer het programmablad verkocht, voor zijn beroemde en zijn onbekende vrienden, voor zijn beschermers en voor zijn geldschieters, kortom voor zijn hele entourage, of, zoals Stravinski zei, zijn hele Zwitserse Garde van sodomieten.

Ging het echter om zijn privéleven dan bleek hij heel wat minder strijdvaardig, alsof dat een zaak was waarin hij eigenlijk al bij voorbaat nooit echt had geloofd. Van geen van zijn minnaars bijvoorbeeld had hij ooit werkelijk kunnen geloven dat zij van hem hielden. Daarvoor waren ze te jong, te mooi, te getalenteerd, te zeer alles wat Sergej Pavlovitsj niet was. En al waren ze oerlelijk geweest, dan nog: het idee dat iemand zou kunnen houden van een man als hij, zomaar, zonder meer, dat leek hem uitgesloten.

Zodra hij buiten het lichtplan stapte kwamen zijn eigen verlangens hem flets voor. Zonder de werveling van kostuums en stuwing van muziek vond Sergej Pavlovitsj het onmogelijk hoop te blijven houden op zijn eigen happy end.

'Zo dan.'

Daar kwam de boerenbediende alweer binnen, met in zijn armen drie zware houtblokken, daarbovenop een stapel twijgjes, die hij op hun plaats geklemd hield met zijn kin. Na twee stappen stond hij stil, de rug onder het gewicht een beetje krom. Zonder zich om te draaien boog hij zijn standbeen. Bedachtzaam strekte hij het andere been opzij en bracht dat, soepel als iemand die zoiets gewend is, uitgedraaid naar achteren, tastte even rond met zijn voet, haakte zijn tenen achter de deur en gaf hem een zwieper waardoor hij in het slot vloog. In die paar seconden bleef hij, hoofd gebogen, op één been staan, het andere *tendu*, in een merkwaardig topzwaar evenwicht. Een misvormde *saltimbanque*, daar had hij in deze pose nog het meest van weg, of anders van een woudwezen bij wie de takken uit zijn borst groeiden. Onafgebroken was de man, wiebelend onder zijn last, Sergej Pavlovitsj hierbij blijven aankijken, stralend van achter zijn donkere wenkbrauwen, met het soort ondeugd van een amateur die niet weet of de truc die hij heeft ingestudeerd wel helemaal gaat lukken.

De aanblik van die idioot trof Sergej Pavlovitsj als een dolk. Hoe vaak hadden Vaslav en hij elkaar niet aangestoten wanneer ze ergens op hun reizen een of ander volkstype opmerkten, zomaar een wezen dat zich op een opvallende wijze voortbewoog; iemand die in een wonderlijke houding over handwerk zat gebogen, zoals de bedelaar in Syracuse die behendig tussen de marktstallen manoeuvreerde door steunend op zijn armen telkens zijn lamme onderlichaam vooruit te werpen; of die moeder in Caïro, sierlijk in een lang donkerblauw gewaad, die op één schouder en één arm drie kinderen wist te balanceren. Meestal stoof Vaslav dan achter zo iemand aan. Stratenlang, met Sergej Pavlovitsj zwetend in zijn voetsporen, kon hij het zwaaien van iemands heupen observeren of het sleep-sleep-bonk van kreupele botten over de aangestampte aarde, verbaasd over een ongebruikelijk samenspel van ledematen, het ritme in een stap, of enkel de impuls waaruit een handgebaar ontstaat, niet meer dan alleen die aanzet. De haviksgreep waarmee de begijnen van Brugge hun kleine vingers rond hun klossen klauwden; of grover ook: het wijdbeens lonkend lopen van een wanhopige cocotte in de rue Lepic, de onderrokken met twee knuisten opgetild, het uitgeteerde bekken willoos, wezenloos vooruit, zeulend met bedorven waar die niemand wil.

Dit was wat Vaslav Nijinski fascineerde; onverwachte houdingen, gebaren, het ritme van al die eindeloze lijnen die mensen trekken door de ruimte. Waar Sergej Pavlovitsj met hem ook kwam, altijd was dit tussen hen een heimelijk plezier geweest, elkaar aan te stoten en te wijzen op de beweging van een onbekende in de menigte. Deze verstandhouding, waar niemand weet van had, was in wezen intiemer dan hun liefdesleven, dat door vriend en vijand openlijk werd besproken.

Hadden zij samen de achtervolging eenmaal ingezet, dan imiteerde Vaslav wat hij voor zich zag en gaandeweg, onmerkbaar bijna, nam hij de gebaren van de vreemden en de zonderlingen over. Uiteindelijk, soms jaren later pas, doken die op wanneer hij aan het repeteren sloeg en nieuwe vormen zocht voor een van zijn choreografieën. En dan opnieuw werd dit iets van hen tweeën, in de repetitieruimte plotseling dat sleep-sleep-bonk of wanneer Vaslav op toneel, midden in zijn driftig springen en zijn woeste uithalen, heel even de zaal in blikte naar de vijfde rij midden, Sergej Pavlovitsj' vaste stek, alsof hij zeggen wilde: heb je hem herkend, die aangeschoten schipper op de kade langs de Neva, of deze, die venter uit Verona, weet je deze nog?

En nu stond hier dus op één been die Zwitserse boerenzoon met die stapel hout tegen zijn borst.

'Zo mijnheer, dan zullen we het hier 's lekker warm stoken,' lachte hij. Hij rechtte zijn rug, zette twee ferme stappen naar de schoorsteen en gooide de blokken neer zodat de planken ervan dreunden.

Eerst voelde Sergej Pavlovitsj enkel hoe hij zijn oude liefde miste in een situatie als deze. Toen begreep hij dat Vaslav deze man natuurlijk allang had bestudeerd, heel nauwkeurig zelfs. Hoe vaak zou hij hem niet op precies deze manier zijn eigen kamer hebben zien binnenkomen? Die onbewuste strapats, dat vreemde balanceren van zijn bediende, had hij zich waarschijnlijk allang eigen gemaakt. Grote kans dat die beweging in de toekomst opduikt in een van zijn nieuwe choreografieën. Alleen zal Vaslav tegen die tijd wellicht door een ander gezelschap zijn ingepakt, en tijdens de uitvoering zal hij geen snelle blik meer werpen op de vijfde rij zaal.

Sergej Pavlovitsj bekeek de figuur die voor de open haard gehurkt zat, bezig een vuur te bouwen, en die tevreden naar hem glunderde zodra de eerste vlam opflakkerde.

'Dat ziet er goed uit,' mompelde Sergej Pavlovitsj, verlegen om beter. 'Ja hoor, ja, dat gaat branden,' probeerde hij nog, want hoe hij het ook wendde of keerde, deze man was voorlopig het enige wat hem met Vaslav verbond. 'Dus zeg eens, brave vent, moet ik je aanspreken met Prometheus of hoe noemen de mensen jou?'

Zodra het vuur trok, liep de kerel naar buiten om een koperen pan met sneeuw te vullen, die hij daarna hoog boven de vlammen ophing aan een grote ijzeren haak. Hierna keek hij weer snel even op zijn horloge – nog zo'n eigenaardigheid in zijn motoriek – alsof hij van alles bijhield hoeveel tijd het hem kostte.

Hij rommelde door de kastjes die aan de muur hingen en nam uiteindelijk plaats op een krukje tegenover Sergej Pavlovitsj, klemde een koffiemolen tussen zijn dijen, greep de slinger en begon met grote knarsende halen te malen. Die kerel was een goudmijn! Zijn geworstel met dat apparaat en daarbij de hele tijd dat hoge piepen van de roestige schroef, alsof zijn onderlichaam een dier was dat hij probeerde te smoren voor het hem de baas werd.

'Maal je ook zo voor je meester?'

'Het is waar, mijnheer, er zijn anderen die er handiger in zijn dan ik.' Uit alle macht draaide de bediende door, tong tussen zijn tanden, totdat hij er kennelijk zelf om lachen moest en opkeek. 'Och, Kyra heeft er ook altijd zo'n pret om.'

'Kyra.'

'U zou haar hiermee eens bezig moeten zien!'

'O ja, het kind.'

'Als die beneden in de keuken is en ze ziet de koffiemolen staan! Voor haar is het een stuk speelgoed. Dan is het reservoir gewoon leeg maar wij doen alsof we er geen beweging in kunnen krijgen, eerst haar vader – met geen mogelijkheid –, dan ik – weer niks –, en ten slotte, nou mag zij hoor – geen weerstand, moeiteloos natuurlijk – en maar malen als een ratel, pret voor tien alsof ze rondzwiert op de kermis, gierend van de lach omdat zij ineens de sterkste is, helemaal als wij dan weer, twee van die stoere kerels, grommend puffend verder draaien. Ach, zulke onschuld, als u en ik die toch ooit nog mogen terugvinden.'

Het kind.

Onwillekeurig had Sergej Pavlovitsj er altijd medelijden voor gevoeld. Hij herinnerde zich de dag waarop hem het nieuws bereikt had dat het was geboren.

Het kaartje, waarop de naam van het meisje in zwierige letters stond vermeld, arriveerde vanuit Oostenrijk, een paar uur voor het bericht dat in Sarajevo aartshertog Franz Ferdinand was neergeschoten. Het was door haar moeder met de hand geschreven. Hij stelde zich voor hoe Romola zich op deze kennisgeving had verkneukeld. Dit was een triomf die zij hem hoogst persoonlijk wilde meedelen. Hij zag het gewoon voor zich, hoe de vrouw, zelfs voordat zij goed en wel haar kind geknuffeld had, daar in die Weense kraamkliniek al om pen en papier geroepen had, zich tegen doktersadvies in overeind had gehesen in haar kraambed, en het restje van haar krachten had gebruikt om haar aartsrivaal zo snel mogelijk te laten weten dat zij hem deze nieuwe slag had toegebracht. De voldoening waarmee ze zijn adres had neergepend en de felle halen, tweemaal met een tong als een bajonet, waarmee ze, alvorens hem dicht te plakken, langs de enveloppe gelikt had.

Er was haast bij geweest, want haar man had op het punt gestaan nog diezelfde week naar Londen af te reizen in de hoop zich daar met Sergej Pavlovitsj te verzoenen en dan, wie weet, wel in het hart van diens gezelschap te mogen terugkeren. Nu zij er daar in de catacomben van Drury Lane niet zelf bij kon zijn om een lijfelijke barricade op te werpen, was er geen zekerder middel dat Romola had kunnen inzetten om hem uit de armen van zijn voormalige minnaar te houden dan dat vileine roze kaartje met zo'n zijden strikje en de aankondiging dat zij Vaslav uitgerekend dat ene had gegeven wat Sergej Pavlovitsj hem nooit zou kunnen schenken.

De internationale ontwikkelingen die elkaar na het geboortebericht snel opvolgden waren in Sergej Pavlovitsj' beleving met de pasgeborene verstrengeld geraakt. Ergens tussen de anti-Servische rellen die zich meteen de volgende dag als een bosbrand over de Balkan hadden verspreid, de commotie in de straten van Londen na de onheilspellende woorden van Asquith in het Lagerhuis en de toespraken van lord Crewe en lord Landdown in het Hogerhuis, de begrafenis van de aartshertog en de weigering van de Kaiser om die bij te wonen, ergens daartussen was er dat beeld van Romola, bezweet en uitgeput maar voldaan lachend, die hun dochtertje voor het eerst in Vaslavs armen legt, terwijl dat kind, voordat de vroedvrouw het kon wassen, nog helemaal bedekt met slijm en bloed, het uitkrijt om haar nieuwe leven.

De eerste collecte voor oorlogsweduwen had niet lang op zich laten wachten. Aan de winkelzending uit Parijs die, waar de Ballets Russes zich ook bevond, elke twee weken plaatsvond, hadden ineens de vrolijk gekleurde makarons van Ladurée ontbroken. Vervolgens verdwenen uit die overzeese levering steeds meer producten, totdat je op de bodem van de grote krat zelden meer aantrof dan het zakje lindebloesemthee, waarvan Mariage Frères kennelijk een onuitputtelijke voorraad bezat, en intussen waren in het straatbeeld de eerste jonge jongens al verschenen zonder kaak of zonder benen.

Met de oorlogsverklaringen van Oostenrijk-Hongarije aan Servië en die van Duitsland aan Rusland was de wereld zoals Sergej Pavlovitsj die kende ten einde gelopen. Alle verschrikkingen die daarop waren gevolgd, bleven in zijn onderbewustzijn verbonden met dat eerste incident, het nieuws uit Oostenrijk dat alle onheil leek te hebben ingeleid, de geboortetijding van de kleine Kyra.

Haar vader.

Met wat geluk was die in aantocht.

Wat zeg je tegen de liefde van je leven nadat die er met een ander vandoor is gegaan? Dat wist Sergej Pavlovitsj al niet. Laat staan dat hij tussen alle woorden die door zijn hoofd raasden wanneer hij aan Vaslav dacht er ook maar één vond waarmee je iemand zou kunnen begroeten met wie je zoveel jaren het bed had gedeeld, met wie je het grootste geluk en ongekende extase had beleefd, en die zich desondanks op een dag zonder enige waarschuwing van je had afgekeerd, of erger, niet alleen had afgekeerd van jou, maar zelfs van die kern van je wezen: je geslacht; en die, ogenschijnlijk uit willekeur, besloten had zich voortaan op het andere te richten. Dit was een verraad waaraan Sergej Pavlovitsj nog altijd niet denken kon zonder dat zijn hart even leek stil te staan.

Ook de liefde was dus maar weer een akte gebleken, het zoveelste bedrijf dat eindigde zodra een van de spelers zich omdraaide en afliep. Een scènewisseling bij open doek waaraan het publiek zich onbeschaamd zat te vergapen. De panoramaschildering verdween de kap in, zetstukken werden naar het zijtoneel gereden en de rest van de vertoning moest zich tussen de trekken afspelen tegen het brokkelige baksteen.

Lange tijd was het glashelder geweest wie de volledige schuld droeg voor deze onttakeling van Sergej Pavlovitsj' leven. Binnen het gezelschap werd hier ook door niemand aan getwijfeld, want in het halve jaar dat zij de Ballets Russes was achternagereisd en meeliep met de lessen – minder dan zeven maanden had ze nodig om haar val te zetten en haar prooi binnen te halen – had Romola de Pulzsky daar bitter weinig vrienden gemaakt.

Als een vreemde eend was ze in het zwanenmeer beland. Dat zij daarvoor het onmogelijke had volbracht en na slechts één jaar training – begonnen op een leeftijd waarop geen mens geacht wordt nog op dit niveau te kunnen leren dansen – tóch mocht meedoen met de ochtendklas, had evenveel afgunst als ontzag gewekt. De andere meisjes, van wie de meesten tien, vijftien jaar van hun jeugd hadden moeten offeren om even ver te komen, hadden weinig nodig om een kordon te vormen dat het groentje buiten hun onderlinge vriendschappen hield.

Achter Romola's rug werd er gelachen om alles waarin zij anders was. Dat zij geen Russische was en toch niet lelijk, gaf vaak al scheve ogen, en dat zij van adel bleek te zijn nog meer. Dat zij sigaretten rookte in lange, gouden pijpjes, iets wat je nooit iemand zag doen behalve de allergrootste chic of de allerzwartste nihilisten, wekte veel hilariteit, en dat Romola op tournee nooit met de groep meereisde maar voor haarzelf en haar kamermeisje betere treinen boekte en duurdere hotels, leidde tot veel achterklap en onverbloemd venijn.

Maar het echte kwade bloed werd toch wel gezet door de voorkeursbehandeling die zij genoot. Elke ochtend tussen elf en twaalf, het uur tussen de groepslessen en de privéles van Karsavina en Nijinski, kreeg zij namelijk privéles van maestro Cecchetti. Geen mens wist precies waaraan zij dit te danken had, maar dat verhinderde niemand driftig te speculeren over het bedrag dat de Hongaarse hiervoor waarschijnlijk moest neerleggen of God weet welke wederdiensten zij hiervoor aan die oude snoeper zou moeten leveren.

Boven alles sprak men schande van de vastberadenheid waarmee de nieuwkomer op haar doel afging, een doel dat iedereen opviel en waarvoor zij zich niet in het minst leek te schamen, want zodra zij ook maar even met Sergej Pavlovitsj Diaghilev of diens protegé Vaslav Nijinski in dezelfde ruimte was – iets wat door de strikte hiërarchie in het gezelschap niet vaak voorkwam – haalde zij de gekste capriolen uit om bij die heren op te vallen.

Op een ochtend had Romola zich tegen het eind van haar privéles zogenaamd verzwikt – mooi excuus om net zo lang te dralen tot Nijinski en Karsavina voor hun eigen les de studio betraden. Ostentatief had zij daar in de rondte gehinkt, net zo lang tot de sterdanser van het gezelschap haar voet in zijn handen had genomen. Dat zij zowel haar hiel, haar wreef als haar middenvoetsbeentje had laten betasten op zoek naar een fractuur, ging als een lopend vuur door het gezelschap.

Het was niet voor het eerst dat een ingénue al haar veren opzette om bij de top van het gezelschap in het gevlij te komen. Integendeel, om binnen het corps de ballet van rang B naar rang A op te klimmen haalden de meeste meisjes tegenover de directie al alles uit de kast, en om het op een dag van *corps* tot *coryphée* te schoppen zou menigeen bereid zijn geweest haar eigen moeder veil te bieden. Op hun beurt droomden de coryphées ervan solist te mogen worden en spinsde iedere solist vol afgunst op een titel als *danseur* of *danseuse principal*, waarna zij desnoods een moord zouden plegen om ooit te mogen optreden als *chevalier* of *prima ballerina assoluta*. Tegelijk wist iedereen dat promoties enkel en uitsluitend werden verleend op basis van hard werk, individuele mogelijkheden en bewezen kwaliteit en dat de indrukwekkende reputatie van het gezelschap nooit zou worden gecompromitteerd vanwege een persoonlijke voorkeur van iemand uit de leiding. Betere rollen waren door geen enkele bevlieging of intrige af te dwingen. Dit had er echter nooit iemand van weerhouden in de buurt van Sergej Pavlovitsj of een van diens vazallen zijn meest stralende glimlach op te zetten en zijn beste voetje voor. Nieuwelingen sloegen hierin wel vaker door, zeker als ze op weinig kunde of geen enkele ervaring konden bogen, zoals Romola de Pulszky.

Het meisje werd openlijk bespot om haar ambitie. Iemand die zo laat begonnen was met dansen – eenentwintig! – die kon het onmogelijk ver brengen, daar was iedereen het over eens. Als de spieren al sterk genoeg bleken, als haar heupkoppen niet binnen de kortste keren zouden gaan schuren, dan was haar achterstand nog altijd zo groot dat zij nooit voldoende lijn zou vinden, gedoemd was eeuwig die kwart tel achterop te blijven bij de *battements frappés*, en de wreef nooit vanzelfsprekend over de teen te krijgen.

Toegegeven, niemand had de Hongaarse ooit een traan zien laten wanneer zij even aan de kant moest om het bloed uit haar spitzen te betten, maar iedereen zag ook dat haar tenen niet zoals bij hen al tijdens de groei krom waren gaan staan. De voorvoet rustte zonder deze vervorming niet goed op het houtblok voorin de spitzen, zodat Romola *en pointe* altijd nog meer pijn zou moeten lijden dan de rest. Wie haar zo zag worstelen voelde even wat ontzag voor haar meedogenloze discipline, en dit alles in acht genomen, kon je het haar bijna niet kwalijk nemen dat zij zo snel mogelijk wilde doorstoten.

Iedereen ging ervan uit dat dit de reden was dat Romola zich zo opdrong bij de entourage van Nijinski en Diaghilev. In de trein op weg naar Parijs bijvoorbeeld liep zij zogenaamd bij toeval tegen Mimi Rambert op, begon een gesprek en raakte met haar bevriend, waarna Romola, hoewel zijzelf niet ver van het theater logeerde, haar kersverse vriendin elke avond na de voorstelling helemaal naar het Hôtel d'Iéna in Passy begeleidde in de hoop Vaslav, Mimi's beste vriend, daar een keer te treffen of haar in elk geval over hem te kunnen uithoren. Dit moet zij zeer geraffineerd hebben aangepakt, zoals ze al maandenlang de hele coup aan het plannen was als een militaire operatie, want tijdens hun soupers schijnt Mimi honderduit verteld te hebben over allerlei intieme zaken zonder ook maar enige achterdocht te koesteren.

De ware reden achter alle omzichtige vragen die Romola stelde wás ook onvoorstelbaar, voor Mimi Rambert net zo goed als voor iedereen.

Vaslav toonde geen enkele interesse in vrouwen, niet op díe manier, en geen zinnig mens die hem ooit in levenden lijve had gezien zou anders kunnen denken. Zolang hij danste mocht hij eruitzien als een Griekse god of een zinderende faun, met alle stierendrift die daarbij loskwam, maar liep hij terug naar zijn kleedkamer dan sijpelde die oerkracht uit hem weg. Eenmaal afgeschminkt en omgekleed had hij meer weg van een jongetje, van wie je je bijna afvroeg of hij wel zijn eigen brood zou kunnen smeren en of iemand hem überhaupt weleens op het bestaan van vrouwen had gewezen. Schichtig te midden van alle aandacht, verloren zonder Sergej Pavlovitsj, die hij, om door de menigte fans bij de artiesteningang geloodst te worden, soms letterlijk bij de hand pakte. De verhouding tussen die twee mannen en Vaslavs afhankelijkheid van zijn oudere geliefde waren onmiskenbaar.

Dus zelfs toen Romola zich op een avond versprak en hem, onvoorzichtig, hardop *Le petit* noemde, de koosnaam die zij Vaslav in haar geheime dromen gaf, was Mimi enkel in de lach geschoten. Het idee dat er iemand rondliep met serieuze plannen om mevrouw Nijinski te worden was namelijk te verdrietig, te uitzichtloos absurd en kwam eenvoudigweg bij niemand op. Had Romola ooit aan iemand van het gezelschap opgebiecht dat zij haar zinnen op Vaslav had gezet, dat zij zich met geen andere reden de Ballets Russes binnen had gevochten dan alleen om hem te veroveren, dan had diegene haar zeker verteld dat ze net zo goed rondjes over de Place de la Concorde kon gaan rennen in de hoop gevoelens op te wekken in de obelisk.

De enige die Romola van begin af aan van haar liefdesveldtocht op de hoogte had gehouden, was Anna, haar jonge kamenierster. Die omschreef zichzelf graag als 'wild romantisch'. Zij zwijmelde over de opofferingsgezindheid van haar meesteres, voor wier zaak zij zich dan ook gretig in liet zetten als spionne. Dit deed Anna met zoveel verve dat zij uiteindelijk achterhaalde met welke trein Le petit naar Londen door zou reizen, waarna zij voor Romola en zichzelf plaatsen reserveerde in de aangrenzende coupé. Tijdens die reis volbracht Romola, die zelfs tussen Stravinski's onnavolgbare ritmes en onverwachte syncopen nooit de tel voor haar eigen opkomst had gemist, al halverwege Calais wat haar binnen het militaire regime van het gezelschap niet eerder was gelukt: zij ving de aandacht van de sterdanser van de Ballets Russes en knoopte een gesprek aan.

Achteraf had Sergej Pavlovitsj vaak geprobeerd zich te herinneren of hem tijdens die reis nu niet iets was opgevallen waardoor hij op zijn hoede had moeten zijn. Waarschijnlijk had hij de Hongaarse wel over de gang zien sluipen, heen en weer langs hun coupé en weer eens heen en nog eens terug, want erg omzichtig was zij nooit te werk gegaan. Hij meende zelfs dat hij er tegen Vaslav nog over had geschamperd dat zo'n aspirantje hun compartiment moest uitkiezen om voor te gaan staan roken, en dat hij zich even later ook had afgevraagd waarom dat mens nou per se pal voor hún coupé een strapontijn moest neerklappen en iedereen de doorgang lastig maken.

Toen Vaslav even later naar het toilet ging zat zij daar nog steeds, de rug naar hem toe alsof ze achteloos naar buiten zat te staren; pas toen hij terugkwam had ze toegeslagen.

Sergej Pavlovitsj herinnerde zich duidelijk de gele schoenen die zijn geliefde die dag aan had bij een opvallend grijsgroen pak met juchtleren handschoenen en een grote groene pet, maar dat hij in dat kostuum een tijdlang op de gang is blijven dralen – tegen het raam geleund met één arm op de koperen reling, één voet op de radiator –, nee, dat heeft hij later van anderen gehoord die zich langs het tweetal hadden moeten wurmen dat met handen en voeten een gesprek stond te voeren.

Misschien had hij ze uit een ooghoek wel gezien maar er geen kwaad achter gezocht – waarom zou hij ook? – of hij had gewoon de andere kant op zitten kijken naar het landschap en de windvlagen die eroverheen joegen. Waarschijnlijk had hij, nerveus als hij was voor de overtocht, een groot deel van die hele treinreis met dichtgeknepen ogen zitten prevelen om de goden gunstig te stemmen voor de overtocht. Geholpen had dit niet, want eenmaal aan boord bleek de zee zo ongenadig ruw dat Sergej Pavlovitsj zich direct had opgesloten in zijn hut en zich voor Dover niet meer had laten zien.

Nijinski was een van de weinigen geweest die zich in de storm aan dek hadden gewaagd, en Romola was hem uiteraard gaan zoeken. Op het gevaar af dat ze samen in de golven zouden eindigen, had zij plaatsgenomen in een ligstoel naast de man die zij wilde hebben en haar jacht daar met wapperende rokken voortgezet.

Voortaan had ze dus een aanleiding om Vaslav gedag te zeggen wanneer zij hem ergens tegenkwam. En zag hij haar tussen drie en vier, de tijd waarop Sergej Pavlovitsj elke middag in het Savoy Hotel open tafel hield, toevallig door de lobby struinen, dan wenkte Vaslav haar erbij te komen zitten. Pas helemaal tegen het eind van het seizoen vroeg iemand eens hoe het toch eigenlijk kwam dat dat meisje van De Pulszky, dat zelf immers in Mayfair logeerde, zoveel dagen van de week altijd rond hetzelfde uur in dit hotel strandde. Maar toen was het al te laat.

Zij had Sergej Pavlovitsj al zover ingepalmd dat toen hij later die maand een danser tekortkwam voor de Zuid-Amerikatournee, hij haar engageerde en haar daarmee de kans van haar leven schonk.

Ze greep hem.

Twee weken nadat de ss *Avon* zonder Sergej Pavlo-vitsj, die uit angst voor zeeziekte was thuisgebleven, uit Southhampton was vertrokken, had Romola de Pulszky zich al met Vaslav verloofd, en nog eens veertien dagen later in Buenos Aires, snel, voordat zijn minnaar er in Europa lucht van kreeg, werd zij voor de wet wat zij zich voorgenomen had te worden: mevrouw Nijinski.

Dit verraad had iedereen in Sergej Pavlovitsj' entourage zo overrompeld dat zij hem voedden in het idee dat Romola de volle schuld droeg aan Vaslavs onwaarschijnlij-ke overloop naar het andere kamp. Allemaal wisten zij hem te verzekeren dat dit een huwelijk was dat alleen door een godswonder geconsummeerd zou kunnen wor-den. Van liefde was natuurlijk sowieso geen sprake, dat begreep een kind. Uit pure kwaadaardigheid had de Hon-gaarse, over wie de tongen nu pas goed loskwamen, Ser-gej Pavlovitsj zijn geliefde afgetroggeld en zo de Ballets Russes beroofd van haar grootste ster en belangrijkste publieksmagneet. Wat anders dan frustratie, afgunst en haat, die de lompe laatbloeier ontwikkeld had jegens de natuurlijke souplesse van de andere ballerina's, het voor haar onbereikbare niveau, de professionaliteit van haar meer talentvolle collega's, kon haar hebben doen beslui-ten het gezelschap zo'n klap toe te brengen – zij met haar eeuwige sigarettenpijpje! – en het geluk van Diaghilev te vermorzelen?

Zelfs de kranten schamperden over zo'n *mariage bien Parisien!* Vaslav, zei men, had waarschijnlijk amper be-grepen waaraan hij zich verbond. Ach wat, de twee jonggehuwden konden niet eens met elkaar spreken; hij sprak op dat moment amper Frans en zij geen woord Russisch of Pools.

Mimi Rambert, in paniek, had de aanstaande bruid een dag voor de ceremonie nog expliciet onderhouden over Vaslavs geaardheid, maar dat interesseerde Romola geen zier. Die hield niet enkel van juwelen en duur bont, meer nog van bewondering en macht – zij had dat aan Mimi zelf in zoveel woorden toegegeven –, en nu zij beet had, droomde ze al van de centrale plaats in de Europese culturele elite die zij aan Nijinski's zijde zou innemen.

'Kan zoiets eigenlijk maar zomaar?' jammerde de hele Zwitserse Garde. Goedbeschouwd was het toch gewoon vrijheidsberoving? Zat daar misschien zelfs niet een rechtszaak in, als je toch zag hoeveel mensen hierdoor werden gedupeerd, een kort geding om dat hele huwelijk ongeldig te laten verklaren, het was toch zeker een vorm van misleiding en emotionele oplichting geweest, het leek nog het meest op een ordinaire kidnapping, daarmee zou een goede advocaat toch vast en zeker wel raad weten?

De rol van lijdende figuur was Sergej Pavlovitsj niet op het lijf geschreven. De grote man was gewend benijd te worden, niet beklaagd. Te midden van alle verdriet en paniek waaruit hij die eerste dagen overeind probeerde te krabbelen woog elk medelijden en de onnozelste steunbetuiging als een juk dat hem verder terneerdrukte.

Dat iedereen de Hongaarse heks verketterde kwam hem uitstekend uit. Het klinkt immers nobeler je geliefde te verliezen aan een duivels complot dan als de eerste de beste mislukkeling aan de kant te zijn gezet. Maar eigenlijk, zelfs toen al, nam hij het zichzelf kwalijk.

Hij was het nou eenmaal niet waard dat iemand van hem hield, zong het door zijn hoofd als een liedje zonder woorden. Kennelijk had hij het leven dus weer eens een tijdje vanuit de coulissen beleefd, zoals die zomer waarin hij met Goega was opgetrokken, en had hij zichzelf wijsgemaakt dat zij samen in hetzelfde stuk speelden. Midden in de scène was hem nu een spiegel voorgehouden en bleek eens te meer dat Sergej Pavlovitsj niet een van die wezens was die hiervoor zijn geschapen.

Gretig had hij meegehuild met iedereen die alle schuld op Romola afschoof, maar diep van binnen wist hij beter, en dit wakkerde zijn woede alleen verder en gevaarlijk aan.

Hij was in Venetië toen het nieuws hem bereikte. Achter de vleugel zat Misia Sert een nieuwe partituur voor te spelen, een voorproefje nog maar, het eerste deel uit *De legende van Joseph*, dat net binnen was gekomen. Sergej Pavlovitsj, die nog in zijn pyjama liep, was er meteen zo content mee dat hij begonnen was op de zesachtsten mee te huppelen. Uitgelaten had hij het witzijden paraplutje waarmee zij binnen was gekomen van tafel gegrist en daarmee, plomp op zijn pantoffels, door zijn suite rondgezwierd tot hij het ding in een onbewaakt moment open had geklapt. Van schrik was Misia gestopt met spelen en ze riep nog dat zoiets – moest zij hém daar nu aan herinneren? – binnenshuis alleen maar ongeluk zou brengen. Maar het was te laat, er werd al aangeklopt.

Scheldend, jankend had hij zich op de grond laten vallen. Uiteindelijk had hij zichzelf bijeengeraapt en zijn getrouwen voor oorlogsberaad bijeengeroepen. Hij had tegen hen getierd omdat ze het onheil niet hadden zien aankomen en hun gesmeekt het op de een of andere manier nog ongedaan te maken. Nadat zij waren afgedropen had Sergej Pavlovitsj uit wanhoop zichzelf een paar maal hard in zijn gezicht geslagen. Hij had zijn nagels in zijn vlees gezet en zijn onderarmen opengekrabd, waarna de pijn hem enigszins bij zinnen bracht.

Toen zijn entourage probeerde hem zijn verdriet met bellen brandy te laten verdrinken had hij niet tegengestribbeld. Diezelfde dag nog had hij zich door een aantal van hen laten meevoeren naar Napels om zich in die streek, die daar sinds de Oudheid om bekend is, helemaal in liederlijkheid te laten onderdompelen. Maar zelfs op die zee van naakte lijven, hoe vol de lippen ook waren die van hem dronken en in welke Caprese kronkeling de bacchanten zich ook gaven, Sergej Pavlovitsj kon maar aan één ding denken.

Sergej Pavlovitsj Diaghilev zette zijn wraak op zoals zijn producties, groots en behoedzaam. Hij dacht een strategie uit, zocht zijn medewerkers uit en voerde diplomatieke besprekingen. Toen hij Strauss en Von Hofmannsthal had weten te overtuigen dat hun *Joseph* baat zou hebben bij een nieuwe choreograaf, nadat hij zelfs van Stravinski, die met Vaslav goed bevriend was, een toezegging binnen had dat hij, wat er ook stond te gebeuren, het gezelschap trouw zou blijven, was het wachten enkel op het juiste moment.

Dat kwam na twee maanden, toen Vaslav, alsof er niets gebeurd was, per telegram informeerde waar en wanneer hij met de repetities kon beginnen. Sergej Pavlovitsj ondertekende het antwoord niet zelf. Dit liet hij zoals alle zakelijke correspondentie over aan een ander, maar de woorden waarmee de slag werd toegebracht waren wel degelijk van hem: 'Monsieur Diaghilev zal van uw diensten voortaan geen gebruik meer maken.'

De stille razernij waarop Sergej Pavlovitsj maanden had overleefd, een verbeten roes zoals een zeeman die moet opbrengen wil hij op volle zee zijn eigen gangreneuze been kunnen afzagen, ging liggen zodra hij de breuk definitief had gemaakt en begon te overzien wat hij had aangericht.

De Ballets Russes moest haar sterdanser missen, de wereld de grote Nijinski. Daar stond tegenover dat het hem gelukt was Vaslav te straffen. Die was in één klap afgesneden van zijn inkomsten en tegoeden, van zijn roem en van zijn kunst. Romola mocht er dan met de god van de dans vandoor zijn, met hem pronken zou ze niet, want die kwam voortaan zijn eigen tempel niet meer binnen.

Het was niet de enige slag geweest die Sergej Pavlovitsj in zijn leven had moeten leveren, maar wel de eerste waarin hij een geliefde te gronde had moeten richten. Het verdriet dat hij hierom voelde en het feit dat hij nu van zijn overwinning niet genieten kon, nam hij ook Romola kwalijk, zoals hij, en iedereen, haar overal de schuld van gaf.

Op elk feest waar Sergej Pavlovitsj zich ook maar liet zien was zij nog altijd de risee. Altijd was er iemand wel zo lollig om haar na te doen, het slepen van haar s'en en haar l'en, het linkeroog dat soms wat lui hing, of de slecht opgevangen landing van een bonkige jetée. Na een goedbesprenkeld souper was het eens voorgekomen dat een stel dronken dansers de Argentijnse huwelijksnacht nog eens komiek in scène zetten, vol wanhopig heupgedraai en meer plastische gebaren tot en met de teleurstelling van Romola (die als bruidssluier een tafellaken droeg) over Vaslavs levenloze lendenen (twee mandarijntjes en een lege sigarenhuls) op het moment dat de bruid doorkreeg dat ze daar zelfs met een wanhopige maenadendans echt geen beweging in kon krijgen.

Die pret was van korte duur.

Minder dan een jaar later, met het bericht van Kyra's geboorte, verstomde alle vrolijkheid. Valse stemmen bleven rondbazuinen dat Romola zich door een ander moest hebben laten bezwangeren, alleen om iedereen een hak te zetten, maar langzaam legde zelfs Diaghilevs Zwitserse Garde zich erbij neer dat die Hongaarse heks Vaslav op de een of andere onverklaarbare manier had weten over te halen tot de liefde.

Sergej Pavlovitsj wist niet wat hij moest geloven.

Vanaf het moment dat hij dat geboortekaartje – waarbij het nieuws uit Sarajevo hem maar een bijzaak leek – in zijn trillende vingers had gehouden, had hij dat onnozele schepseltje als medeslachtoffer gezien, een wezentje van vlees en bloed, dat door Romola als een pion in de strijd was geworpen. Hij stelde zich de wanhoop voor die Vaslav moest hebben gevoeld toen zij hem verteld had dat hij vader werd en het dan eindelijk tot hem doordrong dat dat onzalige huwelijk van hem niet zomaar een overjarige studentikoze streek gebleken was, maar dat hij er nu in zat gevangen.

Toen het kersverse vadertje kort na het geboortekaartje hoogstpersoonlijk in Londen arriveerde in de hoop weer in genade te worden aangenomen, had hij Sergej Pavlovitsj onvermurwbaar aangetroffen. Dat Vaslav hem het nieuwe leven met tranen in zijn ogen van ontroering had beschreven in plaats van zijn ex jammerend in de armen te vallen, vol zelfbeklag over de smerige val waar hij met open ogen ingelopen was, had zijn zaak niet geholpen. Ook in de rest van het gezelschap, dat voor hem ooit zijn familie was, had Vaslav die keer geen medestanders gevonden, en na enkele dagen zat er voor hem niets anders op dan af te druipen, terug naar zijn gezinnetje, zonder zicht op enig inkomen waarvan hij het zou kunnen onderhouden.

Sindsdien was het Sergej Pavlovitsj maar al te duidelijk dat zijn ongeluk Romola niet zonder meer in haar eentje kon worden aangerekend. Eigenlijk diende het populaire beeld van zijn vijandin te worden bijgesteld, maar daartoe kon hij zich niet brengen. Toegeven dat Vaslav hem

weleens vrijwillig zou hebben kunnen verlaten was eenvoudig te pijnlijk en te vernederend. Ten opzichte van
anderen, maar vooral ook omwille van zichzelf, volhardde hij er dus in de zaak zwart-wit te blijven zien en hij
koesterde zijn woede. Haat is een bedwelmend houvast.

Alleen wanneer hij ergens een footootje van Kyra zag –
Stravinski had er eentje op zijn vleugel staan, Misia en
Bronja droegen ook van die portretjes bij zich, en hoeveel kranten en driestuiverbladen berichtten niet graag
en keer op keer over het wel en wee van de roemruchte
familie: het kleintje op haar hobbelpaard, haar eerste
pasjes in de sneeuw en daarna half in slaap op Vaslavs
arm of, erger nog, tussen haar vader en haar moeder in
geklemd in een gondel op het Canal Grande – dan vielen
er gevaarlijke gaten in Sergej Pavlovitsj' zelfbedrog waar-
doorheen hij zijn verdriet voelde opwellen.

*

Dit was wat hem hier vandaag nu overkwam in deze
godvergeten berghut waarin hij door zijn eigen dwaasheid opgesloten zat met de een of andere koffiemalende
malloot die al knarsend maar aan één stuk door zoetsap-
pige verhalen zat op te dissen over het huiselijke geluk
van zijn grote meester Nijinski en diens doddige dotter-
blom van een dochtertje. En maar rollebollen met zijn
allen en elkaar maar gierend om de hals vallen, het ene
spelletje nog kinderachtiger dan het andere, wat had een
fatsoenlijk mens daar voor boodschap aan?

'Wel dan,' gromde Sergej Pavlovitsj nadat het boerentype
hem dan eindelijk zijn koffie had geserveerd. Het was óf
een exclusieve Turkse variant zoals je die in de duurste
Venetiaanse cafés nog weleens vinden kon, of er was gewoon iets misgegaan. In elk geval lag onderin een laag

172

drab, zo dik dat het water er maar nauwelijks bovenuit-
kwam.

Tot overmaat van ramp trok de jongeman zich na de
bediening niet terug, maar schoof een stoel bij. Hij bleek
ook voor zichzelf te hebben ingeschonken en kwam, alsof zij gelijken waren, naast hem zitten.

Samen tuurden ze een tijdje in het vuur. Toen trok Sergej Pavlovitsj een zakdoek uit zijn binnenzak, poetste er
de roestige rand van de mok mee schoon, vermande zich
en deed alsof hij een flinke teug nam. 'Zeg eens, Peter,
die *toestand* van mijnheer, waar jij het over had...'

3

Hoe is dat eigenlijk mogelijk, dacht Sergej Pavlovitsj ineens, om heimwee te hebben als je nergens thuis bent?

Nog geen ogenblik tevoren had hem een enorme wee-
moed overspoeld, zomaar, ergens midden in die hele
verhandeling die Peter aan het houden was over de ge-
moedstoestand van zijn werkgever. Welk woord was dat
geweest, wat voor onwelkome herinnering? Of was het,
wie zal het zeggen, gewoon omdat daar iemand bij hem
zat die kennelijk iets om Vaslav gaf. Tegenwoordig was
zoiets onbenulligs al genoeg. Dit overkwam hem de laatste tijd namelijk op de meest ongelegen momenten, zo'n
verraderlijke golf die hem vanachter overviel, hem aan
zijn enkels onderuithaalde en een tijdlang reddeloos liet
rondspartelen in zijn gemis. Minutenlang was hij dan uit
alle macht bezig zijn hoofd boven water te houden, zonder zicht op wat dat nu eigenlijk zijn kon wat hem met
zo'n kracht naar beneden probeerde te trekken. Maar zoals altijd brak de golf niet, maar rolde verder.

Zodra Sergej Pavlovitsj doorkreeg dat hij ook dit keer
heus wel weer zou blijven drijven, doemde als een boei
in de verte langzaam deze vraag op: wat is dat dan in hemelsnaam waarnaar ik nu nog zo verlang, wat voor plek
kan dat zijn waar ik me weer veilig zou weten?

Het was geen streek of stad waar hij naar hunkerde,
niet de omhelzing van iemand in het bijzonder, niet eens
de armen van zomaar de eerste de beste ergens tussen
wat bosschages langs de Neva of snel tussen twee bedrij-

ven door op een morsig bankstel in een louche *separée*. Geen familie was het en geen landschap, geen bepaald gezicht of zelfs maar een hond die hem kwispelend zat op te wachten.

Met zijn moederland in de bebloede klauwen van de bolsjewieken was het Sergej Pavlovitsj de afgelopen twee maanden duidelijk geworden: nooit meer zou hij ergens thuishoren, tenzij in de omgeving die hij zelf had geschapen, de wereld van het ballet. Voortaan zou hij, wanneer ze hem naar zijn geboortegrond vroegen, de schuin aflopende speelvloer noemen, dat plankenrijk tussen *coté cour* en *coté jardin*, begrensd door trekwand en orkestbak, ergens tussen 'aanvang beginners!' en 'brandscherm zakt!'.

Geen twijfel mogelijk, deze plek had aan de wieg gestaan van de 'Serge de Diaghilev' zoals iedereen hem tegenwoordig kende. Waar anders had die het licht ooit kunnen zien dan onder een hang eitjes met filters roze nummer vijf en zeeblauw achtenhalf, twee spotjes geellicht halfzacht voor, één *volg* en aan weerskanten een dubbele zijbatterij koudvuur halfopen? Hier was het, met de voortdurende troost van de muziek, vanzelfsprekend als de streling van een moederhand, de lucht om je heen eeuwig in beweging van alle rondtollende lijven, dat Sergej Pavlovitsj had ontdekt welke mogelijkheden het leven voor hem in petto hield. Hier had hij een omgeving gevonden die bereid bleek hem te nemen zoals hij was en hem daarmee de kans geboden had zijn ware talent te vinden, zijn énige talent, en dat ten volle te benutten. Het was hier dat hij zich al doende, bijna zonder dat hij het zelf had gemerkt, opnieuw had uitgevonden.

Dus soms, wanneer hij zich ontheemd voelde of zomaar wat unheimisch en verlangend naar wat warmte, dacht hij aan de dans. Iedereen in je omgeving te kunnen begrijpen en door hen begrepen te worden, idealen te delen en die te kunnen bezingen in eenzelfde taal, waar anders zou hij dat ooit nog vinden dan in de theaters, zijn eigen territorium waarbinnen hij zijn eigen leger van danseressen en dansers kon inzetten om alles te verdedigen wat hem dierbaar was, goed en mooi en breekbaar, en in de burelen achter de coulissen waar hij nieuwe strategieën uitdacht samen met die hele legerleiding van hem, met aan het hoofd Stravinski en Picasso, als generaals Ravel, Bakst en Cocteau, Miró en Gris en al die anderen, plannen om de wereld te veroveren, alle bekrompen mufheid uit te roeien en het klein-denken om te vormen tot een staat van durf en drang, vernieuwing, hoop en schoonheid met in de voorhoeden Massine, Lifar en Isadora Duncan, Karsavina en Ksjesinskaja en voorop, vooruit, met grote sprongen, ver voor iedereen, dáár, ja daar, daar hoorde híj te gaan, die ene.

*

'Dus voor de draad ermee,' zei Sergej Pavlovitsj, 'wat is dat dan voor zogenaamde ziekte, waaraan jouw meester Nijinski volgens jou zou lijden?'

'Ik ben geen dokter, mijnheer, het enige wat ik zeg is dat ik dit al eerder heb gezien.'

'Bij mijnheer Nietzsche, ja, bij mijnheer Nietzsche,' sprak de Rus geërgerd. Dat was wel de laatste die hij hier aan zijn haren bij gesleept wilde hebben. De onenigheid die hij daarover indertijd gehad had met Dima Filosofov! En met Sjestov trouwens net zo goed. Zoals die twee met die kerel dweepten in eindeloze artikelen. Omwille van de vriendschap had Sergej Pavlovitsj hun bijdragen over Nietzsche dan in godsnaam maar in zijn blad opgenomen, verloren pagina's die geen mens zou hebben willen opslaan als hij ze niet met kostbare prenten van Hokusai en Hiroshige had verluchtigd. En hoe, om godswil, was dat stuk ongeluk nu ineens tussen het gebrabbel van deze boerenbediende beland?

'Wat voor boodschap heb ik aan zo'n vent die ze voor ieders veiligheid maar liever in een dwangbuis hielden?'

'Daarom gaat het juist. Ik wil niet dat mijnheer diezelfde weg gaat.'

'Welke weg?'

'De kant die ik mijnheer Nietzsche op heb zien gaan.'

'Toen je klein was, ja, een eeuwigheid geleden. Als kleuter heb je misschien eens een paar uur achter hem aan gesjokt met een snottebel en afgezakte kousen terwijl je zijn mooiste leren tas geruïneerd hebt door die over een pad vol scherpe stenen aan de hengsels achter je aan te slepen, en daaruit trek je nu een diagnose?'

'Als je klein bent kunnen dingen zo'n indruk maken dat je ze een leven niet vergeet.'

'Nou vooruit, wat heeft die grote geest gezegd waaraan je kon horen dat hij halfgaar werd?'

'Woorden? Nee, het ging geloof ik niet om woorden.

'Laat ik het zo vragen,' verzuchtte Sergej Pavlovitsj, 'wat ging er precies mis, waar ben je bij geweest, wat heb je nou gezien?'

'Ach, mijnheer,' sprak de stoker, 'als ik daar woorden voor zou hebben.'

Geen wonder dat ze in de nabijheid van die kerel allemaal krankzinnig worden, dacht Sergej Pavlovitsj, een paar uur van dat geleuter en een mens springt uit eigen vrije wil over de rand van zijn verstand heen.

'Het ging eerder om stilte, denk ik. Dat herken ik nu tenminste bij mijnheer Nijinski. De manier waarop die daarnaar ook verlangen kan, soms even niks te hoeven en gewoon alleen maar stil te mogen zijn.'

'Stilte,' herhaalde Sergej Pavlovitsj, wie iets begon te dagen.

'Ja, zo zegt hij dat tenminste. En soms, als dat niet lukt omdat hij in gezelschap is of mensen te veel aandacht van hem vragen, dan kan hij je zo aankijken, zo, ik weet niet, dat is onbeschrijflijk.'

'Zoals een spelend kind dat zich gestoten heeft, op-kijkt naar zijn moeder.'

'Dat is het ja, precies. Alsof hij zelf nog niet helemaal weet hoeveel pijn het gaat doen.'

'Alsof hij uit jouw ogen probeert te lezen hoe erg het eigenlijk is,' vulde Sergej Pavlovitsj aan. Zijn toon was mild, want even zag hij Vaslavs ongemak weer voor zich. De gedachte aan die hulpeloze blik dreigde een glimlach op zijn gezicht te toveren, maar hij herstelde zich bijtijds en vloekte binnensmonds. Het was godgloeiend toch niet te geloven, dat die kinkel meende dat een man als hij bereid zou zijn om zijn hele hebben en houden aan een bediende bloot te geven.

'Onzin,' bromde hij, 'geen enkele reden tot bezorgd-heid. Jouw meester is gewoon onhandig in gezelschap, niks bijzonders, dat heeft hij altijd al gehad.'

'En verder draait het...', Peter aarzelde, pakte een pook en porde bedachtzaam in het vuur, 'nou ja, ik weet niet goed hoe ik het anders zeggen moet, het gaat de laatste tijd ook altijd over liefde.'

Sergej Pavlovitsj hoorde zichzelf zwijgen.

'Daar draait het altijd weer op uit,' ging Peter verder, 'iedere ontmoeting, elk gesprek, maar ook gewoon als we een eindje wandelen. Uiteindelijk zat er voor mij niks anders op en heb ik mevrouw erover moeten inlich-ten, ja, begin oktober was dat. Het is erg maar zo is het, mijnheer, je kunt tegenwoordig nergens met hem heen gaan of hij begint over de liefde.'

'Liefde,' herhaalde Sergej Pavlovitsj zo neutraal moge-lijk.

'Hij spreekt iedereen erover aan. Ons en Kyra, maar

net zo goed wildvreemden. Hele theorieën hangt hij op.'

'Theorieën over... datzelfde onderwerp?'

'Voor zover ik weet. En weet u, dat is nou precies zoals het die eerste keer is misgegaan. Met mijnheer Nietzsche. Dat begon ook allemaal heel rustig aan en goeiig, zo dat je denkt: dit kan geen kwaad, maar uiteindelijk ging het nooit meer ergens anders over. Dan zat hij daar maar zo, urenlang, met een notitieboekje op zijn knieën en maar orakelen. Heus, ik hoop dat ik het mis heb, maar ik zeg: is zoiets wel gezond? Liefde, altijd maar de liefde, ik bedoel, hoeveel kan een mens daarover kwijt?'

'Genoeg,' zei Sergej Pavlovitsj opgelucht, 'och ja, eindeloos veel.'

Dit gelamenteer was dus, zoals hij al dacht, inderdaad om niks. Zo het iets was, was het góéd nieuws. Vaslav, die zijn liefde had verspeeld, liep daarover kennelijk te malen. Net goed. Had hij de mogelijkheden gehad, dan had hij vanuit die pijn misschien een ballet gemaakt. Zoals het was, vertelde hij jan en alleman hoe zij het beter konden aanpakken dan hij, alles om vorm te geven aan zijn eigen liefdespijn.

'Maak je geen zorgen,' sprak Sergej Pavlovitsj belerend, 'kunstenaars als hij hebben het altijd over de liefde. Alle muziek gaat erover, de hele wereldliteratuur staat er vol mee. Net zo goed als alle briefwisselingen en ieder dagboek dat ooit aan het papier werd toevertrouwd. Het is alles eenzaamheid en gebroken harten, alsof er niks anders is. Dat is nou eenmaal wat de wereld bezighoudt. Geloof me, je kunt geen boek opslaan of het gaat wel over mensen die liefde tekortkomen.'

'Misschien,' zei Peter, 'maar dat is het punt niet.' Hij schudde zijn hoofd. 'Nee, nee, dat is het niet. Mijnheer heeft geen tekórt aan liefde. Integendeel. Hij heeft juist veel en veel te veel.'

Te veel.

Meteen die avond in de herfst van 1908 waarop prins Lvov zijn jonge vlam aan Sergej Pavlovitsj over had gedaan, had die hem dit als waarschuwing al meegegeven. 'Veel plezier ermee, Serjosja schat,' had hij gezegd. 'Maar doe je wel voorzichtig want, geloof me, het is allemaal, hoe zal ik zeggen, nogal véél.'

Iedereen die aan dat bewuste souper aanzat had nog likkebaardend moeten lachen om de ondeugende belofte die dit inhield. Stuk voor stuk waren het liefhebbers van de 'herenondeugd'. Van dit groepje hooggeplaatste gasten, waarbinnen het niet ongebruikelijk was dat beddenspeeltjes na een tijdje werden doorgegeven, was er op dat moment niet een die niet even een jaloerse blik wierp op de man die zijn handen vanavond zo vol zou hebben.

Een paar uur later, in Hotel Europe – nog voordat Vaslav zijn pantalon goed en wel had afgestroopt – was het Sergej Pavlovitsj echter in één oogopslag duidelijk geworden: als *double entendre* sneed de opmerking van Lvov geen hout. Als hij zich op dat moment al had afgevraagd op welk 'te veel' de prins dan wel gedoeld kon hebben, zal dat niet lang hebben geduurd, want de tomeloze gretigheid waarmee zijn nieuwe overwinning elke positie innam, met een nietsontziende overgave alsof hij zich aan de barre stond op te rekken, verdreef iedere eventuele teleurstelling.

De dagen daarna had Sergej Pavlovitsj maar veelbetekenend gelachen wanneer iemand uit zijn vriendenkring weer eens gniffelend bij hem informeerde of hij nou inderdaad zo'n 'Tsjaikovski' binnen had gehaald – een eufemisme dat zijn intrede gedaan had na het schandaal rond oom Petja, die zo groot gezegend was dat hij er een matroos mee had opengescheurd, waarop de tsaar had uitgeroepen: 'Wat kan mij dat schelen? Matrozen heb ik zat, maar ik heb maar één Tsjaikovski!'

De eerste de beste keer dat hij Lvov alleen trof, was Sergej Pavlovitsj er echter toch op teruggekomen.

'Precies zoals ik het die avond zei,' had de prins hem geantwoord. 'Kracht, emotie, spieren, verbeeldingskracht, zoals hij zich op je stort: het is allemaal te veel. Niks is ooit met mate: blikken, zwijgen, adoreren, God weet waar dat eindigt. Nee, werkelijk, zoals dat jong de liefde ernst is! Eerst doe je daar je voordeel mee, en groot gelijk, want hij is niet te houden. Maar je zult zien: uiteindelijk gaat dat wegen. Nee, voor alledaags geluk heeft Vaslav Nijinski van alles gewoon veel en veel te veel.'

Sergej Pavlovitsj was er de man niet naar om ergens snel genoeg van te hebben en te veel aan liefdesspel, daarbij kon hij zich al helemaal niets voorstellen. Die eerste maanden bleven Nijinski en Diaghilev dan ook onafscheidelijk. Niet alleen op het zijtoneel en in de gangen bij de kleedkamers werden ze altijd samen gezien, ook tussen het publiek in de foyers. Op avonden dat Vaslav zelf niet hoefde te dansen, zaten zij gedurende de voorstelling in hun loge, de vingers verstrengeld.

Dit was de vijanden van Sergej Pavlovitsj niet ontgaan.

In zijn drang naar vernieuwing en verandering had hij zoveel mensen op de tenen gestaan, dat het niet lang duurde voordat hij, anoniem, bij wijze van belediging een roze poederdons kreeg toegestuurd.

Kort hierna werd hij ontboden door prins Volkonski, de directeur van de keizerlijke theaters, zelf een liefhebber uit de kringen van prins Lvov, die hem waarschuwde dat de geheime politie bij hem geïnformeerd had naar de vriendschap tussen Vaslav en Sergej Pavlovitsj en dat het niet ondenkbaar was dat iemand hun had opgedragen de geliefden te betrappen op intimiteiten in het openbaar.

De gelijkslachtige liefde bood ondergeschikten sinds jaar en dag een eenvoudige mogelijkheid om zich in de Russische standenmaatschappij wat op te werken, en veel hooggeplaatsten begrepen werkelijk niet waarom zulke hand- en spandiensten niet onder de normale dienstverlening van hun lijfeigenen vielen. Eeuwenlang had dit alles openlijk plaatsgevonden, tot grote verbijstering van buitenlandse bezoekers, totdat Peter de Grote van een van zijn reizen naar Holland een wet meebracht die sodomie voortaan verbood. Met die maatregel, bedoeld om zijn mariniers, bij wie het de spuigaten uit liep, weer in het gareel te krijgen, waren de mannelijke paren uit het straatbeeld verdwenen, maar de herenliefde bleef in het patriarchale Rusland diepgeworteld.

Binnen de paleizen van Sint-Petersburg hoefde niemand zich anders voor te doen dan hij was. Daar zetten groothertog Sergej Alexandrovitsj, de oom van tsaar Nicolaas de Tweede, en ten minste zes andere groothertogen de toon, en ook naar bals of naar het theater lieten zij zich zonder gêne begeleiden door hun minnaars en hun schandknapen. Ieder ander werd geacht zijn voorkeuren enigszins te verbloemen, maar dat mocht de pret doorgaans niet drukken.

De laatste jaren zag je steeds meer zogenaamde 'tantes', welgestelde jongeheren die, verveeld door alle burgerlijkheid, op zoek gingen naar avontuur. De hele dag struinden zij, opzichtig gekleed, wuivend met zakdoeken en waaiers, de boulevards en parken af op zoek naar schooljongens en cadetten van de militaire academie. Meer ervaren soldaten en officieren van de tsaar vond men na hun exercities veelal in de dierentuin, bij de toiletten achter het giraffenhuis, waar zij, afhankelijk van hun willigheid, drie tot vijf roebel per beurt konden bijverdienen. Af en toe provoceerde een aantal tantes, die vanwege hun hoge connecties doorgaans met rust werden gelaten, de autoriteiten toch zo openlijk dat die zich lieten verlokken tot een inval in een restaurant of een priesteropleiding, waarna enkele ongelukkigen onder artikel 995 voor vijf jaar naar Siberië werden verbannen. Omzichtigheid bleef dus geboden. Velen stond het schrikbeeld voor ogen van Nikolaj Gogol, die men om zijn liefde gedwongen had zich dood te hongeren, en oom Petja Tsjaikovski, die uiteindelijk op last van een achtkoppige ethische commissie van de School voor Rechtsgeleerdheid arsenicum in had moeten nemen, louter vanwege zijn natuur.

Kort na Volkonski's waarschuwing was Sergej Pavlovitsj met zijn jonge geliefde naar Italië gereisd, waar de liefde tussen mannen zo in de volksaard zit dat er, zoals in de meeste katholieke landen, geen enkele wet tegen bestond.

Zij namen hun intrek op het Lido van Venetië. Wekenlang hadden zij arm in arm de lagune verkend, loom en zonder remmingen, zoals hij dat als achttienjarige gedaan had met zijn neef Dima, en hun ogen waren voor elkaar opengegaan te midden van die verzinkende schoonheid.

*

'Dus.' Sergej Pavlovitsj schraapte zijn keel. Bij vlagen waaierde uit de schoorsteen wat rook de blokhut in. Hij aarzelde. Zijn blik gleed over de rug van Peter, die daar voor de haard gehurkt zat, druk in de weer een paar gloeiende blokken zo te herschikken dat het vuur beter zou trekken. Wat voor toon kon hij het beste tegen zo iemand aanslaan?

'Ja, het is me wat, hè,' sprak de ander terwijl hij zijn horloge raadpleegde. 'Zoals u hier wachten moet, en dan uitgerekend nog vandaag. Het loopt al tegen half een, weet u, zeven vóór is het, om precies te zijn.'

Vaslavs bediende was een simpel mens en oogde eerlijk, maar tegelijk gaf hij de Rus voortdurend het gevoel dat hij zijn interesses stiekem wel doorzag. Hoe kreeg hij hem nu weer aan de praat zonder al te gretig te lijken?

'Wat betreft die kwestie...' Een stem kon dus zo luchtig klinken dat het was alsof hij oversloeg. Sergej Pavlovitsj schraapte zijn keel. ' "Te veel liefde", wat betekent dat? Wie heeft ooit zoiets gehoord? Wanneer heeft iemand nou last van een overdosis liefde?'

'Maar zo is het, mijnheer. Sinds een paar maanden kan het niemand meer ontgaan, maar mij begon al eerder iets op te vallen, zo in het voorjaar,' beweerde Peter. 'Het eerste wat ik merkte was dat hij op een van onze tochten ineens iedereen gedag ging zeggen, alle mensen die we tegenkwamen, ook als hij ze helemaal niet kende. De meesten knikten vriendelijk terug, maar er waren er genoeg die het maar gek vonden. Ik schaamde me. Voor hem schaamde ik me, heel gek, zoals ik me alleen als kind weleens geschaamd heb toen we het schoolhoofd tegenkwamen terwijl mijn vader langs het pad zijn dronkenschap lag uit te braken. Wat is daarbij vergeleken nou helemaal een groet? Maar goed, toch heb ik mijnheer bij zijn arm gegrepen. Het was een impuls. Er kwam net een Frans echtpaar van de trappen van Hotel Waldhaus, wildvreemden, maar hij stapte eropaf om ze de hand te schudden. Ik hield hem tegen. Ik siste hem toe dat ik niet wist wat dit voor spelletje was maar dat hij er nou mee op moest houden. Hij keek me aan, helemaal verbaasd dat ik hem niet zijn gang liet gaan. Daar was het dat hij het voor het eerst hardop durfde zeggen.'

'Wat zei hij dan?'

'Dat we iedereen moeten liefhebben.'

'Liefhebben?'

'Jan en alleman, de hele santenkraam, niemand uitge-
zonderd.'

'Wat een onzinpraat.'

'Dat zou je denken, maar zo zei hij het toch echt: "Iedereen is gelijk en daarom moeten wij ze liefhebben."'

'"Iedereen gelijk"? Welja, dat kan hij thuis in Rusland
mooi gaan preken. Daar roepen ze dat hardop elke keer
wanneer ze weer een mens die niet is als de rest de keel
doorsnijden.'

'Zo heeft mijnheer dat niet bedoeld.'

'Dat mag ik hopen, nee,' sprak Sergej Pavlovitsj terwijl
er een rilling door hem heen ging, 'maar daarom klinkt
dit soort praat me niet minder onaangenaam. Ik ben nou
eenmaal niet als iedereen. Hoe dat met jou zit, beste
vriend, weet ik niet, maar ik ben nog nooit aan iemand
gelijk geweest en ik ben te oud om daar nu nog mee te
beginnen.'

'Ik geloof het graag, mijnheer,' zei Peter, 'maar dat was
nou niet hetgeen waar ik het meest van schrok.'

'Het was gedrag dat jou deed denken aan die ander.'

'Ik heb het nog een tijdje aangezien, maar ten slotte
vond ik het niet langer verantwoord om het voor me te
houden.'

'Dus heb je Romola op de hoogte gebracht?'

'Zoals een steenbok een steile wand beklimt, sprongetje voor sprongetje. Eerst kwam ik met nieuws dat geen
mens erg kan vinden om te horen. Het laatste wat ik
wilde was haar aan het schrikken maken. Dat mijnheer
overal rondbazuinde, heb ik gezegd, hoeveel hij van haar
hield.'

'O ja?' vroeg Sergej Pavlovitsj zachtjes. Hij durfde niet
te kijken, maar had het gevoel dat de ander zijn reactie
nu nauwlettend observeerde. 'Dus dat heeft hij hardop
weleens verklaard?'

'Meer dan eens.'

'Kijk aan. Dat zal ze graag hebben gehoord.'

'Daarna heb ik verteld dat hij kennelijk zo vol van die liefde zat dat zijn hart er soms van overstroomde.'

'Overstroomde?'

'Zo vroeg zij dat ook, dat is grappig, precies zo, diezelfde intonatie. Dus heb ik uitgelegd dat mijnheer van wel meer mensen zei dat hij ze liefhad.'

'Met naam en toenaam?' liet Sergej Pavlovitsj zich onvoorzichtig ontvallen. 'Wie heeft hij dan genoemd?'

'Dat wilde zij ook weten ja, maar ik zei meteen dat de meeste namen mij niets zeiden en dat ik er geen enkele had onthouden.'

'Niet één naam is blijven hangen?'

'"Niet één," heb ik haar bezworen, "het spijt me wel."'

'Of wil je het gewoon niet zeggen?'

'Om wie het gaat is onbelangrijk.'

'Misschien voor jou,' beet Sergej Pavlovitsj hem toe.

Met open mond staarde Peter de oudere man aan, terwijl het langzaam tot hem doordrong dat hij dat lastige gesprek van drie maanden geleden vandaag nóg eens aan het voeren was. Compleet met al diezelfde gevoeligheden.

'Heus, mijnheer,' stamelde hij, 'het betekent niks. In elk geval niet wat u denkt. Niemand heeft reden om jaloers te zijn. Even vaak verklaart hij zijn liefde aan Marie, en Marie is gewoon maar onze keukenmeid. Ook mijn verloofde vertelt hij dat hij van haar houdt, gewoon ook rustig waar ik naast sta. Dan komt hij binnen en dan kijkt hij je met van die grote blije ogen aan – mij net zo goed, jazeker, net zo makkelijk richt hij zich op die manier tot mij – met van die stralend open ogen alsof hij iets heel bijzonders ziet en dan legt hij zijn hand op zijn hart of hij pakt je even beet en dan zegt hij het gewoon, ronduit, in je gezicht. Je weet niet waar je kijken moet. Want het zijn niet zomaar woorden, hè, denk niet dat hij zoiets zomaar zegt, welnee, wanneer het je overkomt dan is er geen vergissing mogelijk, dan weet je dat het menens is. Het gaat niet om liefde zoals u en ik die kennen, begrijp me goed, dit is iets heel anders. Iets groters. Iets gevaarlijkers.'

'Het is behoorlijk eigenaardig, dat geef ik toe,' sprak Sergej Pavlovitsj hoofdschuddend. Hij stond op en liep peinzend door de ruimte, alsof hij zich probeerde voor te stellen wat dat dan wel voor iets kon zijn wat nog gevaarlijker was dan liefde. 'Vooruit, zulk gedrag is ronduit onacceptabel, heel onwenselijk, maar is dat nou echt iets om iedereen zo mee in rep en roer te brengen?'

'Zoals u zei, het deed mij denken aan die ander.'

'Je gaat me niet vertellen dat Friedrich Nietzsche jou de liefde ook al heeft verklaard?' spotte Sergej Pavlovitsj, die nog steeds niet uitsloot dat hij in gesprek was met de gekste van het stel.

'Het gaat niet om de woorden, nee, dan zeg ik het verkeerd. Het gaat om die blik daarbij, mijnheer, de toon waarop, om het dringende daarachter. Hoe moet ik dat uitleggen? Het gaat erom dat ze een boodschap brengen die niet van hen lijkt te komen, maar ergens anders vandaan. Ergens waar alles kalm is. Een wereld waar ze eigenlijk veel liever zijn. Alsof ze medelijden met ons hebben omdat wij al dat moois niet kunnen waarnemen. Ze kijken je wel aan, maar ik vraag me af of ze je zien. Je kunt ze niet bereiken, niet echt. Met hun gedachten zijn ze ergens waar ze het zo naar hun zin hebben dat ze daar niet meer helemaal vandaan willen komen om even met jou te zijn.'

'Is hij bij een arts geweest?'

'Dokter Frenkel is regelmatig op bezoek en onderzoekt hem soms. En mevrouw heeft een speciale arts laten komen, ja, eind vorig jaar. Die is een hele middag gebleven en heeft met mijnheer gepraat.'

'Wat is er gezegd?'

'Ach, wie ben ik, mijnheer? Ik heb vuur voor de heren gemaakt en een samowar gevuld met kokend water.'

'Klets niet, ik durf te wedden dat jij niet veel hebt gemist.'

'Ik zit daar dan zo op een afstand weleens bij, ja, beroepshalve. Wat wilt u, het was vochtig weer, een paar keer moest ik dus wel terug om wat te porren.'

'Ik begrijp het,' gromde Sergej Pavlovitsj en dacht ondertussen: verrotte bedienden, ze zijn allemaal hetzelfde.

'Die oude ketel van ons, alsof de duvel ermee speelt, zodra er gasten zijn laat die het afweten, dus, ja, dan wordt het handwerk. '

'Genoeg, ik begrijp het, zeg ik je toch. Waar ging het over?'

'Voor zover ik opgevangen heb, uitsluitend over...' Peter aarzelde. 'U weet wel, over vroeger.'

'Over zijn dansen?'

'Och, over allerlei dingen van toen.'

'Over zijn roem, over zijn reizen?'

'Ook ja, zeker.' Peter keek hem aan, aarzelde even en blikte toch maar weg voor hij begon te spreken. 'Zeg maar: over zijn héle tijd met u.'

Al had hij het voorvoeld, Sergej Pavlovitsj schrok. Die kerel was dus inderdaad van alles op de hoogte. Vandaar dat familiaire gedrag, die ongepast vertrouwelijke toon. Dit verklaarde waarom dat sujet daarnet zomaar ongevraagd een stoel genomen had en bij hem had durven aanschuiven alsof ze oude bekenden waren.

'Ja,' hield hij zich op de vlakte, 'dat was een hele tijd, die tijd met mij.'

Chantage, daar kon dit makkelijk op uitdraaien. Met samengeknepen ogen probeerde Sergej Pavlovitsj zijn tegenstander in te schatten. Op hoeveel zou hij hopen?

Alles hing er natuurlijk van af hoever zo iemand wilde gaan en of hij het alleen van horen zeggen had of ook bewijsstukken kon aanvoeren. God weet wat voor brieven hij te pakken had. Het zou bepaald niet de eerste keer zijn dat hem zoiets overkwam, en elke keer had dit de straatvechter in hem gewekt. Iedereen die met de grote Diaghilev een zakelijke strijd aanbond moest dat uiteindelijk bezuren, maar niemand zozeer als degenen die probeerden hem in deze hoek te duwen. Sergej Pavlovitsj schaamde zich namelijk voor veel dingen, voor hoe hij eruitzag en voor tal van andere grote en kleine tekortkomingen, maar niet voor de manier waarop hij liefhad. Hij zag dit als een recht waarvoor hij in zijn leven hard had moeten vechten en om dat te verdedigen was hij bereid het hoogste spel te spelen.

Hij keek de bediende onverzettelijk aan, maar die was zich van geen kwaad bewust. Het enige ongemak dat hij voelde was de intimiteit die hij ongewild had aangeroerd.

'Ik denk,' Peter schraapte zijn keel, 'dat de arts van tevoren door mevrouw over die tijd was ingelicht.' Nu hield hij zijn ogen neergeslagen. 'De vragen die hij stelde waren nogal... direct.'

Bloosde hij nu, of was dat gewoon de weerschijn van de vlammen? Niet het gedrag van iemand die je een poot probeert uit te draaien, dacht Sergej Pavlovitsj. Misschien viel het mee en bleef het bij bemoeizucht.

'Dat zou me niet verbazen,' zei hij. 'Als je Romola moet geloven ben ik de oorzaak van ál Vaslavs ellende.'

'Aan het eind van de middag was de dokter in elk geval geen haar wijzer geworden. Een paar dagen later stond er ineens een nieuw personeelslid bij ons in de keuken, zomaar, een jongeman in een witte jas. Kost en inwoning en alles. Van het ene moment op het andere had Marie er een extra mond bij om te voeden, Lise was net terug van de markt en nou kon ze weer dat hele eind.

Er moest een kamer worden klaargemaakt, alles zonder enige aankondiging vooraf. Mevrouw stelde hem aan ons voor als masseur. Als mijnheer binnenkort weer professioneel wilde gaan dansen, zei ze, moesten zijn spieren weer in topvorm worden gebracht. Dat zou die kerel op zich nemen. Kennelijk moest dat van 's ochtends vroeg tot 's avonds laat, want mij werd de gebruikelijke omgang met mijnheer voorlopig verboden totdat hij "weer op krachten" was: niet helpen met boodschappen, geen ritjes meer, zijn vuur niet stoken, niks. Alles wat mijnheer aanging zou die kerel dan wel op zich nemen. "Dan kun jij het ook eens een tijdje kalmer aan doen, Peter," zei ze, want ze had wel in de gaten hoe ik keek. "Nou, dat heb jij wel verdiend, vind ik," lachte ze liefjes. Dagenlang zijn mijnheer en die masseur van hem samen opgetrokken, wij kregen ze nauwelijks te zien. Totdat er op een dag vrienden van mevrouw uit Spanje overkwamen. Toen was het natuurlijk ineens weer alle hens aan dek en was ik goed genoeg om in livrei te helpen uitserveren. Mijnheer Nijinski was die dag in een opperbest humeur moet ik zeggen, vrolijker dan ik hem in tijden had gezien, uitgelaten bijna alsof hij ergens groot plezier om had. Nou, op een gegeven moment – ik was erbij en Lise ook, dus wij hebben het allebei gehoord – vroeg die Spaanse aan mijnheer, u weet wel, zoals mensen uit beleefdheid doen om stiltes op te vullen – wat hij toch de laatste tijd zoal had uitgevoerd. "Och," antwoordde hij, "ik heb het zo druk gehad. Eens kijken, twee nieuwe balletten heb ik uitgedacht, ik heb ze uitgewerkt, ik heb ze genoteerd. En ik heb plannen zitten maken voor een nieuw seizoen, niets dan nieuwe producties, die we volgend jaar hopen te presenteren in het Châtelet in Parijs. En o ja, dan heb ik nog..." hij keek de tafel rond, "een rol gespeeld." Nou, u had mevrouw moeten zien kijken! "Een rol?" vroeg de Spaanse. "Wat enig, wat was dat dan voor rol? Daar heb ik niets over gehoord." Mijnheer ging er eens echt voor zitten. Je kon zien dat hij plezier in zijn onthulling had. "Ik ben nou eenmaal iemand die optreedt," zei hij. "Ik weet niet beter, zolang ik me herinner heb ik op de planken gestaan. Nu zit ik al zo'n tijd zonder gezelschap, ik verveel me, ik mis het theater. Op een dag dacht ik, weet je wat, laat ik een keer een experiment doen, gewoon eens zien hoe goed ik eigenlijk kan acteren. Dus zes weken lang heb ik hier de gek gespeeld."

"Vaslav!" riep mevrouw. Ze stond met zo'n schrik op dat haar stoel achteroverkieperde. Ik ging erheen en zette hem recht. Even dacht ik dat ze hem in zijn gezicht wou slaan of zou gaan huilen, ach, ik kan amper beschrijven wat het met haar deed. Ze trilde van ongeloof. Woedend keek ze, haar ogen schoten vuur omdat hij ons met zijn geintjes leek te hebben bedrogen, maar tegelijk was ze ook opgelucht omdat zijn ziekte kennelijk alleen maar spel was geweest. "Zo is dat," knikte hij triomfantelijk. "Ze zijn er allemaal in getrapt. Ik heb een groot koperen kruis op mijn borst gehangen en ben op wildvreemden af gestapt alsof ik ze tot de liefde wilde bekeren. Mensen zijn zo goedgelovig. Waar of niet, Peter, jij toch ook, ben je er niet met open ogen in gelopen? En Lise en Marie." "Jawel mijnheer,' zei ik, "ik geef het toe, u hebt mij erg bezorgd gemaakt, ons allemaal." De Spaanse, die alle onrust van de afgelopen weken niet had meegemaakt, begreep het niet. "Neem me niet kwalijk," zei ze, "maar over wat voor stuk hebben jullie het, wie deden er allemaal aan mee?" "Wie niet, kan je beter vragen," lachte mijnheer Nijinski. "Mijn vrouw, mijn gezin, iedereen in huis, het hele dorp heb ik weten te overtuigen, het was kostelijk. Tot je het probeert, heb je geen idee hoe gretig mensen willen geloven dat zij beter bij hun verstand zijn dan jij. Ze hebben het altijd al gedacht en spelen het spel graag mee. Zelfs onze arts heb ik op deze manier weten te foppen, moeiteloos. Vorige week heeft hij me iemand gestuurd, een verpleger die hier is om mijn gedrag te observeren, maar die doet zich op zijn beurt dan weer voor als masseur. Zo wordt iedereen vanzelf acteur in je komedie als je maar genoeg gelooft in je eigen rol." '

'Dus wat zeg je nou,' vroeg Sergej Pavlovitsj, 'dat het eigenlijk allemaal maar spel is geweest?'

'Mijnheer was ons allemaal weer eens te slim af, dat is het enige wat zeker is. Tot op dat moment wist niemand van ons, behalve mevrouw Nijinski, dat die masseur niet in huis was om het masseren, maar hij had dat meteen door en besloot iedereen een loer te draaien. Na zijn ontmaskering is die verpleger nog een paar dagen gebleven. Ten slotte heeft hij gerapporteerd dat hij heel zeker wist dat Vaslav Nijinski even goed bij zijn verstand was als wij allemaal.'

'Nauwelijks een geruststelling,' spotte Sergej Pavlovitsj, 'in een huishouden dat lijkt te zijn weggelopen uit een Franse boulevardkomedie.'

' "Volledig toerekeningsvatbaar" luidde het oordeel. Inderdaad,' Peter lachte beschroomd, 'zeg het maar rustig: béter bij zijn verstand dus dan wij. Als kippen zonder kop waren wij bereid geweest het ergste te geloven. Daar hebben wij ons ook flink voor geschaamd. Ik in elk geval, omdat ik er als eerste mee gekomen was en de hele zaak had aangezwengeld. En mevrouw vond het natuurlijk vreselijk dat zij zo weinig vertrouwen in haar man getoond had, maar ja, wie verzint nou ook dat iemand zoiets zou acteren?'

'Als ik jullie was, zou ik woedend zijn geweest.'

'Dat was ik ook. Teleurgesteld, bedrogen. Zodra die nepmasseur was opgehoepeld ging iedereen ervan uit dat ik mijn oude plaats weer in zou nemen, maar daar had ik helemaal geen zin in. Mijnheer had allemaal mooie plannen. Hij wilde per se naar Venetië.'

'Venetië?'

'Dat heeft hij al zo lang in zijn hoofd, dat hij de kleine Kyra die stad wil laten zien. Daar heeft hij het altijd over. En dan moet ik mee, want wie mag natuurlijk alles weer regelen? Nu wil hij komend voorjaar.'

'Dus jullie zijn nog niet geweest?'

'Na die hele gekte? Ik had er helemaal genoeg van. Ik ben het dal rondgegaan op zoek naar een nieuwe betrekking. Het seizoen was al op gang dus alle posities waren eigenlijk vergeven, maar na een week kwam de manager van het Grand Hotel vertellen dat er met spoed iemand gezocht werd bij hun vestiging in Lausanne en dat hij mij daar al had aanbevolen. Die hebben een verwarmd zwembad, ziet u, en niet iedereen kan zomaar grote ketels stoken. Meer geld, meer aanzien, eigen kamer in de stad.'

'En toch ben je gebleven.'

'Ik ben hier verloofd, mijnheer.'

'Van harte, hoor,' bromde Sergej Pavlovitsj zonder enige interesse. Die kerel wisselt zijn thema's sneller dan Stravinski, dacht hij, laat ik hem vooral niet aanmoedigen.

'O,' ging de ander verder, 'maar het is niet van vandaag of gisteren, hoor. Nee, Lise en ik, dat speelt al jaren. Al van kleins af wisten we niet beter of wij hoorden samen.'

En toen, verdomd, kreeg dat sujet een dikke keel, want dat soort rustte nou eenmaal niet tot het zijn hele hebben en houwen aan volslagen vreemden had tentoongesteld.

4

Twee ineengestrengelde lijven, wie het eenmaal is opgevallen, kan de plattegrond van Venetië nooit meer anders
zien: zoals de oevers van het Canal Grande zich langs
en rond elkaar slingeren. De helften van de stad twee
smachtende geliefden, de *sestieri* hun zwoegende ledematen.

Het is onmiskenbaar: ze nemen elkaar, de lendenen
van Cannaregio krampend rond de gebogen rug van San
Polo, San Marco binnendringend tot diep in Dorsoduro.
Die twee aaneengeklonken door het Rialto, waarover
stromen mensen in en uit de diepste krochten van de een
het duister van de ander in worden gestuwd. Rondom de
zuigende eb, de steeds weer aanzwellende vloed, veroorzaakt door hun deining in het zompige water.

Het was een waanzinnig verlangen dat Sergej Pavlovitsj
koesterde. Zo kansloos was het dat hij het tot nog toe
angstvallig schuilgehouden had voor zijn verstand. On-
benoemd zinderde het echter al heel lang, kiemend als
het leven zelf, veilig verstopt onder zijn middenrif. Met
regelmaat voelde hij duidelijk hoe het op die plek de kop
opstak, zo onbelemmerd jubelend dat hij de tinteling ervan tot in al zijn ledematen voelde.

Vaslav nog één keer mee te nemen naar hún stad!

Het druiste in tegen alles waar hij voor stond. Tegen
alles wat hem groot had gemaakt. Repertoire dat is uitge-
speeld moet je niet willen hernemen.

Maar kijk nou waar hij zich bevond, Sankt Moritz lag hemelsbreed maar een paar kilometer van de Italiaanse grens. Met een beetje goede wil en wat geluk konden ze morgen lunchen op het Lido.

Daar verliest al die onzin vanzelf zijn belang, alles kan worden vergeven en vergeten, dacht hij, als we eerst maar weer samen een keer over het strand kunnen lopen.

*

'Ziet u dat?' riep Peter ineens. Kennelijk had de bediende met dat gezemel over die voortslepende kalverliefde van hem eindelijk ook zichzelf moe gemijmerd en was hij opgestaan om uit het raam te kijken. 'Ja hoor, net wat ik zeg, die komen deze kant op.'

Hij ademde tegen de ruit en veegde die droog met zijn mouw, zodat Sergej Pavlovitsj een stuk schoon glas had om doorheen te kijken.

Eerst zag hij niks. De sneeuwbui was overgedreven, de zon was tevoorschijn gekomen en daarbuiten scheen alles even wit en hel.

'Daar aan de voet,' wees Peter, 'ziet u wel, nee, helemaal beneden, verder nog, daar waar het stuift.'

Sergej Pavlovitsj kneep zijn oogleden samen en ontdekte in de verte inderdaad iets in beweging.

'Dat zal de automobiel toch niet zijn, niet voordat de weg is vrijgemaakt. Misschien hebben ze een fiaker gehuurd bij het station.'

'En daarmee komen ze hierheen, zeg je?'

'Tenzij iemand het onzalige idee heeft opgevat om nu naar Corviglia te willen. Dat is dan niet iemand van hier. Je komt nu de pas niet over, niet zolang die sneeuwwolk daar hangt, dat weet een kind. Nee, waar moeten ze anders heen, die komen eraan.'

'Is hij dat?'

'Dat zou mooi zijn, mijnheer.' Peter stroopte zijn manchet op en keek op dat horloge van hem. 'Hoe dan ook, veel tijd is er niet meer, maar,' lachte hij bemoedigend, 'wie weet, wie weet. Dan zou al uw moeite toch niet voor niets zijn geweest, nietwaar?'

'Maar kijk dan nog eens beter, man. Is er geen verrekijker hier? Herken je iets?' Sergej Pavlovitsj hoorde wel dat hij te gretig klonk, maar als je hart zo huppelt, wat kan fatsoen je dan nog schelen?

'Nog niet, mijnheer, ze zijn te ver. Aan de snelheid te zien zou ik toch zeggen dat het een automobiel is, en ja, dat lijkt wel degelijk de onze. Zo meteen verdwijnt hij om de bocht, ik waarschuw u, en daarna is het nog zeker tien, vijftien minuten, afhankelijk van de sneeuw.' Hij wond zijn uurwerk even op en borg het zorgvuldig onder zijn manchet. 'Twintig, vijfentwintig als het tegenzit.'

De Rus zonk terug in zijn stoel. Hij probeerde zijn ademhaling in het gareel te dwingen en sloot zijn ogen. In gedachten rende hij al naar buiten, de weg af, die ander tegemoet, en samen zouden ze rechtsomkeert maken, linea recta naar het spoor; binnen twee uur konden ze over de grens zijn, daarna verder naar Trento en vandaar afdalen naar de Veneto.

*

Tweemaal had Sergej Pavlovitsj de lagunestad steeg voor steeg, zaal na zaal ontdekt, de eerste keer samen met Dima Filosofov.

Twee schooljongens waren zij geweest, die met grote ogen en open mond door decors uit een sprookjeswereld dwaalden. In de nevel die over de lagune hing leek de grens tussen het magische en het echte leven te zijn vervaagd zoals de lijnen van de kades en paleizen. Het

196

smaragdkleurige water, weerspiegelend het roze pleister en parelmoerkleurig marmer. 'Alle mystiek en poëzie uit onze dromen,' schreven zij naar huis, uitgelaten, 'bestaan in werkelijkheid dus ook!' Overdag, hand in hand voor de gestutte gotiek en het brokkelende barok, hadden zij elkaar hun verbazing ingefluisterd. 's Avonds in de trattoria's kwam met de wijn de bewustwording dat schoonheid dus ook alleen kon *zijn*. Dat ze eenvoudigweg bestaan mocht zonder doel. 'Dit eeuwig blijvende, het eeuwig onbestaanbare en altijd belangrijke, enig waardevolle, deze enige vrije zielsgesteldheid, al dronken en toch onverzadigbaar wachtend op de dronkenschap.'

Hier dienden de gebouwen allang niet meer, zoals in Sint-Petersburg, om te imponeren, niet om schrik of bewondering aan te jagen. Ze stonden in stilte op hun beurt te wachten, jaar in jaar uit, op de enkeling die op een dag misschien toevallig eens de hoek van hun impasse om zou slaan.

Wanneer Sergej en Dima diep in de nacht leunend op elkaar terug naar hun pension strompelden, kon je ze vaak straten ver horen.

'Schoonheid blijft dus schoonheid,' lalde de een bijvoorbeeld, 'ook als geen mens ze ooit te zien krijgt.'

'Natuurlijk man,' overschreeuwde de ander hem dan. 'Al krijgt geen sterveling zoiets ooit te zien, alles wat mooi is heeft recht van bestaan – en wij, jij en ik, wij zien dat. Wij zijn dus degenen die daarvoor moeten vechten, hoor je, al moeten we ervoor sneuvelen. Al dat moois heeft nou eenmaal het recht om te worden geschapen, gezien, ongezien, gewoon, nou ja, gewoon omdat het mooi *is*.'

'En zo is dat,' bromden ze uiteindelijk voldaan terwijl ze de deur naar hun kamer opengooiden, hun hoeden in een hoek smeten en hun hemden uit hun broeken trokken. 'En daarom,' zongen ze, 'gaan wij doen wat we doen!' Waarop ze zich als één man achterover lieten vallen op het bed en wegzonken in een diepe slaap.

Op een soortgelijke manier verliep hun volgende ontdekking, stap voor stap naar voren uit de mist, van verbazing in verbazing. Buiten het alledaagse bleek namelijk ook liefde te bestaan die geen ander doel diende dan alleen zichzelf.

Daar, te midden van dat eeuwig blijvend eeuwig onbestaanbare, kwamen de gevoelens, die de achttienjarigen heimelijk al zo lang koesterden, hun plotseling en misschien wel voor het eerst licht en onbeladen voor.

Hun liefde was geen begin van iets, zij *was* gewoon. Wat Dima en Sergej voor elkaar voelde hoefde niet, zoals bij hun ouders en hun vrienden, de bron te zijn van een nieuw leven, nooit zou het leiden tot een gezin of verantwoordelijkheid en evenmin zou het voor aanzien zorgen; zulke maatschappelijke conventies kwamen hun voor als starre, rechte lijnen. Stuk voor stuk vervaagden die in de zachte mist die de jongens omhulde wanneer zij op de lagune in een verlaten gondel zij aan zij lagen te turen naar de volle maan. Wat zij voor elkaar voelden, begrepen ze, bevond zich buiten de maatschappij, daarnaast, daar ver voorbij, en zij ervoeren het als zoveel eerlijker en puurder.

Eerst gaven zij dit aan zichzelf toe, pas daarna aan elkaar, aanvankelijk in stilte nog en alles in blikken en gebaren, maar op een dag besloten zij de toren van de San Marco te beklimmen en daar, boven de stad, waren zij zo vrij en los van alles dat het was alsof zij vlogen.

'Dit bestaat toch niet,' had Dima gezegd. 'Niet echt.'

'Nee, zoiets kan onmogelijk waar zijn. Het is gewoon iets onvoorstelbaars. Je wéét dat het er is, maar je kunt het eigenlijk niet bevatten. Zoiets als doodgaan. Het bestaat maar tegelijk is het voor iemand die leeft abstract en onvoorstelbaar.'

'Ga niet dood, Serjosja!'

De jongens keken een tijdlang uit over de stad en de lagune. Het was een heldere dag, aan de horizon was de kroon van de Zuidelijke Alpen zichtbaar en voorbij het Lido zag je mijlenver uit over open zee. Daarop bleef hun blik gericht, maar hun aandacht ging niet verder dan hun handen op de balustrade, die elkaar voorzichtig naderden en uiteindelijk raakten. Daarna bestonden enkel nog hun vingers, die afwisselend knepen en dan even zachtjes streelden.

'Vooruit,' sprak Sergej Pavlovitsj zacht, 'dan zál ik leven. En jij, jij ook. Wij samen. En moeten we ooit toch dood dan doen wij dat hier, nietwaar Dima, ja, dat spreken we af. Sterven doen wij hier. In deze stad zal de dood ons vast even onwerkelijk voorkomen als het leven, denk je niet?'

Daarop had hij zijn vriend beetgepakt en aan zijn borst gedrukt, waarbij hun wangen elkaar raakten, een gevoel dat Sergej Pavlovitsj zich tot aan zijn dood zou blijven herinneren, ook al was Dima allang uit zijn leven verdwenen.

De rest van hun Venetiaanse avontuur was later in Sergej Pavlovitsj' herinnering samengevloeid tot één grote ontdekkingstocht, waarop Dima en hij niet alleen elkaar hadden verkend en de verste uithoeken en wijken van de stad, maar te midden van alle geheime doorgangen, betoverd door de schittering van onvermoede schatten en flarden muziek die uit onvindbare theaters kwamen aangedreven, hadden zij in elkaars armen vooral ieder hun eigen lichaam blootgelegd, met al zijn verlangens en zijn mogelijkheden.

Op diezelfde plek hoog boven het San Marcoplein had Sergej Pavlovitsj jaren later met Vaslav gestaan. Hij wees zijn nieuwe liefde op de gekromde ruggen van de stad, en hoe je met wat verbeelding kon zien dat de wijken elkaar namen, speels en stevig, sierlijk maar onverbiddelijk, als mannen die ongeremd hun natuur volgen. Intussen legde hij zijn hand tegen die van zijn vriend, pink aan pink, zoals ooit Dima dat bij hem gedaan had, en hij raakte een voor een de andere vingers aan.

Het was niet hetzelfde spel als toen, verre van dezelfde opwinding of schuchterheid; zelfs de stenen van de toren waarop ze stonden waren – door een speling van het lot – niet meer dezelfde stenen van twintig jaar geleden, maar de ontdekkingen die Sergej Pavlovitsj tijdens dat bezoek deed waren daarom niet minder onverwacht geweest, en ook dit keer gaven die zijn leven ineens weer zin en richting.

Vaslav was toen amper ouder dan Dima indertijd. 's Nachts hadden zij lief op soortgelijke wijze, meer speels dan volwassen; Sergej Pavlovitsj genoot van een ander lichaam altijd liever door het af te tasten en te smaken dan door er met geweld in door te dringen. Vaslavs lijf had geen geheimen voor hem, want op dat moment waren zij al maanden minnaars; sterker, tussen Dima, die zijn eerste was geweest, en Vaslav had Sergej Pavlovitsj zo liefgehad dat geen man hem nog voor veel verrassingen kon stellen.

Ook aan zijn favoriete stad viel voor hem inmiddels weinig meer te ontdekken. Elke ochtend bij het ontwaken wist hij precies welke wonderen de dag voor hen in petto hield, en een luxe gondel lag klaar om hen daarheen te varen. Sergej Pavlovitsj hoefde zijn jonge vriend nu enkel rond te leiden door wat hijzelf al kon dromen.

Misschien was het daarom dat hij dit keer oog had voor iets wat hem nooit eerder was opgevallen.

Meteen de eerste dag – ze stonden bij het trapje naast de Pescheria – betrapte hij zichzelf erop meer te genieten van de manier waarop Vaslav om de warmte van de steen te voelen, zijn hoofd even liet rusten tegen de afgesleten leeuwenkop, dan van de kleuren en de stemmen van de marktvrouwen. Dat simpele gebaar raakte hem meer dan de duizend diamantjes zonlicht die, weerkaatsend op het Canal Grande, over de façade van het Palazzo Foscari speelden. Zo bleef het hem die hele reis vergaan: telkens raakte de ontroering in de ogen van de ander Sergej Pavlovitsj dieper dan de melancholieke schoonheid van de stad. Op dezelfde manier verdiepte zich zijn liefde. In bed genoot hij nu het meest wanneer het lijf van zijn geliefde zich van opwinding verwrong, wanneer het zichzelf vergat en in genot verloor. Anders dan met Dima had deze tweede Venetiaanse ontdekking voor hem nu voor het eerst een ánder blootgelegd.

Op een avond, toen hun gondelier, varend naar het Lido, even stilhield en bleef dobberen om een rouwstoet te laten passeren, had Sergej Pavlovitsj turend naar dat lint van zwarte gondels op weg naar San Michele, opnieuw zijn opmerking gedebiteerd, ditmaal vooral voor het dramatische effect, over hoe hij, als hij dan sterven moest, dit liefst in deze stad zou doen, et cetera.

Vaslav had hierop niet gereageerd, en het was tot Sergej Pavlovitsj doorgedrongen dat hij minder bang was voor zijn eigen aftakeling en levenseinde dan voor alles wat Vaslav zou kunnen overkomen. En hij begreep dat dit nu liefde was.

Als een puber kerfde hij die avond V=V in een balk boven een poortje naast de San Moisè: 'Venetië is Vaslav'.

Wie jaar in jaar uit voor enkele weken in dezelfde stad terugkeert, kan na verloop van tijd onmogelijk nog uit elkaar houden welke ontmoetingen en gebeurtenissen precies tijdens welk bezoek hebben plaatsgevonden. De jaren laten los, herinneringen hergroeperen zich, verkenningen verkleven.

Uiteindelijk merkte Sergej Pavlovitsj dan ook dat hij zijn souvenirs aan Venetië voornamelijk onthield in clusters. Zo zag hij zich in de Gesuati bijvoorbeeld voor Tiepolo's *De engel verschijnt aan David* staan, omringd door Bakst en Stravinski, Dima, Serge en Pablo, samen met Misia, met Prokofjev en daarbij ook nog Cocteau in een absurde pruik met rode krulletjes, terwijl hij zijn vrienden in de loop van de jaren toch echt een voor een naar die plek had meegenomen om ze dat uitzonderlijke fresco aan te wijzen. Die pruik had Cocteau trouwens ook nooit ín de kerk op gehad, maar zes jaar later bij een concert in het Palazzo Barbarigo, compleet met tiara, enkelbandjes en gelakte nagels, alles om de vicaris-generaal van Vicenzo en zijn net gewijde priesters te shockeren. De dingen die een mens meemaakt gaan bij elkaar horen als zwerfhonden die elkaar ergens onderweg tegenkomen en voor het gemak maar samen verder trekken.

Het was hierom dat twee noodlottige taferelen, die niets met elkaar te maken hadden en die in werkelijkheid met een tussenpoos van vele jaren plaatsvonden, voor Sergej Pavlovitsj zo met elkaar verbonden waren geraakt dat hij niet aan het ene kon denken zonder de pijn te voelen van het andere. Afbraak was het cluster waarin die samen lagen opgeslagen. Verwoesting hadden ze gemeenschappelijk, en ook: de geboorte van iets volstrekt nieuws, maar dat is natuurlijk hetzelfde.

Het ene tafereel had zich afgespeeld in de zomer van 1913, tijdens het laatste bezoek dat Vaslav en hij samen aan Venetië brachten.

Er was onenigheid. Sergej Pavlovitsj, die Nijinski in de loop van de jaren alles had bijgebracht over muziek en beeldende kunst, over geschiedenis, over liefhebben en leven, was hun verhouding altijd blijven zien als die van meester en pupil. Hij genoot van Vaslavs immense succes en de internationale erkenning, maar zag die ook als het resultaat van hun verbintenis en samenwerking.

Vaslav werd echter steeds eigenzinniger en liet zich door zijn vriend steeds minder zeggen. Zoals hij bij het bedenken van een choreografie volledig in zichzelf kon verzinken, worstelend met de ritmes van Stravinski, zo verdween hij ook steeds vaker uit een gesprek of een omhelzing. Zoals hij zijn dansers autonoom leek te laten bewegen, alsof ze doof waren voor de muziek, zo schenen Vaslavs gedachten en reacties steeds vaker los te raken van degene in wiens gezelschap hij verkeerde. Soms zag je het gewoon gebeuren, midden in een zin, alsof hij uit zichzelf wegglipte.

Dit was zijn stil verzet. Werd er iets van hem gevraagd wat hem niet zinde, dan stribbelde hij niet tegen – voor zijn mening opkomen, dat had hij nooit geleerd, gedrild als hij was, van jongs af aan, om te gehoorzamen aan de balletmeesters – maar hij schakelde als het ware uit. Dan kon hij, zoals mensen kunnen doen op een receptie, dwars door je heen kijken alsof hij geen tijd en aandacht voor je had omdat hij op dat moment in een beter gesprek verwikkeld was met iemand die nu eenmaal interessanter was. Steeds zwaarder vielen Sergej Pavlovitsj dergelijke stiltes wanneer hij ineens merkte dat hij een solo aan het houden was terwijl ze met zijn tweeën aan tafel zaten. Al geruime tijd had hij in bed ook het gevoel dat hij een ledenpop aan het strelen was, alsof hij enkel nog een lege huls omarmde. Die laatste reis wachtte hun daarom in Hotel des Bains voor het eerst dan ook twéé kamers, verbonden door een tussendeur die kon worden vergrendeld ingeval de stemming om mocht slaan.

De eerste dagen bleef die deur open, maar de liefde was levenloos. Na de eerste nacht sliep ieder liever in zijn eigen bed. Sergej Pavlovitsj had dit stadium met meer minnaars bereikt en altijd was het hem gelukt de eer aan zichzelf te houden. Meestal had hij tegen die tijd in het geheim al een ander achter de hand zodat hij een nieuwe verliefdheid kon aanvoeren om de oude te beëindigen, of hij vond wel een ander voorwendsel om de uitgedoofde liefde met veel bombarie de deur te wijzen. Met Vaslav bracht hij dit niet op. Voor het eerst bleek Sergej Pavlovitsj bereid voor iemand te vechten. Hij had alleen nooit geleerd hoe, zodat de stille pijn maar duurde.

Op een avond, toen ze uit La Fenice kwamen en besloten hadden voor het souper nog een wandeling te maken, merkte de oudste van de twee ineens dat hij moeite had om Vaslav bij te houden. Hij versnelde zijn pas een beetje, maar dat hielp niet want op de Campo San Maurizio verhoogde Vaslav het tempo opnieuw. Kort legde Sergej Pavlovitsj zijn hand op de arm van zijn vriend, maar zonder effect, want die bleef hem voor. Twee, drie keer holde Vaslav zelfs een paar meter om de afstand te vergroten. Dit kon geen toeval meer zijn. Sergej Pavlovitsj vroeg hem langzamer te lopen. Dat leek aan dovemansoren gezegd, want in een paar sprongen verdween Vaslav over een bruggetje richting Campo San Stefano. Sergej Pavlovitsj haastte zich erachteraan en haalde hem wel weer in bij het Palazzo Loredan, maar moest daar stoppen om op adem te komen. Toen hield Vaslav even stil, enkel om hiernaar te kijken, draaide zich toen om, liep resoluut verder en stak het water over naar de Accademia, op afstand gevolgd door Sergej Pavlovitsj, hijgend, huilend al, want die voelde heel goed wat dit voor dans zou worden.

Als een oude, dwaze Pantalone rende hij achter de danser aan, langs de volle lengte van het kanaal van de Giudecca, kansloos over de lange rechte kade van de Zattere. Hij riep niet nog eens, dat durfde hij niet, als de dood voor de scène die hun wachtte aan het eind. Zolang er beweging is, is er hoop.

Het was een vertoning, dat wist hij wel, ze zaten elkaar na over een eiland waar ze geen van beiden vanaf konden, maar hij zat gevangen in zijn rol. Waarom keer ik niet om, dacht hij, vroeg of laat is hij helemaal rondgegaan en moet hij toch de brug voor de Accademia weer over, daar zou ik hem in alle rust kunnen opwachten. Dit was de geest waarin Sergej Pavlovitsj zaken deed: altijd een aantal zetten vooruitdenken, geldeisers een paar stappen voorblijven, tegenstrevers de pas afsnijden, voor de voeten van mogelijke geldschieters opduiken net op het moment dat ze dachten hem voorgoed te hebben afgeschud. Maar nooit eerder had hij zoveel te verliezen gehad. Het verdriet dat hij met scheuten tot in zijn aderen kon voelen en de liefde brachten hem in paniek. Armen uitgestrekt holde hij maar voort met zijn te dikke lijf over de glimmende stenen.

Langs het Ziekenhuis van de Ongeneeslijken rende hij, nagestaard door verliefde stelletjes die hij in hun vrijerijen had gestoord, helemaal tot aan het seminarie van de Salute. Daar kón hij echt niet meer – zijn hart sloeg over, bloed suisde door zijn oren – en moest hij steun zoeken tegen een muur, wachten tot de steken in zijn milt wat afnamen. Hiermee verloor hij veel tijd, en hij had zich er al bij neergelegd de achtervolging op te geven, toen hij opkeek en tot zijn verbazing merkte dat Vaslav nog geen dertig meter verder op de kadepunt bij het gebouw van de douane met zijn handen op zijn rug doodkalm stond uit te kijken over de baai.

Zwijgend keken ze samen naar de lichtjes en de bedrijvigheid op de kade voor het Dogenpaleis aan de overkant van het water, naar de golven die daar braken op de Molo waardoor de wachtende gondels met geweld aan hun meertouwen leken te rukken, ongedurig als steigerende paarden. Naar de fakkels op de campanile van de San Marco tuurden ze en naar het maanlicht op de koepels daarachter.

'Ik houd niet van vieze kussenslopen,' hoorde hij Vaslav uiteindelijk zeggen, heel stilletjes en voor zich uit alsof het niet voor hem bedoeld was. Sergej Pavlovitsj meende nog even dat hij het verkeerd verstaan had, maar het ging op dezelfde gelaten wijze verder. 'Dat vieze zwarte spul, die smerige haarcrème van jou heeft afgegeven op de slopen. Ik zie dat.' Nu keek Vaslav hem aan en sprak hem toe, uiterlijk nog altijd onbewogen. 'Elke ochtend als je opstaat heb je afgegeven op het beddengoed. Jij verft je haren om minder oud te lijken, maar vanochtend zag jouw laken eruit alsof er iemand op was afgelegd. Ik walg daarvan, weet je, zoals ik walg van die valse voortanden. Ze bewegen. Ik zie ze heen en weer gaan als je praat. Zo'n mond, hoe kun je van iemand verwachten dat hij die uit vrije wil zal kussen? Met dat geverfde haar en die twee losse namaaktanden zie je eruit als een gemene oude vrouw. Ik kan daar niet van houden. Van gemene oude vrouwen kan ik alleen walgen.'

Alles was zout. Het zweet liep nog steeds in straaltjes van Sergej Pavlovitsj' grote hoofd, zeeschuim sloeg af en toe over de rand van de kade tegen hun broekspijpen en rondom hing een mist van fijn gespetter. Toen er geen reactie kwam had Vaslav zich omgedraaid en was hij teruggelopen, zonder haast dit keer, met zijn handen in zijn zakken.

Sergej Pavlovitsj liet hem gaan. Zijn haar plakte in

slierten tegen zijn slapen. Toen hij zijn kin op zijn borst liet zakken zag hij dat zijn overhemd door het rennen uit zijn broek gekropen was, spatjes haarcrème drupten op zijn witte vest.

Hij zou hebben kunnen zweren dat op dat moment, waarop hij maar één stap hoefde te doen of zijn wens om hier te sterven zou in vervulling gaan, een diep dreunend rommelen te horen was, ver dragend en onheilspellend als een beving van de aarde; dat dit het ogenblik geweest was, waarop een grote scheur van boven naar beneden door de toren van de San Marco brak en de gouden Gabriel bovenop begon te wankelen om even later in een grote stofwolk te verzinken.

In werkelijkheid had Sergej Pavlovitsj die ramp op het San Marcoplein jaren eerder zien gebeuren, van dichterbij, samen nog met Dima.

Het was op een maandagochtend als alle andere, waarop zij zich van het Lido naar de stad hadden laten varen om hun koffie te drinken bij Florian. Juli was het. Zelfs in de schaduw op dat vroege uur, het zal amper negen zijn geweest, gaven de stenen, door de eeuwen gepolijst, al warmte af. De een zat zijn krantje te lezen, de ander vermaakte zich met de aanblik van de duiven die van alle kanten aanvlogen op een klein Amerikaans meisje dat hen wilde voeren met een maïskolf en haar zowat bedolven.

Ineens stopte de muziek.

Midden in een maat.

Mensen keken op en zagen carabinieri over het plein uitstromen. Zij maanden alle verkopers en de groepjes muzikanten die voor de cafés zaten te spelen direct op te breken. De hoop was dat bezoekers dan rustig naar huis zouden gaan en dat het plein langzaam leeg zou lopen, maar het tegendeel gebeurde.

De geheimzinnigheid riep vragen op en op het stille plein kwam eerder meer activiteit dan minder. Niemand bleef lang in het ongewisse, want al snel werd het balderen hoorbaar, als een van ver aanrollend onweer, een trilling die zich onder hun voeten had doorgezet in de palen waarop alles was gebouwd.

Toen klonk de eerste harde gil. Iemand had de scheur opgemerkt die zich voor de verbaasde ogen van de toeschouwers vanuit een van de hoeken over de lengte van het bouwwerk leek te openen. Iedereen volgde haar blik en zag hoe hier en daar al roze bakstenen loslieten en te pletter vielen op het plein. Werklui die op de toren aan het werk waren geweest, haastten zich aan lange touwen naar beneden, schreeuwend naar elkaar en iedereen beneden om zich daar als de duivel uit de voeten te maken. Het rumoer joeg echter steeds meer mensen het plein op. Vanaf de richting van het Rialto stroomden zij juist op de plek des onheils af. Binnen enkele minuten werden zij beloond met een ongelooflijk spektakel: de vergulde engel, schitterend op de zonovergoten torenspits, leek zich los te willen rukken van zijn standplaats, wankelde links en rechts en leek wel zijn vleugels uit te slaan zonder los te kunnen komen. Plotseling daalde hij af, onwerkelijk langzaam, terwijl de toren rechtstandig begon in te storten, laag voor laag afbrokkelend van onderaf. Meter voor meter zakte het gouden beeld op roze en grijze wolken van het opwaaiende gruis.

Dima Filosofov had Sergej Pavlovitsj bij de arm gegrepen en zodra ze elkaar weer aankeken, hun verschrikte gezichten wit, wimpers en haren zwaar van het stof, hadden ze even nodig om elkaar te verzekeren dat zij echt hadden gezien wat ze daarnet zagen, dat dit onvoorstelbare zich inderdaad voor hun ogen zo dromerig traag voltrokken had. Verdwaasd hadden ze zich afgestoft en zich gemengd onder de eersten die zich bij de puinhopen waagden, een berg stenen die zich uitstrekte tot aan de deuren van de basiliek, waarvoor de engel keurig op zijn voeten was geland. Als door een wonder bleek er niemand te zijn omgekomen, hoewel de toren in zijn val ook de Logetta had verwoest en de muur van een paar aangrenzende gebouwen aan de zuidhoek van het plein had meegesleurd zodat je nu recht naar binnen kon kijken op de boekenwanden van de bibliotheek van Sansovino.

Na het enorme lawaai de stilte. Dit was wat op Sergej Pavlovitsj de meeste indruk maakte, en te midden van de brokstukken begon voor het eerst in dat jongmens langzaam de vraag te knagen hoe ijl alles eigenlijk was waaraan hij sinds jaar en dag de allerhoogste waarde hechtte. Was het nu dwaas of juist een mens zijn redding om, zoals hij dat probeerde, een schuilplaats en troost te zoeken in de kunsten, wanneer zo'n imposant symbool daarvan, een baken dat tien eeuwen boven deze stad had uitgetorend, in een handomdraai verdwijnen kon?

Diezelfde avond nog werd in de raad besloten tot onmiddellijke herbouw van de toren, *come era e dove era*. Dit nieuws trok als een springvloed door de stad. Sergej en Dima zaten te eten in een trattoria op het plein voor het Arsenaal toen een jongen van een jaar of twaalf binnenstormde, die in de hoop op zoveel mogelijk fooien de hele wijk door rende om iedereen te laten weten dat er zo snel mogelijk een exacte kopie van het geliefde monument zou komen op dezelfde plaats, en zoals overal zorgde dit besluit voor uitbundige taferelen. Binnen de kortste keren had iemand de antieke leeuwen voor de ingang van de kazernes voorzien van bloemenslingers, een oude man hief een lied aan in het Venetodialect, waarop links en rechts mensen uit hun huizen kwamen om op het eind van deze bewogen dag met elkaar te dansen.

De Russen bezagen het van achter hun tafel. Sergej

Pavlovitsj, aangestoken door alle vrolijkheid, schonk hun glazen nog eens vol en bracht met groot gebaar een toost uit op het goede nieuws, maar Dima schudde zijn hoofd.

'Wat vergaat gaat voorgoed,' sprak hij ernstig. 'Het oude verdwijnt nou eenmaal. Zo hoort dat. Het verdwijnt om plaats te maken voor het nieuwe. Zo gaat het in de natuur, zo hoort het in de kunst.'

Dit soort wijsheid ontleende hij grotendeels aan Friedrich Nietzsche, wiens werk hij deze reis steeds aan het lezen was, maar dat wist Sergej Pavlovitsj op dat moment nog niet. Daar kwam hij pas later achter, toen Dima zijn hele verhandeling hierover publiceerde, dus die avond kwam diens jeremiade hem rauw op het dak vallen.

'Het oude willen reconstrueren,' ging hij verder, 'is het nieuwe smoren. Nee, nee, dit is helemaal geen reden voor een feest, integendeel.'

'Ze ogen met zijn allen anders verdomde blij,' stribbelde Sergej Pavlovitsj tegen, nog altijd in de hoop dat het maar een kwaaie dronk betrof.

'Uiteraard. Niemand wil afscheid nemen van iets wat hij altijd gekend heeft, ik net zomin. Ons hele lichaam verzet zich daartegen. Het is nou eenmaal ingesteld op wat het kent en heeft geen zin zich te moeten aanpassen aan een situatie waarvan je niet weet wat ze brengt. Die mensen dachten vanochtend dat ze iets dierbaars moesten gaan missen en nou blijken ze het alsnog terug te krijgen. Dat is geruststellend. Natuurlijk zijn ze blij.'

'Dus wat is het probleem?'

'Nu gaan ze iets heel anders missen, iets veel belangrijkers, maar dat beseffen ze niet. Omdat ze het niet kennen. Omdat ze het zich niet kunnen voorstellen, zijn ze er bang voor. Angst is gewoon een gebrek aan voorstellingsvermogen.'

'Hoezo, waar zijn ze bang voor?'

'Voor iedere verandering. Voor alles wat ze niet kennen. Dingen die ze nooit zullen léren kennen als je ze iedere keer geeft wat ze het liefst willen hebben: een exacte kopie van het vorige. Kijk dan naar ze, ze dansen alsof het iemands geboortedag is. Ik zeg: het is eerder een sterfdag. Mensen die verwelkomen wat ze al hadden, bestaat er een droeviger aanblik? Nu kijken ze uit naar iets wat achter ze lag. Herbouw! God weet hoeveel nieuwe mogelijkheden daarmee in één klap om zeep zijn geholpen.'

'Stel je niet aan,' lachte Sergej Pavlovitsj ongemakkelijk. Hij had zijn vriend nog nooit zo koppig gezien. 'Hier, drink met me, Dima, en lig niet zo dwars.'

'Geen denken aan. Klinken omdat het verleden opnieuw wordt geboren, dat is zoiets als, als... als het vieren van een aanslag op de toekomst.'

Het had nog jaren geduurd voordat Sergej Pavlovitsj precies begreep hoe diep Dima Filosofovs woorden tot hem waren doorgedrongen. Tijdens hun samenwerking, eerst aan hun kunstmagazine, daarna bij de balletten in Petersburg en ten slotte bij de oprichting van zijn Ballets Russes, had Sergej Pavlovitsj Diaghilev zich dit gedachtegoed steeds verder eigen gemaakt. Ongemerkt was hij het gaan omarmen, en terugkijkend bleek het haast de leidraad te zijn geworden voor zijn leven en zijn werk.

De meeste successen die hij had behaald, waren in de eerste plaats hieraan te danken geweest, steevast het oude, veilige omver te werpen om op de leeggevallen plek iets ongehoords, iets heel nieuws neer te kunnen zetten, zonder om te kijken, zonder toe te geven aan je heimwee, zonder te luisteren naar het gejammer van de oude garde om hun weerzinwekkende verlies.

De anderen hadden het talent om er de muziek voor te maken, de gave om de verhalen te bedenken, de inspiratie om daarvoor decors te ontwerpen, het inzicht om met kleuren hele werelden te componeren, het vakmanschap om die van gewaagde kostuums te voorzien en de fantasie om ze te bevolken met mythische wezens; het waren nou eenmaal andere lijven die zichzelf voldoende konden vergeten om muziek te worden, andere geesten die kunstig en eigenzinnig genoeg waren om daar weer tegenin te gaan om zodoende waanzinnige, onmogelijke, nooit eerder vertoonde sprongen en passen te creëren. Maar altijd was het Sergej Pavlovitsj geweest die hen samen had gebracht. Hij had hun een podium verschaft, hun talenten ontdekt en aangewakkerd en zo de wereld ervan overtuigd, met schokken en schandalen, dat de toekomst belangwekkender worden zou dan het verleden.

Geen wonder dat die twee zaken in elkaar verstrikt waren geraakt, de ineenstorting van de campanile en het afbrokkelen van Vaslavs liefde. Al hadden ze niet gelijktijdig plaatsgevonden, dit hadden ze gemeen: ergens tussen de puinhopen wortelden telkens mogelijkheden tot een nieuw begin.

*

'Eén uur in de namiddag en drieëntwintig minuten,' galmde Peter door de berghut.

Verdomme net een koekoeksklok, die kerel, dacht Sergej Pavlovitsj, die wel wat anders aan zijn hoofd had. Staat hij daar weer met dat eeuwige horloge van hem.

'Zeg eens,' snauwde de Rus, 'hebben alle Zwitsers zo'n klap van de grote wijzer meegekregen of moet dat mij weer overkomen hier met de enige te zitten opgesloten?' De wagen kon nu elk moment hier zijn. Hij knoopte zijn jas dicht, sjorde zijn sjaal om en liep alvast naar buiten, maar de bediende kwam achter hem aan.

'Ik zeg het maar vast, mijnheer, zodat u weet dat u zo meteen nog een half uur hebt, drie kwartier hooguit.'

Knisperend was alles om hen heen, en wonderlijk sereen. De droge lucht van alle kou gezuiverd. De sneeuw leek niet alleen hun stemmen maar ook wat eenzaamheid te dempen.

'Het spijt me wel, maar alles ligt vast,' ratelde Peter, alsof hij de meeste reden had om hier nerveus te zijn. 'Wij moeten ruim voor vijven in het Suvretta zijn, en daarvoor is er nog veel te doen. Mijnheer heeft vanmiddag zenuwen genoeg en ik wil het niet op mijn geweten hebben dat alles in de soep loopt.' En ja hoor, daar kwam dat horloge weer tevoorschijn. 'De wagen kan nu elk moment hier zijn,' knikte hij, 'het is nu één uur víjfentwintig.'

Een ogenblik overwoog Sergej Pavlovitsj of hij hem dat uurwerk van zijn pols zou grissen, en hij wierp er alvast een schuinse blik op.

En op dat moment, ineens, begreep hij wat hij zag.

'Dat horloge!' Hij wees ernaar, verbijsterd. Het was een Santos! Waarom had hij zich niet eerder afgevraagd hoe zo'n boerenjong aan zo'n kostbaar uurwerk kon komen? 'Maar dit is zíjn horloge,' riep Sergej Pavlovitsj uit. 'Dat heb ík voor hem gekocht! Godgloeiendegod, wat doe jij met dat horloge? Heb je enig idee...? Hier, geef dat onmiddellijk aan mij. "Rue de la Paix". Op de plaat daar moet het staan, "Cartier", met jaar en datum en in de rand hier onze namen.'

En zoals hij het zei zo stond het gegraveerd.

'Vaslav & Sergej'.

Precies op dat moment kwam een automobiel met hoge snelheid het erf op. Het was een groene berline met spiegelende ramen. De chauffeur trok als een wilde aan de rem alsof hij het ook allemaal niet in de hand had. Je

hoorde de raderen langs elkaar schuren. De wielen blok-
keerden zodat het gevaarte op het gladde erf een kwart-
slag draaide en even nog gevaarlijk doorschoof naar de
rand van het terrein.

Ondanks zijn bijgeloof, zijn watervrees en al zijn andere
onnozele angsten was Sergej Pavlovitsj voor één ding
nooit bang geweest. Het oude had hij van tafel geveegd,
rigoureus, ook datgene wat hem het meest eigen en het
allerliefst was, en op deze manier had hij niet alleen een
nieuwe tijd verwekt, maar die ook hoogstpersoonlijk ge-
baard, gewiegd en de wereld in gestuurd.

Dit was zijn offer voor het voorjaar.

Dit was altijd zijn enige talent geweest: zijn zekerhe-
den los te durven laten.

Romola

Al het mogelijke doen is onbelangrijk, het enige wat telt is dat je het ónmogelijke voor elkaar krijgt.

Sergej Pavlovitsj Diaghilev

Niets waaraan mensen zich zo lelijk kunnen verwonden als aan het geluk van een ander.

Dat iets moois je kwalijk genomen zou kunnen worden, als je jong bent kun je zoiets niet geloven. Dat iemand je de liefde misgunt, hoe kun je daarop bedacht zijn?

De eerste tijd heb je het ook helemaal niet door. Omdat het in jou zo zingt ga je ervan uit dat iedereen meeneuriet. Dat ze meedeinen op jouw muziek. Dit is maar schijn. Door jouw roes lijkt het of ze tollen. In feite staan ze stil en ze zetten zich alvast schrap. Vroeger of later bots je in volle vaart tegen ze op.

En daarna zijn ze niet van plan je die klap ooit te laten vergeten. Alsof het een van de memorabele veldslagen van de Grote Oorlog was, hebben ze de datum waarop jouw geluk vermorzeld werd in hun geheugen gegrift. Wanneer ze bij elkaar zitten en erover beginnen noemen ze die ene dag als het ogenblik waarop het met mijn man was afgelopen.

Zoveel begrip brengen mensen dus op voor het leven van een ander.

'Zijn laatste dans, zijn laatste optreden,' wordt er gejammerd, 'zijn allerlaatste schepping en zijn laatste heldere moment.' Voor hen was de zaak daarmee afgedaan. Het einde van een tijdperk en dat was het dan. Alsof een mens ophoudt waar zijn werk stopt. Alsof de wereld niet verder draait nadat die over je heen is gewalst.

Natuurlijk, ik kan me dat etmaal ook zó voor de geest halen, na dertig jaar net zo helder als toen, met sneeuw en kou en al. Wat wil je, Sankt Moritz in januari, wat is daaraan zo moeilijk voor te stellen? Het was een van die spelingen van het lot waardoor in één klap heel wat levens ontwricht raakten. Ook het mijne.

Maar niet omdat daarmee iets ten einde liep.

Integendeel.

Die dag begon mijn man voor mij pas goed.

I

Er deugde iets niet. Dat voelde ik wel, maar ik kon mijn vinger er niet achter krijgen. Die ochtend gierden er ook zoveel zenuwen door het huis. Iedereen begreep dat het een beslissende dag zou worden. Alleen kon geen van ons de verschrikkingen voorzien van het besluit dat die middag uiteindelijk werd genomen.

'En,' vroeg mijn moeder terwijl ze aanschoof voor de lunch, 'waar is Vaslav?'

Actrices zouden geen kinderen moeten krijgen. Als kroost weet je nooit zeker of ze in hun eigen schoenen opkomen of op cothurnen.

'Te druk zeker,' concludeerde ze onschuldig. Ik had die toon moeten herkennen van haar Salomé. 'Te veel aan zijn hoofd.'

'Hij zal zo wel komen,' zei ik. Ik had net Kyra in haar eigen stoel gezet en was aan het voordoen hoe zij zelf het servet met de konijntjes voor kon binden. 'Nietwaar Lise, mijnheer is toch gewaarschuwd?'

Ons kamermeisje stond naast het buffet te wachten tot ze kon opdienen, maar gaf geen antwoord. Toen ik opkeek was ze druk doende niet-bestaande pluisjes van haar schortje te plukken, met neergeslagen ogen en een vuurrode kop.

'Wat is er?' Ik werd ongerust. 'Iets wat ik moet weten?'

Mijn moeder en die meid waren vier handen op één buik, altijd geweest. Om niet voor de ogen van het personeel in een scène te belanden liet ik weten dat wij zelf wel zouden opscheppen, en ik stuurde Lise weg met de opdracht onze huisknecht, de stoker die zich in die tijd over mijn man ontfermde, naar boven te sturen om te zien waar Vaslav bleef.

'Ik weet niet, mevrouw, Peter? O jee, ik geloof niet...' Het meisje blikte schuins naar mijn moeder, alsof díe wist wat zíj moest zeggen, maakte toen in haar zenuwen maar snel een knixje en haastte zich de deur uit.

'Jasses,' zei mijn moeder toen ik haar vroeg wat zij in haar schild voerde, 'wat geeft achterdocht toch een afzichtelijke rimpels.'

'Dat hij jou dit nou toch niet vertéld heeft,' klonk het achter me. 'En jullie zijn altijd zo innig.' Ik had Kyra op de arm genomen en haastte me naar boven, maar mama, niet gewend tijdens een ontknoping in de coulissen te blijven, stoof achter ons aan. 'En dan hierover niks zeggen, snap jíj dat? Uitgerekend over zoiets.'

Ik gooide de deur van Vaslavs werkkamer open en ik moet toegeven, mijn hart sprong even op toen ik zag dat hij daar gewoon bezig was zijn fouettées te oefenen. Even hield hij stil om naar Kyra te zwaaien, die allebei haar handjes in de lucht stak. Zie je, dacht ik, drukte om niets. Maar toen zag hij achter mij mijn moeder opdoemen en betrok zijn gezicht.

Hij probeerde zich te verbergen achter zijn concentratie, want hij vermoedde wel waarvoor wij kwamen. Hij zette zich af, bracht het gewicht – relevé – op zijn standbeen en zwengelde zichzelf met de kracht van het andere aan totdat hij tolde.

'Dus het is waar,' zei ik, teleurgesteld meer dan verwijtend. 'Hij is in Sankt Moritz.'

Er kwam natuurlijk geen reactie.

'Waar zit hij? Heb je hem gesproken?'

En tour en tour en tour.

'Vaslav, kijk me aan! Hebben jullie elkaar ergens ontmoet?'

En focus, focus, focus.

Het blijft iets onbeschrijfelijks, Vaslav in beweging! Zelfs op zo'n moment, als je hem het liefst pootje had willen lichten. Er was eenvoudig geen ontsnappen aan. De ontroering overviel je ogenblikkelijk zodra dat lijf zich spande. Het was een natuurfenomeen. Kort na ons huwelijk zijn wij vanuit Buenos Aires naar Iguazú gereisd, een plaatsje op de grens met Brazilië en Paraguay. Daar had men over de uitwaaierende mond van de rivier een houten vlonder geslagen, die leidde naar een uitkijkpunt pal boven de beroemde watervallen. Dat is de enige keer in mijn leven geweest dat ik iets soortgelijks ervaren heb: keek je recht naar beneden, in het razend kolken, dan welden de tranen vanzelf op. Alsof je plotseling het leven in de ogen keek; de oorsprong van de wereld én zijn lot; je eigen breekbaarheid, die tegelijk toch ook de bron van alles is. Vreemd genoeg was dit een reactie die abrupt kwam en ging, alsof hij werkte op een schakelaar. Zodra je van die werveling wegkeek, hield het huilen even onverwacht weer op. Ik heb dit een paar keer geprobeerd, kijken en wegkijken, en elke keer weer even woest sloeg die pracht een put, diep in je verdriet. Dansend riep Vaslav op dezelfde manier in zijn toeschouwers iets op, niet eens zozeer emotie, eerder een herinnering, zou ik zeggen, aan iets onmisbaars dat wij verloren waanden, en een behoefte, overweldigend, om te raken aan iets wat buiten ons bereik ligt. Ja, daar leken ze nog het meeste op, de tranen die hij bij je los kon maken, op die van een zuigeling die grote honger heeft en net niet bij de borst kan.

Mijn God, dacht ik terwijl ik daar stond, die bewuste dag met Kyra op mijn arm, en naar zijn wervelingen keek, wat houd ik van die man!

Détourné, pirouette, détourné.

Ik gaf ons kind over aan mijn moeder, die haar je-kunt-niet-zeggen-dat-ik-je-niet-gewaarschuwd-heb-masker had opgezet, duwde hen met zachte hand de gang op en draaide de deur achter ze op slot. Ik trapte mijn schoenen uit en trok mijn blouse los, schortte mijn rok op tot over mijn knieën en propte de zoom achter mijn riem. Zo ging ik midden in de ruimte staan. Ik sloot mijn ogen en probeerde Vaslavs ritme te pakken.

De hars onder zijn zolen knerpend over de plankenvloer. Telkens een diepe zucht en dan twee korte stoten, een bonk door de kale ruimte elke keer dat zijn hiel even neerkwam op de vloer. Eerst nam ik zijn adem over, daarna zijn cadans. Zo stond ik daar, terwijl mijn lijf het zijne zocht als een riet dat probeert de golving van de wind te vinden. Kleine gebaren kwamen het eerst, een nijging van het hoofd, knieën verend, vanuit een welving van de pols naar *port de bras*. Intussen hoorde ik zijn bewegingen al rustig worden. Hij cirkelde om mij heen en kwam op adem. De lucht die door zijn longen was opgewarmd, streek over mijn schouders, langs mijn borsten, door mijn nek. Ik keek hem aan en vanaf dat moment dansten wij samen verder.

Ons niveauverschil was altijd enorm, maar hij voerde je mee, hij tilde je op totdat je dacht de hele wereld aan te kunnen. Als wij zo improviseerden, met enkel ons hart als metronoom, vergat ik mezelf, lichaam en ziel, dan vergat ik mijn beperkingen, mijn grenzen en vloog ik een eind met hem mee. Vriendinnen wie ik dit genot beschreef beweerden dat zij iets dergelijks weleens ervoeren in een krakend bed onder het gewicht van hun minnaars, maar dat lijkt mij sterk. Ik kan me niet voorstellen dat je ook zelfs maar een beetje van de aarde los kunt komen terwijl je door een man uit alle macht wordt neergedrukt.

In de paar jaar sinds ons huwelijk was het maar een enkele keer tot zo'n spontane *pas de deux* gekomen. Te weinig bij nader inzien, veel te weinig, maar dat konden wij op dat moment niet weten. Alles gebeurde, ook die dag nog, onbekommerd. Zelfs een paar uur voordat zijn beslissing viel, kon ik met geen mogelijkheid voorzien dat mijn geliefde, die god van de dans, mijn eigen man, voor altijd stil zou vallen.

Dus dansten wij.

'Het is waar,' zei Vaslav op een gegeven moment. Hij begon uit zichzelf en gebruikte de koosnaam die hij voor me had. Hij had mij net boven zijn macht geheven en liet mij voorzichtig door zijn handen glijden, terug naar de aarde. 'Maar denk niet dat ik dit gewild heb, Femmka. Ik wil het geen van alle.'

'Oude vlammen doven het laatst,' orakelde mijn moeder toen ik binnenkwam. Zij had haar grimekist tevoorschijn gehaald en was bezig Kyra, die zij voor een kapspiegel had neergezet, te behangen met namaakgoud en toneeljuwelen. 'Geloof me, een plens koud water is voor de liefde niet afdoende. De gevoelens van een man voor zijn eerste grote liefde steken altijd wel weer ergens de kop op. Het enige wat helpt is er met je volle gewicht bovenop springen en dan je rivaal met twee voeten tot de laatste vonk uitstampen.'

'Kijk dan, mamma.' Ons meisje stond op en probeerde als een volmaakte actrice rond te paraderen, één arm geheven alsof ze een lange sigarettenpijp vasthield, de andere wijd uitzwaaiend, maar om de paar passen bleef ze haken achter een van de kettingen die over de grond sleepten.

'Ik ga erheen,' zei ik, en ik bette met een handdoek zweet uit mijn hals en van mijn voorhoofd. Ik trok mijn blouse uit en schoot een warme trui aan.

'Nu meteen? Kind, hè nee, niet nu eerst een hele scène, niet met alle dingen die jou vanmiddag hier in huis nog te doen staan. Die kerel confronteren, dat kan allemaal na de voorstelling heus wel, vanavond nog of morgen.'

'Peter.' Ik opende de deur naar de gang en riep nog eens, luider.

'Geloof me, in een klucht als deze moet je niet vóór je wacht uit de bezemkast tevoorschijn springen.'

'Ik ga hem verbieden hierheen te komen. Ik wil Sergej Pavlovitsj er absoluut niet bij hebben als Vaslav straks optreedt. En belangrijker, Vaslav wil het zelf niet.'

'O ja,' vroeg ze ongelovig, 'heeft hij dat gezegd?'

'Niemand wil die man er toch zeker bij? Het lef, hoe haalt die het in zijn hoofd hierheen te komen.'

'Dat zal altijd wel een raadsel blijven.'

'En uitgerekend vandaag, zonder uitnodiging of iets.'

'Sommige mensen kennen nu eenmaal geen schaamte.'

'Peter,' riep ik weer, 'Peter!'

'Bespaar je de moeite, kindlief, hij is er niet.'

'Hoe weet je dat?'

'Die jongen is al daar.'

'Waar?'

'Zo'n hut ergens daarboven, weet ik het, een of andere bouwval van die kerel, je weet wel, van die slappe slagroom, hoe heet die koekenbakker, die hier altijd rondhangt alsof hij eigenlijk te fijn is om achter een fornuis te staan?'

'Hanselmann?'

'Precies. Diaghilev is daar en die knul zou hem op gaan halen of zoiets.'

'Hoe kan dat, dat jij van alles beter op de hoogte bent dan ik?'

'Wie ben ik, Mata Hari? Van wie zou ik zulke informatie nou hebben? Van Lise natuurlijk.'

Ik liep de gang op en riep haar.

'Dat is een hele beste meid, nou moet je haar niet kwalijk nemen dat je zelf ziende blind bent.'

Op dat moment begon Kyra te krijsen. In een wirwar van strasband en geslepen glas lag ze languit achter de bank.

'Dat is een stel, die twee,' zei mijn moeder vertederd, terwijl ik Kyra op mijn arm wiegde en probeerde de hele rinkelende kluwen te ontwarren. Een gouden hoofdband in de vorm van een cobra was diep over haar ogen gezakt. Voorzichtig probeerde mijn moeder haar daarvan te bevrijden. 'Wist jij dat? Die twee bedienden van je. Zij heeft het me zelf verteld. Kennen elkaar al vanaf dat ze zó zijn, wisten meteen dat ze voor elkaar waren bestemd en hebben nooit ook maar een ogenblik getwijfeld. Zo is het toch zeker, Lise?' sprak ze tegen de meid, die op dat moment binnenkwam. Daarop zette mijn moeder zichzelf de hoofdtooi op en waande zich meteen weer in een stuk van Kotzebue. 'O almachtige God,' verzuchtte ze met groot gebaar, 'wat moet dat iets genadigs wezen, vooraf al precies te weten hoe je leven loopt en verder helemaal geen wil te hebben!'

Om mij de weg naar die hut van Hanselmann te wijzen had ik iemand nodig die de omgeving op zijn duimpje kende, dus nam ik Lise mee. Om tijd te sparen zond ik haar niet eerst helemaal naar het station om een taxi op te halen, maar pakte de berline, onze eigen automobiel, en had geen keus dan maar voor één keer zelf het stuur te nemen.

Terwijl ik wegreed zag ik Vaslav. Hij was naar buiten gelopen en stond op het balkon. Hij keek me niet na, maar legde zijn hoofd in zijn nek, blik strak omhoog de lucht in.

'Dus jij gelooft dat ook, Lise?'

'Wat, mevrouw?'

'Dat het kan bestaan dat iemand helemaal voor jou is voorbestemd?'

'Welja.'

Mijn man spreidde zijn armen alsof hij de hemel wou omarmen; een krachtig, theatraal gebaar waar een normaal mens alleen mee wegkomt onder een donderend symfonisch slotakkoord, maakte hij in stilte. Geen moment heb ik iets anders gedacht dan dat hij aan het repeteren was voor de voorstelling later die middag, dus ik gaf gas.

'Die zekerheid,' zei ik, 'ineens, dat ene moment waarin het je volkomen helder is hoe je leven hoort te lopen. Het geluk dat je weet wat je verder te doen staat en het dan na te jagen. De voldoening van zo'n opdracht, niet ieder mens begrijpt dat, Lise.'

'Dat geloof ik graag, mevrouw.'

'Zoiets is niet iedereen gegeven. Ik ben ook gestopt met het ze uit te leggen. Mensen denken dat je het hebt over "liefde op het eerste gezicht", omdat ze dat kennen uit de operette, maar dat heeft mij altijd zoiets wezenloos geleken. Nee, een liefde zoals wij die voor onze mannen koesteren, die overkomt je niet zomaar, integendeel, die heb je zelf volledig in de hand. Daar moet je een harde strijd voor willen leveren. Dat is een keuze.'

'Hier links, mevrouw.'

'Denk je niet?'

'Voorzichtig, want de bocht daarna is scherp en steil.'

'Een heilig zeker weten is het, waarvoor je bereid moet zijn om alles aan de kant te zetten. Alle andere paden sluit je af om dat ene tot het eind te kunnen gaan.'

Ik keek opzij, maar Lise gaf geen sjoege. Zij zat met haar handen in haar schoot en keek naar buiten, in verlegenheid gebracht natuurlijk omdat ik in een moment van ontroering een grens had overschreden en sprak alsof wij vriendinnen waren.

'Vertel eens,' zei ik om haar op haar gemak te stellen, 'hoe jij dat hebt gevoeld. Dat kun je rustig zeggen.'

'Ach, mevrouw,' verzuchtte ze, 'wat heb ik voor verstand?'

'Dat weet je toch nog wel, wanneer dat was dat jij zo helemaal voor Peter hebt gekozen.'

'Nou ja, gekozen.' Ze aarzelde. 'Wij lagen samen in de wieg, mevrouw. Ik was daar niet mee bezig.'

Nu ging het een tijdlang steil omhoog. Ze had niets te veel gezegd, al mijn kracht en aandacht had ik nodig voor het schakelen. Ik denk dat zij, omdat ik zweeg, toch bang was iets verkeerds te hebben gezegd, want na een paar minuten kwam ze er nog heel even op terug.

'Dit zijn de bergen, mevrouw,' klonk het beteuterd, 'zoveel paden om uit te kiezen heb je hier niet.'

De eerste die naar buiten kwam gehold was Peter. Hij keek erbij alsof hij vuur had gestookt in een munitiedepot en zwaaide met zijn handen alsof hij een ramp moest afweren.

'Niet doen, mevrouw, beter van niet.'

Alleen met de grootste moeite en gierende remmen lukte het me dat bakbeest die laatste hellende meters in bedwang te houden en te voorkomen dat we over de ijzige rotsbodem door slalomden tot ín de vestibule. Dat zal het bezoek binnen wel op scherp hebben gezet. Hoe kon je nou zo stom zijn háár hierheen te brengen, schreeuwden de ogen die de bediende naar zijn liefje opzette, en uit mijn ooghoek zag ik Lise wel gebaren dat het nou eenmaal overmacht geweest was.

Best mogelijk dat ik eruitzag alsof ik Sergej Pavlovitsj in één sprong naar de keel zou vliegen en de strot zou doorbijten, wat niet eens het slechtste idee geweest was, maar in werkelijkheid stopte mijn plan daar ter plekke voor de deur.

Een eeuwigheid leek er te zijn verstreken sinds de grote man en ik voor het laatst tegenover elkaar hadden gestaan. Toch was dit nog ná ons huwelijk geweest, in de periode waarin hij, omdat zonder Vaslav de boekingen voor zijn gezelschap razendsnel kelderden, had besloten tot een charmeoffensief.

Ik herinner me een avond in een Madrileens theater waar Pastora Imperio zou optreden, een zigeunerzangeres uit Cádiz. Alsof er nooit iets voorgevallen was, babbelde Sergej Pavlovitsj als een oud wijf tegen me aan. Mij deed hij altijd al denken aan de matrones uit Pest voor wie mijn oudtante Erszébet theekransjes hield als ze met zijn allen oververhit terugkwamen van hun wekelijks bezoek aan het Széchenyibadhuis.

Hij bezat een hypnotiserende vriendelijkheid, maar zijn complimentjes, zijn kwinkslagen waren verraderlijk als weidebloemen rond een addernest. Neem de manier waarop hij de danseressen die in het eerste deel van het programma tarantella's dansten, met ons besprak: bijna vaderlijk begaan met zoveel lompheid. Zo bezorgd klonk hij over hun lubberende benen, grote borsten, dikke billen, dat ikzelf een hekel aan ze kreeg en dacht: wat zijn ze lelijk! Terwijl ik nota bene wist wie het zei. Sterker, hij gaf je het idee dat je zelf met die kritiek gekomen was en sputterde dan tegen, alsof hij de ongelukkige meisjes verdedigde, zodat je er uit jezelf nog eens een schepje bovenop deed. Zo trok hij je, giftig, zijn cynisme binnen. Bovendien was zijn hele betrokken verhandeling over de vrouwelijke anatomie – en ik kon mezelf wel voor mijn kop slaan dat ik pas toen we thuiskwamen in het hotel doorhad waarom ik de hele avond dat gevoel gehad had ergens heel erg in tekort te schieten – niet alleen bedoeld als kritiek op die arme meisjes, maar bijna onmerkbaar ook op ieder ander zacht en rond gevormd vrouwenlichaam, en zo ten overstaan van Vaslav natuurlijk in het bijzonder op dat van mij. En toch, als je dan de volgende dag woedend naar het theater ging, klaar voor de confrontatie, wist hij je, enkel door even een hand op je onderrug te leggen en je iets aardigs in te fluisteren of je in vertrouwen raad te vragen over een zorg die hij had, zo in te pakken dat je aan jezelf begon twijfelen.

*

Het enige wat je doen kon was je schrap zetten, elke ontmoeting opnieuw. Dat deed ik nu dus ook. Ik plantte twee voeten stevig in de sneeuw en concentreerde me op mijn verontwaardiging over het gore lef dat Sergej Pavlovitsj uitgerekend die dag in Sankt Moritz op had durven duiken.

'En jou, jou spreek ik later,' beet ik Peter toe. 'Hoe haal jij het in je hoofd iets achter mijn rug te doen.'

Hij knikte, vermande zich en was al op weg om mij voor te gaan naar het huis toen hij zich nog even omdraaide.

'Het valt niet mee, mevrouw,' sprak hij met neergeslagen ogen, 'iedereen zo min mogelijk verdriet te doen.'

Voor ik iets kon antwoorden zwaaide de voordeur van het hutje open en stapte Diaghilev naar buiten.

'Hoe is het nou?' riep hij bezorgd. Hij was in vol ornaat, bontjas, hoge hoed en alles, monocle bungelend op zijn buik. Aan zijn linker manchetknoop flapperde een antimakassar of een ander haakwerkje dat hij kennelijk van het meubilair had meegesleept in zijn haast om mij te zien. Met open armen kwam hij op me af, greep allebei mijn handen en begon ze te schudden en te kneden. 'Het gaat niet goed, hoor ik, o God, o God, helemaal niet goed met hem.'

Ik wierp een blik opzij naar Peter, die zijn mond dus voorbij had gepraat. Zo verwijtend keek ik dat Lise hem bemoedigend even in zijn arm kneep.

'Hoe is dat voor jou?' vroeg Sergej Pavlovitsj met die grote hondenogen. 'Wat moet dat angstig wezen. Houd je vol?'

Sneeuw biedt niet het beste houvast.

'Maar wat is het dan precies dat er met Vatza aan de hand is, vertel het me, alsjeblieft.'

Ik probeerde mijn handen van hem terug te krijgen, maar die moesten eerst nog naar zijn mond worden gebracht en een voor een gekust. Intussen bleef ik in mezelf herhalen dat dit een man was die mij als ik even niet oplette met evenveel liefde in de rug zou steken en er al jaren alles aan gedaan had om ons leven te verwoesten.

'Zo'n zorg!' Hij schudde zijn hoofd, 'dat is me wat, als je zoveel van iemand houdt als wij.'

Wij?

'Kom binnen, Romola, Romolotjka, en zeg me meer.'

Hij en ik?

'Vertel mij liever eerst wat dit te betekenen heeft,' zei ik. 'Dat jij hier bent. Weet je niet wat er vandaag staat te gebeuren?'

'Natuurlijk weet ik dat. Hij danst.'

'En dacht je dat ook maar iemand jou daarbij zou willen hebben?'

'Ja,' zei hij alsof hij van de prins geen kwaad wist, 'ja, die indruk had ik wel.' Als een kind dat een standje had gekregen boog hij zijn hoofd en stond wat in zijn broekzakken te grabbelen. 'Dat mijn aanwezigheid op prijs gesteld werd.' Hij rommelde verder in zijn binnenzakken en dook ten slotte tot zijn ellebogen in die enorme bontjas. 'Juist vandaag. Ik had me er tenminste erg op verheugd. Blij dat Vaslav na al die tijd weer helemaal in vorm is.' Ergens onder in de voering vond hij een deel van wat hij zocht, trok het tevoorschijn en wapperde het in mijn richting terwijl hij zelf nog verder tastte.

Wat hij me gaf was een uitnodiging om de voorstelling vanmiddag bij te komen wonen, een kaart met gouden opdruk zoals ik er tweehonderd had laten drukken en verstuurd. De lijst met adressen had ik persoonlijk samengesteld. Allemaal vrienden en mensen uit het vak die met Vaslavs terugkeer konden helpen. Geen denken aan dat de naam Diaghilev daartussen stond.

'Hoe kom je daaraan?' Ik kon mijn ogen niet geloven. 'Hoe is hij daaraan gekomen,' vroeg ik aan Peter, 'heeft mijnheer hem die gestuurd?' Normaal had ik liever mijn tong afgebeten dan ten overstaan van Sergej Pavlovitsj mijn personeel af te vallen – wat moest hij denken, dat ze in overleg met Vaslav dingen achter mijn rug deden? – maar ik was gewoonweg te verbijsterd om te zwijgen. 'Heb jij die voor hem naar de post gebracht, Peter? Wie dan? Vooruit, zeg op, iemand heeft hem hierbij geholpen, wie is dat geweest?'

'Ah,' verzuchtte Diaghilev op dat moment en trok een enveloppe tevoorschijn die dubbelgevouwen zat tussen andere papieren in een leren reisetui. 'Kijk eens.' Hij vouwde hem open en reikte hem aan. Al voordat ik hem beetpakte viel de waarheid boven op me.

Lise stond namelijk inmiddels stilletjes te snikken. Zij was helemaal rood aangelopen en probeerde, schuldbewust, zo'n beetje weg te schuifelen achter Peters schouders.

De enveloppe was geadresseerd in mijn moeders handschrift.

2

Hoe heeft dat eigenlijk zo ver kunnen komen, dat ik in dit hele verhaal altijd als boosdoener gezien word? Dat schijnt inmiddels gemeengoed te zijn. Iedereen mag over mij schrijven wat hij wil – en geloof me, dat doen ze – zonder dat iemand mij eens een keer te hulp schiet.

Zodra ik mijn man zag, hield ik van hem zoveel als menselijk mogelijk is, ja edelachtbare, schuldig, maar sinds wanneer is dat een misdaad? Op de dag dat wij trouwden heb ik beloofd dat dit in voor- en tegenspoed zou zijn, onwetend dat het van voorspoed nauwelijks zou komen. En toen het misging heb ik woord gehouden ook. Tot zijn laatste snik heb ik voor hem gezorgd. Wanneer wij moesten vluchten heb ik hem zelf aan de hand genomen, zijn leven heb ik meer dan eens gered met gevaar voor dat van mijzelf. Onze kinderen heb ik grootgebracht en ik heb mijn man door twee oorlogen heen gesleept, zijn dagboeken heb ik gered en zijn naam levend gehouden. Je zou denken dat dit iemand ooit eens zou zijn opgevallen. Maar nee, van alle mensen die in het verloop van Vaslavs leven een hand hebben gehad, wordt mij het meeste nagedragen.

Nadat ik zijn eigen woorden had gepubliceerd, zodat de wereld voor altijd zou kunnen lezen wat een unieke, liefdevolle geest mijn man geweest is, ging iedereen ervan uit dat ik wel de helft verdonkeremaand zou hebben en de rest verdraaid, en toen ik daarna mijn persoonlijke herinneringen aan hem publiceerde, zeiden ze dat ik loog en dat ons leven helemaal niet zo verlopen was als ik het zelf had ervaren.

'Zij is zijn ongeluk geweest,' wordt er geroepen, nu nog steeds. 'Was zij er maar niet geweest dan was de god van de dans voor ons gewoon zijn sprongen blijven maken.'

Had mijn moeder in al die tijd maar één keer gereageerd zoals andere moeders op het ongeluk van hun kinderen reageren en ongegeneerd 'heb ik het niet gezegd?' geroepen. 'Hadden je vader en ik jou hiervoor vanaf de eerste dag al niet gewaarschuwd?' Wanneer zij me eens brutaalweg op schoot getrokken had, goedbedoeld maar radeloos onhandig, om een volwassen vrouw te willen wiegen alsof ze nog een kleuter is die haar lievelingspop is kwijtgeraakt, dan had ik me opgelaten gevoeld. Dan had ik kwaad kunnen worden en me van haar losrukken. Al was ze maar één keer bij me langs gekomen met zo'n gezicht waarvan je niet weet of het van medelijden is vertrokken of van zelfgenoegzaamheid, dan was het eenvoudig geweest om onverzettelijk te blijven.

Maar de rol van doorsneevrouwen lag mijn moeder niet. Het was altijd meteen óf de Gertrude óf de Klytaemnestra. Of liever nog dat lijdzaam overeind blijven van haar als lieveling van het publiek, die om de droom in stand te houden elk persoonlijk verdriet nu eenmaal koste wat het kost verbergen moet. Alles werd dan teruggebracht tot ijzige woorden en gestileerde gebaren, terwijl achter dat masker – getergd met een minzaam lachje – alle intriges ondertussen verder werden uitgekookt.

Op het scheepstelegram vanaf de Rio de la Plata waarin Vaslav haar om mijn hand vroeg had ze nooit gereageerd, en toen wij haar na het huwelijk opzochten in Boedapest was de ontvangst alleen hartelijk zolang er camera's in de buurt waren. Zodra ik zwanger werd had zij al iemand

233

weten te regelen die het kind discreet zou kunnen wegmaken en na afloop van de première van een komedie van Molnár, waarbij wij op de eerste rij zaten, heeft ze in het bijzijn van de auteur en iedereen een scène getrapt, omdat zij de hele avond zogenaamd was afgeleid door Vaslav, die een arm om mij heen had geslagen en met zijn vingers af en toe mijn hals en bovenarm streelde.

De keren dat zij Vaslav had zien dansen voordat ik hem kende was zij enkel vol bewondering geweest. Nog maar een paar jaar eerder liepen we na het zien van *Carnaval* nota bene zij aan zij te snotteren op de trappen van het Municipaal Theater en had zij hem geniaal genoemd, de absolute keizer van de kunsten aan wie iedere andere levende kunstenaar eer diende te betonen en ook nog eens de mooiste man ter wereld. Dus wat was er veranderd, wilde ik weten, wat was het dat haar zo dwarszat nu dat genie uitgerekend van haar dochter was gaan houden? Hij was niet zoals wij van adel, nee, geen diplomaat of militair. Het was geen Hongaar maar dat waren mijn voorouders ook niet. De Nijinski's waren niet rijk en niet van onbesproken komaf, maar was mijn moeder werkelijk zo bourgeois, heb ik haar eens gevraagd, dat zulke dingen voor haar opwogen tegen zijn kunst?

'Welke kunst,' antwoordde ze toen, 'voor zover ik weet heeft jouw echtgenoot door jullie huwelijk zijn vaste aanstelling verloren en teert hij op jouw zak.'

'Dat is unfair, mama. Het is een kwestie van tijd, je kent de situatie met Diaghilev.'

'O zeker, die ken ik.' Ze boog zich naar me voorover, streek haar vingertoppen voorzichtig langs mijn wang en liet haar blik liefdevol over mijn gezicht glijden. Bezorgd schudde ze haar hoofd en sprak zacht. 'Moeders moeten zich ook niet met het leven van hun dochter bemoeien, lieverd, dat weet ik wel, dat is een doodzonde. Maar zwijgen valt niet mee als het om je eigen vlees en bloed gaat, op een dag zul je dat zelf ook begrijpen. Zo'n arm mond-dood moedertje dat 's nachts in bed maar ligt te malen en te malen, dat heeft toch zeker wel recht op twee kleine goedbedoelde wensen?'

'Voor één keer dan,' lachte ik goedmoedig. 'Zeg het maar, mama.'

'Ten eerste dat haar nieuwe schoonzoon zijn vrouw zal kunnen onderhouden, en ten tweede – noem het ouderwets – koester je als moeder stilletjes de hoop dat de toekomstige vader van je kleinkinderen zich niet als de eerste de beste regimentshoer die van voren is versjankerd liever in zijn aars laat neuken.'

Ik had meer op mijn hoede moeten zijn toen zij voor Vaslavs eerste optreden na de oorlog ineens naar Sankt Moritz wilde komen. Mijn moeder ging nooit ergens heen tenzij het een galapremière was, en dit was maar een bescheiden benefiet voor het lokale Rode Kruis. Kennelijk had ze bedacht dat ze mij het best uit Vaslavs armen los kon rukken door hem hoogstpersoonlijk terug in die van Sergej Pavlovitsj te jagen. Dat ze wat mijn geluk betreft nooit een haarbreed zou toegeven wist ik wel, maar ik heb niet goed ingeschat hoever zij daarvoor bereid was te gaan. Zelfs toen tijdens die voorstelling het ongeluk ons trof en zij direct mijn stiefvader liet overkomen dacht ik nog dat dit was om mij in mijn wanhoop bij te staan.

*

Zijn dansen was die middag briljant geweest. En angstaanjagend. Adembenemend als altijd. Ik kan me niet voorstellen dat ik toen ook maar enigszins voorvoeld heb dat dit zijn laatste optreden zou zijn, het allerlaatste ooit. Ik denk het niet, dan had ik daarna vast nooit zo kunnen vechten. Ik zat als alle gasten in Hotel Suvretta

House gebiologeerd te kijken, huiverend maar als onder hypnose.

'Nu zal ik voor u de oorlog dansen,' had hij aangekondigd, 'met zijn lijden en zijn verwoesting, met zijn dood. De oorlog die u niet voorkomen hebt en waaraan u dus medeschuldig bent.'

Het was alsof hij de ruimte vulde met verschrikkingen en al het lijden van de mensheid. Ik weet dat dit grote loze woorden zijn voor wie hem nooit in actie heeft gezien, maar mijn man kón zoiets. Dit was zijn formaat. Dit was het wonder. Zijn gebaren waren monumentaal en hij herhaalde ze tot wij met hem in trance raakten en hem over de dode lichamen heen zagen zweven. En dreigend was het, je voelde voortdurend dat hij een van die natuurwezens was met een overweldigende kracht, waarvan je wist dat hij je elk moment zou kunnen vernietigen. Wervelend door de ruimte voerde hij zijn publiek over de slagvelden. Met zijn stalen spieren, beheerst, schichtig als een bliksem, dat wezen van de lucht, worstelend om te ontkomen aan het onvermijdelijke.

Abrupt kwam alles tot een einde.

Plotseling.

Afgelopen.

Geschrokken kameniersters schoten tevoorschijn met kopjes thee en petitfours. Dit was voor het goede doel en bij de hoge entreeprijs inbegrepen. De organisatie wilde dat ik bleef om met de weldoeners te kwebbelen, maar ik moest naar mijn man, die net de hel had uitgebeeld.

Koortsig liep hij achter rond alsof hij was verdwaald, en wat ik hem ook vroeg hij wilde nergens meer een woord over kwijt. Thuis zat hij een tijdlang nog met Kyra in zijn armen en daarna heeft hij tot diep in de nacht doorgewerkt aan een nieuw ballet, waarvoor hij driftig, bij tijd en wijle helemaal bezweet, notities maakte.

Hij is daarna nog wel in bed gekomen, rolde als altijd,

knieën opgetrokken, naar me toe en sloeg zijn armen om mij heen. Zo hebben we lange tijd gelegen, wel bijna tot de ochtend, ieder met grote open ogen starend in ons eigen duister.

Het leek alsof hij langzaamaan begonnen was zich uit de wereld terug te trekken. In de dagen en weken na zijn optreden bleef hij lief en zachtaardig als altijd, maar een gesprek scheen hem gewoon steeds minder te interesseren. Aanvankelijk schreef ik het toe aan alle spanningen van die vervloekte 19de januari en ik hield mezelf voor dat Vaslav met wat tijd en rust wel weer zichzelf zou worden.

Intussen ging ik verder met mijn dagelijkse bezigheden alsof er niets aan de hand was. Ik nam hem mee naar de markt en vroeg hem om de groente uit te kiezen, want volgens de ene arts zou mijn man baat hebben bij regelmaat en discipline. Volgens de andere had hij juist prikkels nodig, dus ging ik met hem naar de bobsleebaan – een nieuwe sport waaraan hij verslingerd was geraakt, hard en snel en levensgevaarlijk in die open stalen kooien. Daar had hij zich een aantal keren in gewaagd met Kyra in zijn armen. Sindsdien mocht hij er van mij niet meer komen, maar nu nam ik hem zelf mee en stelde voor dat hij weer eens een afdaling zou wagen, maar hij reageerde niet.

Zodra ik zijn aandacht trok door hem even aan te raken en hem iets vertelde, luisterde hij aandachtig. Ik zag ook dat hij meestal meteen begreep wat ik bedoelde, maar dan vergat hij gewoon antwoord te geven, leek het wel. Of anders nog: alsof hij vond dat wij wel degelijk contact hadden maar dat in zijn zwijgen voldoende lag besloten. Zo kon hij je dan aankijken, met van die grote open ogen, alsof ik alles wat gezegd moest worden evengoed uit zijn blik kon lezen.

Hele dagen zat hij gebogen over zijn dagboek, hoewel hij steeds minder noteerde. Soms tekende hij alleen wat, wonderlijke gezichten, opgebouwd uit geometrische figuren. Hun monden en schedels stelde hij samen uit dezelfde cirkels en lijnen die hij kort tevoren nog gebruikte om zijn eigen sprongen en pirouettes mee te noteren. Was hij in gedachten bezig met balletten waarbij zijn dansers over de toneelvloer de contouren van die reusachtige gestaltes dienden te volgen? Ik hoopte zijn aandacht terug te kunnen leiden naar de dans door zijn oude bladen met notities en ideeën tevoorschijn te halen, maar legde ik die voor hem op tafel dan schoof hij ze zonder enige herkenning terzijde.

Ik ben geen heilige. Soms werd ik van die stiltes ook driftig. Dat hij een wreed spel met me speelde, slingerde ik hem naar zijn hoofd, en dat ik met onze dochter bij hem weg zou gaan als hij daar niet onmiddellijk mee ophield. Op zulke momenten dook hij weg als een kind dat ten onrechte gestraft wordt en niet begrijpt waarvan het wordt beschuldigd. Als dan daarvan mijn hart weer brak en ik zelf begon te huilen, kwam hij geschrokken aan mijn voeten zitten en overlaadde me met kussen, net zo lang totdat ik deed alsof ik was getroost, waarna hij opgelucht terugdwaalde naar zijn dagdromen.

De enige wie dit allemaal geen zier kon schelen was Kyra. Die ging als vanouds op in het spel met haar vader alsof zij aan zijn woorden niets bijzonders miste, maar ik, ik zag de man van mijn leven voor mijn ogen tot een schim vervagen. Als de dood was ik dat ik de Vaslav voor wie ik zo hard had gevochten, nooit meer terug zou vinden.

Op een ochtend heb ik het gedurfd. Ik ben recht voor hem gaan zitten zodat hij me wel aan móést kijken, heb zijn handen in de mijne genomen en ik heb gezegd dat we die dag naar Zürich zouden reizen. Dat wij daar een afspraak hadden in een kliniek. Dat ik graag wilde dat hij nu afscheid zou nemen van Kyra. Hij voelde wel hoe mijn vingers beefden, en begon te huilen. Ik wilde hem geruststellen, maar kon weinig meer uitbrengen. Dat ik hem nooit alleen zou laten, heb ik nog gezegd.

Mensen die liever in hun eigen dromen geloven dan in de werkelijkheid, waren het specialisme van professor Bleuler. 'Zulke patiënten hechten meer waarde aan de wereld zoals die zou moeten zijn dan aan hoe hij is,' schreef hij in een artikel dat mijn moeder mij had toegestopt, 'en tegen beter weten in houden zij hoop.' Deze psychiater was de allerbeste in zijn vak, zo was mij verzekerd door Curt Frenkel, de arts die ik al langer in vertrouwen had genomen en die Bleulers leerling was geweest. In heel Europa, zei Curt, was zijn leermeester beroemd om zijn kennis en behandeling van deze geesteziekte, waarvoor hij een aantal jaren eerder zelf een term had uitgevonden: schizofrenie.

Wij reisden per trein, begeleid door mijn moeder, die zich voorgenomen had in deze zware tijd niet van mijn zijde te wijken, en mijn stiefvader, die om ons bij te staan zonder aarzeling over was gekomen, en wij namen onze intrek in Hotel Bauer en Ville.

Vlak voor onze afspraak – wij stonden samen in onze kamer voor een grote passpiegel, ik achter hem druk doende zijn das voor hem te strikken – maakte Vaslav ineens een *développé*: hij draaide zijn voeten in de vijfde positie, strekte zijn rechterbeen langzaam uit tot het horizontaal stond en begon een *demi-grand rond de jambe en l'air*. Hierbij bleef hij me aankijken in de spiegel, uitnodigend, zoals vroeger in de studio. Hij nam mijn handen en probeerde mij zover te krijgen dat ik met hem mee zou dansen.

Het was eigenlijk niet zoveel gevraagd.

'Schei uit nou.' Nerveus trok ik me los. 'Bezorg je me soms nog niet genoeg moeite?'

Zijn gezicht betrok. Hierna weigerde hij ook nog maar een voet voor de andere te zetten, met als gevolg dat ik die eerste keer in mijn eentje tegenover de professor zat.

Die nam een hele last van mijn schouders. Ik weet niet of ik daarvoor of daarna ooit iemand zo dankbaar ben geweest voor zijn oordeel. Wat een man was dat, bijna al bejaard bleek hij te zijn en met alle wijsheid van de wereld in zijn ogen. Ruim twee uur heb ik daar gezeten en ik heb, zoals ik dat thuis met Curt had doorgenomen, hem alles verteld over ons leven en ons huwelijk. Toen ik was uitgesproken knikte hij.

'U maakt zich zorgen om niks,' zei hij meteen. 'Genialiteit en gekte zijn bijna hetzelfde, bij scheppende kunstenaars is de grens tussen normaal en abnormaal flinterdun. Daarom juist kunnen ze wat ze kunnen. Bij ieder ander mens zou het gedrag dat u schetst me verontrusten, maar niet bij een bijzonder wezen als uw man. Het is intrigerend, ik zou hem, als hij tijd heeft, graag een keer ontmoeten. Morgen, schikt dat? En ondertussen dus geen zorg, zulke symptomen zijn in het geval van zo'n groot kunstenaar, en dan ook nog eentje met een Russisch temperament, op zich geen indicatie van een geestelijke stoornis.'

Jubelend engelenkoor in mijn hersenpan, mijn hart pompend in het ritme van een uitgelaten reidans reed ik terug naar het hotel. Met twee, drie treden tegelijk rende ik naar boven om Vaslav het goede nieuws te melden. Femmka, leek hij te willen zeggen met die laconieke blik, moesten wij nou echt dat hele eind reizen om te horen wat ik allang wist? Lachend schudde hij zijn hoofd alsof ik van ons tweeën de lastpak was, tilde me op en legde me op bed, waar wij ons geluk zo vierden dat in de eetzaal het diner al halverwege was tegen de tijd dat we beneden kwamen.

De hele volgende dag beleefde ik in een roes omdat ons leven opnieuw begon. We winkelden. We reden rond. Wel anderhalf uur zaten we op een bankje aan het water alleen maar te genieten van de schoonheid van de stad die oplichtte in de zon. Tegen drieën reden we over de brug naar de beboste kant van het Meer van Zürich. Daar ligt in het woud, een eindje van de stad, het Staatsgesticht, een somber, streng gebouw met ijzeren tralies voor de ramen. Gelukkig was het helemaal met bloemen omzoomd en was iedereen er alleraardigst. Een portier, vrolijk en bol in een heus uniform met tressen van goudgalon alsof hij uit een sprookje was weggelopen, bracht ons naar professor Bleuler, en bij elke deur die hij daarvoor moest openen en achter ons weer sluiten, rinkelde hij, zoals je voor kinderen zou doen, om ons aan het lachen te maken even met alle sleutels aan zijn ijzeren ring.

Ik stelde Vaslav aan de professor voor en installeerde me daarna in de wachtkamer met een stapel *Illustrations* en de laatste nummers van *Sketch* en *Graphic*, genoeg om twee uur zonder verveling door te komen, maar tien minuten later kwamen ze alweer naar buiten.

'Mooi zo.' Lachend leidde de professor Vaslav naar een stoel. 'Dat was dat. Uitstekend. O ja, komt u nog even binnen,' vroeg hij mij. 'Dan schrijf ik het recept uit dat ik u gister ben vergeten mee te geven.'

Ik kuste Vaslav op zijn wang en liep achter de professor aan, al had ik geen idee wat voor recept hij nou bedoelde.

Zodra ik binnen was sloot hij de deur van zijn kamer.

'Nu moet u sterk zijn, lieve mevrouw,' begon hij. 'Er is niets meer wat ik voor uw man kan doen. Hij is ongeneeslijk krankzinnig. Dat ene leven moeten we als verloren beschouwen, maar twee kunt u er nog redden, en wel door onmiddellijk van hem te scheiden, uw kind mee te nemen en bij hem weg te gaan.'

Wat ik heb gezegd, hoe ik uit die ruimte weggekomen ben, ik weet het niet. Toen ik buiten kwam stond Vaslav aangekleed op me te wachten. Dat lieve hoofd van hem half verscholen tussen zijn grote bontkraag en zijn kozakkenmuts. Hij keek me aan en sprak ineens weer een paar woorden.

'Femmka,' zei hij kalm, 'je brengt mijn doodsbericht.'

Mijn vader was Károly de Pulszky, die samen met prins Esterházy het Nationaal Museum heeft opgericht. Hij was het petekind van Garibaldi en trouwde het Blonde Wonder, volgens velen 's werelds grootste levende actrice, mijn moeder, Emilia Markus, die als kind nog bij Liszt op schoot gezeten had en op haar zestiende haar eerste triomf vierde als Julia. Mijn overgrootvader leidde de opstand tegen de Oostenrijkers in 1848. Onder mijn ooms en oudooms zijn grote mannen als oom August, de minister van Justitie, graaf Benyovszky, de beroemde reiziger en prins van Madagascar.

Er werd van mij iets groots verwacht. Het stond te lezen in de ogen van mijn ouders, en vanaf mijn wieg maakten alle hooggeplaatste bezoekers daar, bedekt of openlijk, toespelingen op. Mijn opvoeding bereidde mij daar ook helemaal op voor, eerst in Parijs op het Lycée Fénelon, daarna in Engeland. In de loop der jaren heb ik in alle disciplines mijn talent gezocht, musiceren, dansen, schilderen, acteren, en de grootste artiesten, zoals Réjane en Le Bargy, hebben mij naarstig helpen zoeken; maar hoe zij mij ook, omdat mijn lessen goed betaalden, aanmoedigden of complimenteerden, ik wist zelf heel goed dat er voor geen van die richtingen enige ware aanleg te ontdekken viel.

Best mogelijk dus dat ik, toen ik Vaslav Nijinski zag dansen, op het moment dat ik hem voor mijn ogen zag opstijgen en rondzweven alsof voor hem geen aardse wetten golden, gedacht heb dat híj weleens de opdracht zou kunnen zijn die mij in dit leven wachtte. Het enige wat ik me echt heel duidelijk herinner is dat ik vanaf de eerste blik radeloos verliefd was. Maar wie weet? Liefde bestaat uit zoveel behoeften en hunkeringen, zoveel belangen en verlangens, wie kan die ontwarren en waarom zou je? Misschien zal ik onbewust gevoeld hebben dat ik door het koesteren van zo'n ongelooflijk genie een bijdrage zou kunnen leveren die paste in de traditie en de historie van mijn familie.

Wat voor verwachting er ook bestond, bij anderen of bij mijzelf, ze zou niet worden ingelost. Dit wist ik nu. Als wij in dit leven al een opdracht hebben wordt hij ons in elk geval niet gesteld door het verleden, heb ik geleerd, hooguit door wat ons overkomt.

De rit van het gesticht terug naar de stad leek buiten de tijd plaats te vinden. Wij staken niet zomaar het meer over maar een onoverzienbare, verraderlijke oceaan die tussen ons oude en ons nieuwe leven lag. Alle hoop die ik voor onze toekomst had was door professor Bleuler in één haal van tafel geveegd.

En toch.

Schrijf het toe aan de schok van dat moment, aan de verwarring en het uitzichtloze verdriet, toch was er tussen dat alles iets in mij wat 'ja' riep. Te midden van alle verschrikkelijke gedachten die door mijn hoofd spookten, tussen alle ondenkbare doemscenario's, welde, gebaseerd op niets, af en toe een zekerheid op dat van nu af alles goed zou komen. Dat ik degene was die dit goede einde zou moeten afdwingen. Vechtlust voelde ik, alsof het leven en ik die dag eindelijk open kaart speelden. Wij wisten nu wat wij aan elkaar hadden en streden voortaan met open vizier. Uitgelaten voelde dat vreemd genoeg, zoals al mijn zenuwen groteske sprongen maakten. Dit werd mijn houvast, en tegen de tijd dat wij bij het hotel aankwamen wist ik heel goed wat ik wilde.

We stapten uit, gaven elkaar stevig een arm en liepen zij aan zij, rechtop, over de marmeren treden naar de lounge. Mijn talent was liefhebben.

Uit elke toneelmonoloog sinds het begin der tijden heb ik wel fragmenten opgedist gekregen, maar uiteindelijk, één dag voor ons vertrek uit Zürich, begreep mijn moeder dat ik de raad van de professor niet zou opvolgen. Ik was mevrouw Nijinski en dat zou ik blijven. Sterker, ik was bereid alles op alles te zetten om Vaslav bij me te houden. Mocht het ooit zo ver komen dat hij zou moeten worden verzorgd dan zou ík dat doen, thuis. Alleen over mijn lijk zou ik hem achterlaten tussen de krankzinnigen van Bleuler.

'Goed dan,' sprak mijn moeder de laatste dag aan het ontbijt. 'Ik heb mijn best gedaan. Je bent een volwassen vrouw, we hebben het er niet meer over.' Zij at wat partjes appel en weinig meer. 'Alleen dan nog dit. Ik bewonder jou – jawel, ik wil dit gezegd hebben. Je hebt geen idee. Ik vind jou zo verschrikkelijk moedig. Luister goed, want je krijgt mij niet nog een keer zo murw dat ik bereid ben zoiets zomaar toe te geven: jij bent mijn kind, Romola, maar je bent zoveel sterker dan ik. Zoveel liefdevoller. Om dat te zien als moeder, dat is iets, ja, iets zo heel dankbaars...' Hier kon ze niet verder spreken, zodat ik opstond om haar tegen me aan te drukken.

'Laten we proberen de laatste uurtjes tenminste gezellig door te brengen,' opperde ze toen ze zich hersteld had en wat bijgepoederd. 'Een beetje rust, daar zijn we na dit alles wel aan toe. Kom, we gaan een eindje wandelen, wij samen, even alleen jij en ik. Ben je al eens tot aan dat kapelletje geweest daarginds, dát daar, net boven het meer, daar hangt de meest goddelijke Segantini, weer een van die sprookjesvrouwen die door de wind te pakken zijn genomen zodat ze met hun wapperende haren ergens helemaal verstrikt in zijn geraakt, dat moet jou toch aanspreken.'

Het bleek een steile klim en mijn moeder hield om de honderd meter stil om op adem te komen. Ik vond dat wel wat vreemd en verontrustend. Het was me nooit eerder opgevallen dat het haar zo aan conditie mankeerde, maar wij liepen zo innig en ze speelde het zo overtuigend dat het geen moment in me opkwam dat zij enkel bezig was om tijd te rekken. Bij een uitspanning halverwege wilde ze per se even zitten en iets gebruiken. En later bij de afdaling stelde zij voor dat wij op diezelfde plek ook nog zouden lunchen, maar dit sloeg ik af. Al tweeënhalf uur waren wij onderweg. Ik wilde niet dat Vaslav ongerust zou worden.

Toen ik tegen het middaguur terugkeerde in het hotel was hij nergens te vinden.

Onze kamer, die ik netjes had achtergelaten, was in wanorde, overal lag kleding, meubels waren verschoven. In de badkamer was een lamp omgevallen. Ik rende de gang op en vroeg een kamermeisje wat dat te betekenen had. Ze schrok.

'Het spijt me, mevrouw, het was zo'n paniek allemaal. Mijn opdracht was om eerst beneden alles op te vegen.'

'Beneden?'

'In de worsteling was daar voor de eetzaal zo'n porseleinen vaas gesneuveld, dus u begrijpt, voordat andere gasten op weg naar de lunch...'

'Wat voor worsteling, met wie?'

'Ze zijn ook nog maar net vertrokken, mevrouw, via de

achteruitgang, om zomin mogelijk te verontrusten.'

Ik rende naar de receptie. Daar werd ik in een zijkamer gelaten en kreeg ik dit verhaal: nadat mijn moeder en ik waren vertrokken was de brandweer voorgereden. Die had het hotel omsingeld en alle uitgangen afgezet. Daarop was een politieambulance het terrein op gereden. Mijn stiefvader had met de agenten en ziekenbroeders gesproken. Hij was ze voorgegaan naar onze suite en had zich daarna teruggetrokken. De broeders hadden op de deur geklopt en zich voorgedaan als obers. Zodra Vaslav opendeed zijn ze op hem gesprongen. Ze hebben geprobeerd hem in zijn pyjama naar buiten te dragen, maar hadden natuurlijk niet gerekend op zijn ongewone spierkracht. Mijn man, die geen idee had wat hij had misdaan, heeft flink van zich af geslagen. Nog een hele tijd heeft hij om mij geroepen. Zodra hij begreep dat ik hem niet te hulp zou komen, gaf hij zijn verzet op. Ik kon alleen maar bidden dat hij niet zou denken dat ik ook in het complot zat. De politiearts gaf de broeders opdracht Vaslav los te laten zodat hij zich kon aankleden, waarna hij, begeleid door vier agenten, op eigen kracht mee naar de ambulance is gegaan. Die had hem afgevoerd, maar niemand wist waarheen.

Ik rende naar buiten om een taxi aan te houden. Daar, op de trap van het hotel, stond mijn moeder met Kyra op de arm. Plotseling sprak haar instinct en werd ze bang. Ze drukte het kind tegen zich aan, alsof het van haar was en zij het aan niemand zou afstaan.

'Ik heb jou het leven geschonken,' probeerde ze. 'Wat had je gewild dat ik deed, toekijken hoe je de rest ervan zou vergooien aan iemand die toch verloren is?'

Onze dochter stond het huilen al nader dan het lachen. Om haar hield ik me in. Ik strekte mijn armen naar haar uit en pakte haar over. Mijn moeder en ik wisselden alleen een blik. Zij zei niets, maar in dat ene ogenblik voordat wij van haar wegliepen liet ze alle maskers vallen, ontredderd, terwijl het tot haar doordrong wat zij geriskeerd had en nu verloor.

In een ruimte kleiner dan onze hotelsuite zaten dertig mannen en vrouwen opgesloten. De meesten dwaalden doelloos rond, tastend langs de muren en de lijven van de anderen. Men had ze witte hemden aangetrokken. Dat beviel kennelijk niet iedereen, want hier en daar zag je iemand die flarden van zijn kleding had gescheurd en een vrouw hield de zoom van haar gewaad in haar handen geklemd om bij tijd en wijle het hele goed op te tillen tot hoog boven haar hoofd.

Professor Bleuler was niet van Vaslavs opsluiting op de hoogte. Omdat mijn man niet vrijwillig was binnengebracht maar het een politiemelding betrof, was hij met haast en zonder eerst te zijn gediagnosticeerd, opgenomen in een paviljoen aan de rand van het terrein tussen de gevaarlijke en criminele zieken. Het duurde even voor ik de professor had gevonden en nog langer voordat hij achterhaald had waar men mijn man precies had weggeborgen.

De bejaarde arts rende voor mij uit de gangen door, hevig verontrust, en aan de manier waarop hij de bewakers sommeerde haast te maken om de nieuweling uit zijn verschrikking te bevrijden, begreep ik welk gevaar mijn liefste liep.

De professor en ik keken door een luikje in de celdeur om uit die kluwen mensen mijn man aan te wijzen, maar ik vond hem niet meteen. Pas toen een van de verzorgers een groepje uiteenjoeg, dat zich onder een daklicht had verzameld en daar schouder aan schouder met het hoofd in de nek stond te kijken naar de hemel en de vrijheid daarboven, zag ik Vaslav aan hun voeten liggen.

Ik gilde, omdat ik dacht dat zij hem hadden aangevallen, maar het was erger. Zijn ogen waren open en hij leefde, maar hij bleek totaal verstijfd. De plotselinge schok en de angst van zijn gevangenschap, legde Bleuler later uit, had zijn situatie, die anders stabiel had kunnen blijven, plotseling verergerd en een catatonische aanval veroorzaakt.

Je zou hopen dat mensen je hele leven in overweging nemen voordat ze een oordeel vellen.

Twee verplegers pakten hem op en droegen hem weg. Zijn armen hield hij reikend hoog boven zijn hoofd, zijn benen en tenen gestrekt alsof hij halverwege een van zijn beroemde sprongen was verstard.

3

Wat zouden we beginnen als we wisten wat ons te wachten stond? Niet veel meer, ben ik bang. Konden we ons leven bekijken zoals de goden het zien, van begin tot eind alles overzichtelijk in één oogopslag, dan konden we de stommiteit van bepaalde beslissingen van tevoren inzien. De zinloosheid van ons verzet en al ons vechten zou ons de lust ontnemen wat voor strijd dan ook nog aan te gaan. We zouden geen doodlopend pad meer inslaan en onze weg zonder verder avontuur afsukkelen, rechtstreeks naar het eind dat we onderhand kunnen dromen. Geluk zou ons niet meer kunnen verrassen. In plaats daarvan zouden we gaan zitten wachten, angstig en lamgeslagen, op alle dreunen van het lot, die we van verre zien aankomen. Er zouden geen risico's meer bestaan. Geen spijt. Kortom, het zou er niet veel meer toe doen of wij waken of slapen. Je zou het leven nauwelijks nog kunnen onderscheiden van de dood.

Ik vraag me af waar meer durf voor nodig is, doorleven met een lot dat je kent of aanmodderen zonder enig idee van wat je staat te gebeuren.

*

'Dus er is een spelletje met mij gespeeld?' zei Sergej Pavlovitsj. 'Is dat wat je zeggen wilt, dat ik mijn werkzaamheden in Londen heb onderbroken en die hele reis naar Sankt Moritz helemaal voor niets heb ondernomen?'

Die bewuste dag, daar in de hut van Hanselmann, konden hij en ik met geen mogelijkheid vermoeden dat wij een paar uur later verenigd zouden worden door hetzelfde, grote verlies.

Zouden wij elkaar anders hebben bejegend wanneer iemand ons gezegd had dat de man om wie wij op dat moment onze hakken in het zand zetten, de God van de dans, zoals wij hem kenden, nog vóór de avond gewoonweg op zou houden te bestaan? Hadden we de strijdbijl dan begraven en onze krachten verenigd om van wat ons zo lief was nog te redden wat er te redden viel?

'Ik zag meteen wel dat die enveloppe niet door Vaslav zelf was geschreven, maar ik ging ervan uit dat jij je hand dan eindelijk maar over je hart gehaald had, Romola, dat je besloten had om een gebaar te maken.' Hij zuchtte om zijn teleurstelling te benadrukken. 'Maar die handreiking kwam dus niet van jou, maar van je moeder?'

'Geloof me, de verrassing kan voor jou niet groter zijn dan hij voor mij is.'

'Jouw moeder...' Hij dacht na. 'Sinds wanneer is die zijn grootste vriend? Is zij zo bijgedraaid dat ze nu ineens het beste met Vaslav voorheeft?'

'Ik denk dat ze had gehoopt het contact tussen jou en hem te herstellen.'

'Dat zeg ik.'

'Mijn gok is dat ze dat niet heeft gedaan omdat een herstel van jullie vriendschap haar nou het beste leek wat mijn man zou kunnen overkomen.'

Sergej Pavlovitsj staarde me aan alsof hij werkelijk niet begreep wat ik bedoelde.

'Nijinski die terugkeert bij de Ballets Russes,' zei hij, 'wat zou voor iedereen beter kunnen zijn dan dat? Wij stappen over onze oude wrok heen en beginnen opnieuw. Hij krijgt weer een plek waar hij zijn dromen kan omzetten in nieuwe creaties, jij krijgt je echtgenoot weer te zien zoals God hem bedoeld heeft, in zijn volle glorie, als gezin hebben jullie weer een inkomen en de wereld krijgt zijn genie terug. Het kan me niet schelen wat haar drijfveren zijn geweest, jouw moeder heeft een eerste stap gezet, en dat is lovenswaardig. Hier ben ik.'

'Het was haar bedoeling jullie weer in elkaars armen te jagen.'

'Ach, armen, armen, dat stadium zijn we toch allang voorbij. Alsjeblieft, laten we de goede smaak eer aandoen en dit als volwassenen afhandelen.'

'Vanaf de eerste dag probeert zij mij ervan te overtuigen dat hij zijn eerste liefde nooit echt heeft kunnen opgeven.'

'Ik sluit niet uit,' zei hij, 'dat ik met die vrouw goed zou kunnen opschieten.'

'Zij weigert te geloven dat een mens zijn smaak in de liefde kan bijstellen.'

'Echt, voor mij hoef je haar niet verder op te hemelen,' grapte Sergej Pavlovitsj om te verbergen dat hij, ondanks zichzelf, wat hoop had gevoeld. 'Het is een vrouw met inzicht, zoveel is duidelijk.'

'In haar ogen is Vaslav nou eenmaal geen man.'

'Wel, op dat punt kunnen wij samen haar toch in elk geval geruststellen, nietwaar?' lachte hij alsof hij een nieuwe verovering aan het bespreken was met zijn Petersburgse vriendenkliek.

'Geen échte man,' zei ik geërgerd.

'Ach zo.' Kort zweeg hij, gestoken. 'En wat denk je zelf, Romola, heeft ze een punt?'

*

Natuurlijk heb ik, toen ik eenmaal had besloten dat ik Vaslavs vrouw zou worden, een heel plan bedacht. Nadat ik het in mijn hoofd al helemaal had uitgewerkt zou het bijna een jaar duren voordat ik zelfs maar aan hem werd voorgesteld. Daarna kostte het me nóg een half jaar voordat ik met hem alleen was en wij voor het eerst een echt gesprek voerden. In de tussenliggende maanden had ik me door jan en alleman steeds opnieuw bij hem laten introduceren zonder dat hij me zich ook maar één keer leek te herinneren van een vorige ontmoeting.

Wij leefden in gescheiden werelden. Ook toen ik eenmaal bij de Ballets Russes zat, hij hoger dan de top, ik onder aan de ladder, schenen de hindernissen tussen hem en mij zo talrijk, zo onoverkomelijk dat ik een heuse strategie en al mijn tegenwoordigheid van geest nodig had. Misschien omdat ik me zo concentreerde op alle verschillen tussen ons die ik uit de weg zou moeten ruimen, een voor een, dat ik amper een gedachte heb gewijd aan dat ene verschil, hij man, ik vrouw, waarvoor ik dankbaar was. Ik voelde zelf die aantrekkingskracht tussen de geslachten zo heftig, ik ging ervan uit dat dit nou eens iets was wat van nature alleen maar in mijn voordeel kon werken.

In de weken tussen ons eerste gesprek en ons huwelijk zijn er zat mensen geweest die mij, uit vriendschap of uit jaloezie, vroegen of ik nou te wereldvreemd was of te blind van liefde om me eens goed rekenschap te geven van de geaardheid van mijn aanstaande. Dat leken mij zulke burgermanszorgen. Het was hard werk. Ik had slechts de drie weken die onze overtocht naar Zuid-Amerika duurde om de man van wie ik hield voor mij te winnen.

'Nu kan hij me niet ontsnappen,' had ik geroepen tegen Anna, mijn bediende, zodra ik de passagierslijst had gezien. 'Eenentwintig dagen zon en zee en zonder Diaghilev. Dit is mijn kans.'

In die korte tijd viel er nog zoveel werk te verzetten

om te zorgen dat het überhaupt ooit tot een huwelijk zou komen dat ik gewoon geen tijd had om me een voorstelling te maken van de huwelijksnacht. Ik heb er geen moment aan getwijfeld dat ik, als ik hem maar eenmaal voor mezelf had en hij begreep hoeveel ik van hem hield, hem al het andere zou kunnen doen vergeten. Een mens kan nou eenmaal niet van iemand houden en tegelijk aan zijn toekomst twijfelen.

Het werd een ongewone dag voor een ongewoon huwelijk. Vier dagen nadat ons schip in Buenos Aires aanmeerde werd het voltrokken.

Na de burgerceremonie in het stadhuis gaven wij in ons hotel een lunch, waar behalve wijzelf niemand vrolijk leek. Onze enige gasten waren de andere leden van het gezelschap. Zij wisten niet hoe zij zich moesten opstellen en durfden ons nauwelijks te feliciteren uit angst dat Sergej Pavlovitsj Diaghilev daar thuis in Europa lucht van zou krijgen.

'We hebben Nijinski veel onverklaarbare sprongen zien maken,' sprak iemand ons toe, 'maar de sprong die hij vandaag maakt is werkelijk niet te geloven.'

We braken een stuk van de bruidstaart en namen dat mee naar boven. Ik wilde me met de zoetigheid troosten, maar Vaslav nam het me uit handen en likte de kruimels van mijn vingers, een voor een.

Aan het eind van de middag trouwden wij voor God in de kerk van San Miguel, waarvoor ik met behulp van wat kostuumstukken een ivoorwitte bruidsjapon had geïmproviseerd met in plaats van een sluier een tulband.

Ik zag de teleurstelling op Vaslavs gezicht omdat ik zo afstak tussen alle gouden altaarkrullen en schitterende Zuid-Amerikaanse heiligen. Ik wilde hem iets liefs influisteren om hem op te beuren, maar wij kenden elkaar maar net. Ik sprak nog geen woord Russisch en hij verstond geen Hongaars, dus wisselden wij wat platitudes in het Frans en luisterden verder zwijgend naar het Latijn en het Spaans van de mis en probeerden er iets van te maken.

Van de kerk moesten wij direct door naar het theater voor de generale repetitie van de *Sheherazade*, waarin ik een kleine rol te dansen had als een van de slavinnen. Dit was uitgerekend ook de eerste voorstelling ooit waarin Vaslav en ik een scène deelden. Dit gaf een spanning die me, na alle andere zenuwen van die dag, te veel werd: hij zat als negerslaaf geknield voor de sultana toen ik me voor zijn ogen verstapte en languit op mijn gezicht viel. Hij schrok, had natuurlijk wel te hulp willen schieten en mij willen oprapen, maar werd door de muziek gedwongen in zijn rol te blijven.

Hierna moest ik, met een geschaafde kin en blauwe plekken op mijn armen, nog een heel souper zien door te komen. Aan tafel speculeerde iedereen over wat mij later die nacht te wachten zou staan. Óf mij wel iets te wachten stond.

Vaslav en ik voelden ons zo opgelaten dat we zelfs met onze zelfbedachte pantomime niet meer tot elkaar doordrongen. Hij lachte alleen telkens heel lief, koos de lekkerste gerechten voor me uit en voerde mij die dan met zijn vingers. Dat hij lief voor me was verraste sommigen kennelijk zo dat dit nieuws rondging als een lopend vuurtje.

Er werd wel meer rondgebazuind die avond, niet alles even hartelijk. Iedereen vreesde dat de toorn van Diaghilev op het gezelschap zou neerdalen zodra hij van ons geluk zou kennisnemen, en dit maakte de sfeer gespannen en lichtelijk vijandig.

Op een gegeven moment zweepte men Vaslav op, bij wijze van test, mij eens ten overstaan van iedereen te kussen, en toen hij dit gedaan had kreeg hij applaus als een zeehond die een trucje had vertoond. Het geheel had niet minder beladen kunnen zijn als we ons huwelijk traditioneel hadden bezegeld op het Hongaarse platteland, waar de hele schoonfamilie, gewapend met een hooivork en een zeis, rond het huwelijksbed staat te kijken of de bruid wel op het laken bloedt.

Toen het dan uiteindelijk tijd was om ons onder gejoel en Russische liederen terug te trekken, deed Vaslav op onze kamer het allertederste wat hij die nacht had kunnen doen. Onze begeerten hebben wij later meer dan voldoende uitgeleefd, maar op dat moment nam hij alleen mijn hand, kuste die en trok zich terug. Had ik een beter bewijs van zijn liefde kunnen verlangen? De grootste intimiteit ontstaat tussen twee mensen die elkaar hun eigen wereld gunnen.

*

In de hut van Hanselmann hadden de muren oren. Alles was zo slordig en lang geleden opgetrokken en zo verzakt en aangetast dat ik door de kieren in het hout Lise en Peter bijna kon zien zitten op het bankje in de hal. Ik ving flarden op van hun gesprek, dat nogal verhit leek, en begreep dat zij zodra ze stilvielen iedere stemverheffing van Diaghilev en mij even goed zouden kunnen horen.

'Ik vraag me af,' ging ik zo ingetogen mogelijk verder, 'of je begrijpt wat je in zijn leven hebt aangericht?'

'Eens zien,' zei Sergej Pavlovitsj. Hij begon zijn bemoeienissen na te tellen op de vingers van zijn handschoen. 'Ik heb zijn talent herkend en hem zijn eerste grote rollen gegeven, ik ben het geweest die hem uit de klauwen van het staatstheater heeft gered en een plek heeft gecreëerd waar hij zich onbelemmerd kon ontplooien. Ik heb hem de hele wereld laten zien, hem kennis bijgebracht van kunst en gezorgd dat hij bij alle grote kunstenaars en wetenschappers van onze tijd over de vloer kwam. Ik heb... och jee, kijk nou, één hand is niet eens genoeg.' Hij stak de andere op maar raakte zo vol van zijn eigen verhaal dat hij vergat daarop verder te turven. 'Dat hij talent bezat als choreograaf heb ik ontdekt en toen niemand dat wilde geloven heb ik voor hem gevochten en ik heb hem alle vrijheid gegeven om zich te ontwikkelen. Al het geld dat hij nodig had om zijn ideeën uit te werken kreeg hij van mij en de kans om daarbij samen te werken met de belangrijkste nieuwe schilders, ontwerpers en componisten. Hiermee heeft hij een ongekende revolutie teweeg kunnen brengen in het theater, en de geschiedenis van de dans voor altijd veranderd, en werd hij daarvoor aangevallen, dan was ik degene die hem heeft verdedigd. Toen er in Parijs stemmen opgingen om hem omwille van zijn schokkende vernieuwingen op te pakken heb ik Rodin en de rest van de intelligentsia gemobiliseerd om Vaslav te hulp te komen, en toen hij vervolgens persoonlijk aangevallen werd, heb ik om zijn eer te verdedigen geduelleerd. En dan was er nog... Wie was dat ook weer, ach, help me even, degene die hem met dit alles wereldroem bezorgd heeft?' Tergend dacht hij even na en speelde dat het hem ineens te binnenschoot: 'Ach verdomd ja, dat is waar, dat was ik óók zelf! In de jaren die ervoor nodig waren om hem van een hongerige ingénue om te vormen tot het culturele brandpunt van onze eeuw heb ik hem onderdak verschaft en geld gegeven om zijn moeder en zijn zieke broer te onderhouden.'

'Het enige wat je hem nooit hebt willen geven is een contract.'

'Dit hier was ons contract!' Met zijn vuist sloeg Sergej Pavlovitsj op zijn hart. 'Durfde hij niet verder, dan was ik het die hem moed insprak, en raakte hij geblesseerd of werd hij ziek dan verzorgde ik hem. Ik heb hem gevoed en gekleed en geleerd wat het betekent om van iemand te houden.'

Het brandde op mijn lippen hem voor die les brutaalweg te bedanken omdat ík degene was die daar vandaag de dag profijt van trok, maar het was in mijn belang hem nu niet voor het hoofd te stoten. Bovendien wist ik zeker dat Diaghilev en ik onder liefhebben niet hetzelfde verstonden. Intussen lag nog heel wat erger op het puntje van mijn tong.

Vaslav walgde van Sergej Pavlovitsj. Dat heeft hij me vaak genoeg verzekerd. Van diens eerste handtastelijkheden, meteen al onder het souper bij Cubat, tot hun laatste amechtige wanhoopsworsteling de avond voordat wij scheep gingen naar Buenos Aires, heeft mijn man een sterke fysieke afkeer gehad van Diaghilevs attenties. Is het een wonder? Veel mannen die bij hun eigen seksegenoten in de smaak willen vallen, zijn zulke voorbeeldige exemplaren en werken zo hard aan hun voorkomen dat het niemand hoeft te verbazen dat ze succes hebben. Nou, zo iemand was Sergej Pavlovitsj niet. Hij had geen enkele klassiek-Griekse trek en alle training in de wereld zou hem die niet hebben kunnen bezorgen. Misschien dat de buitenissige vorm van zijn hoofd hem er al jong toe had gebracht alle hoop op aantrekkelijkheid te laten varen. In elk geval had hij zich volledig laten gaan en een gestalte ontwikkeld zoals je die verwacht van bejaarde douairières voor wie ze bij alle bals een paar canapés rond de haard schuiven, zodat ze daar samen de mooie jonge mensen die voor hun ogen rondzwieren vol afgunst kunnen afkraken. Alleen omdat hij een zekere macht bezat, kon zo iemand ooit nog de aandacht van een jong mens trekken, en de enige manier waarop hij zijn onfortuinlijke oogappel vervolgens zou kunnen veroveren was door van die macht schaamteloos misbruik te maken.

Wat voor keus had Vaslav indertijd gehad? Zijn moeder, zijn broer en zijn zusje, die ook ballerina wilde worden, waren in die beginjaren voor hun onderhoud van hem afhankelijk. De eerste slag won Sergej Pavlovitsj dus door Vaslav te verzekeren dat het zijn familie, zodra zij tweeën goede vrienden werden, nooit meer ergens aan zou ontbreken. Nadat hij de jongeman hiermee zijn suite in Hotel Europa binnen had weten te lokken, had hij hem daar verder onder druk gezet door hem allerlei grote rollen voor te spiegelen die hij voor hem in petto had en tegelijk te laten doorschemeren hoe hijzelf zich, zonder ooit nog om te zien, ontdeed van iedereen die hem ook maar een strobreed in de weg legde. Een onvolwassen jongen die nooit geleerd had voor zichzelf op te komen, murw van gehoorzaamheid aan de ijzeren discipline van het keizerlijk ballet, wat voor kans had die in de klauwen van een volleerde intrigant, die gekroonde hoofden de duimschroef had weten aan te draaien en zelfs van de meest gehaaide investeerders geld had weten los te weken voor niets meer dan zijn dromen?

Hun eerste nacht moet weerzinwekkend zijn geweest, dat vormeloze witte lijf, hoe dat het andere, volmaakte, dat nooit anders gewend was dan te streven naar het hoogste en het schoonste, in zijn greep moet hebben gehouden en terneergeduwd. Mijn God, de vuiligheid die daaraan te pas gekomen is en de gesmoorde kreten om genade.

Dit alles en nog veel meer heeft mijn man mij beschreven, soms tot in de meest ongewenste details. Ik bezat dus genoeg ammunitie om Sergej Pavlovitsj daar ter plekke mee te vloeren en te breken.

Ik aarzelde en keek mijn tegenstander aan.

Even kwam hij me breekbaar voor, weifelachtig zoals hij daar zat, terwijl hij probeerde in te schatten of ik met alle vuil dat ik zo goed als zeker van hem wist ook echt ging gooien. Ik begreep ineens hoe mijn aartsrivaal en ik ronddobberden, voortgedreven door dezelfde storm.

Wie verzekert me, dacht ik, dat mijn man, gevoelig als hij is voor sferen en humeuren, als de dood voor elk conflict en voortdurend naar stilte hunkerend en harmonie, in een omgekeerde situatie niet hetzelfde gedaan zou hebben en mij zou zijn afgevallen? Niet uit kwaadaardigheid maar uit zucht naar pais en vree, om druk en spanning weg te nemen en onzekerheid of jaloezie te sussen. Moeilijk om toe te geven, maar ik wist ook dat mijn man tegen mij slecht over Sergej Pavlovitsj sprak omdat hij wist dat dit was wat ik wilde horen. Hoe oprecht zijn weerzin op dat moment ook was, ik wist ook dat Vaslav niet sterk was en zich makkelijk voegde naar degene aan wie hij zijn hart geschonken had.

Gaat een vrouw minder voor haar man voelen naarmate zijn zwakheden zich duidelijker voor haar aftekenen? Integendeel, eerder voedt het haar verlangen. Ze neemt haar verlies, registreert zijn feilen en zwijgt erover. Dit is wat liefde voor een vrouw betekent.

'Over één ding kunnen we het eens zijn,' verzuchtte ik. 'Het is nou eenmaal een man die je erg makkelijk kunt liefhebben.'

'Blijkbaar.'

'Waarschijnlijk is dat een van de geheime ingrediënten van zijn succes: hem zien is van hem houden.'

'Nog een geluk dan dat niet iederéén dit tot het uiterste doordrijft,' beet Sergej Pavlovitsj mij nog even bitter toe, 'en de meeste mensen er genoegen mee nemen hun genegenheid gewoon vanuit de zaal te betonen door middel van applaus.'

'Het is zijn onschuld.' Ik bleef onverstoorbaar. 'Zou het dat niet kunnen zijn? Dat is zoiets overrompelends, zo innemend en ongebruikelijk dat je de neiging krijgt het aan te willen raken.'

'Dat klinkt als iets wat vrouwen doen wanneer ze een kinderwagen tegenkomen. Stel je voor, de beklemming van het kind dat voortdurend van die brabbelblije hoofden over zich gebogen ziet.'

'Niet kinderlijk, nee, dat bedoel ik niet, hij is juist groter dan wijzelf. Sereen zou ik zeggen, meer dan een mens doorgaans gewend is, eerder iets goddelijks.'

'God kan ik toch echt niet voor onschuldig houden. Trouwens, Vaslav net zomin.'

'Hoe zou je dan die kwaliteit beschrijven?'

'Wereldvreemd, bedoel je dat? Alsof hij tussen ons verdwaald is. Vooruit, een nogal hulpeloze godheid dan.'

'Een die erom vraagt hem bij de hand te nemen.'

'En nou, dat hebben wij gedaan.'

'Dit hebben wij mogen doen, jawel.'

Hier kruisten onze blikken en bleven, onhandig, even hangen, bezwaard door die plotselinge eensgezindheid. Ik geloof zelfs dat ik Sergej Pavlovitsj betrapte op een glimlach. Het kan ook een van zijn zenuwtrekken zijn geweest. Hij wendde zich snel af en keek naar buiten.

'Toch voelt dat niet goed,' zei hij hoofdschuddend, 'dat wij als zijn grootste kracht iets noemen wat in anderen een zwakte is.'

'Omdat het tegelijk zijn ongeluk is,' zei ik. 'En zijn verdriet. Vaslav begrijpt de wereld niet en lijdt eronder.'

'Hij snapt niet dat een ander om overeind te blijven weleens van zich af moet bijten.'

Ik stond op, liep naar Sergej Pavlovitsj toe en keek met hem mee uit over het dal.

Daar ergens beneden was hij, de man van ons leven, druk aan het oefenen. En voor een ogenblik, ik durf het te zweren, gleden onze gedachten samen in zijn richting, over dat lichaam ver van ons vandaan, zijn brede adem, met elke inspanning zwaarder, dieper, we zagen in gedachten de druppeltjes opwellen, eerst in zijn nek en op zijn voorhoofd, het vocht dat in het midden van zijn borst komt en dan een weg zoekt over de spieren van zijn middenrif, zoals het ook op zijn rug zich eerst nog wat verzamelt in de kuiltjes boven zijn nieren en dan zachtjes sijpelt, glanzend in de welving, tot in de bedding van zijn billen.

'Hij heeft dat ook nooit hoeven snappen,' zei ik, 'hoe er in het leven voor elke overwinning op het scherp van de snede gevochten dient te worden, hoe een mens elke duimbreed winst die hij behaald heeft tot in eeuwigheid met hand en tand moet blijven verdedigen.'

'Wij zijn tot nog toe uitstekend in staat gebleken zijn gevechten voor hem te leveren.'

'En dat zullen we blijven doen,' zei ik.

Sergej Pavlovitsj keek me aan.

'Ach ja,' verzuchtte hij, 'keihard voor iemand vechten mag ook best eens liefde heten.'

4

Er is een kort moment – de tralies zijn maar net gesloten, achter je rug is de bewaker nog aan het ratelen met
de grendels van de poort – waarin het leven je met zo'n
kracht overspoelt dat je met gesloten ogen stil moet
staan om je schrap te zetten. Liever zou je meegeven. Je
door je levenslust laten meesleuren, zo ver mogelijk van
alle verschrikkingen vandaan, en daar nooit meer tussen
terug te hoeven keren!

Wie niet weet wat het is een geliefde achter te moeten
laten tussen de krankzinnigen kan het onmogelijk begrijpen, maar zo gebeurt het. Week in, week uit, elk bezoek
weer. Hoe hartverscheurend het afscheid ook is geweest
– nog één keer omkijken dan maar naar die gestalte die
je in pyjama op het einde van een kale gang staat na te
kijken –, steevast wordt het gevolgd door zo'n ogenblik
van ongepaste opluchting. Ook dit keer blijkt de wereld
toch niet te zijn verzwolgen door jouw verdriet, hij heeft
wel erger overleefd. Je ademt, ademt, ademt, ondanks alles ineens zo dankbaar dat je buiten bent en vrij.

Het is dat gevoel waardoor iedereen, al zal niemand
dat graag toegeven, wel overvallen wordt na afloop van
een begrafenis: voor jou is alles in dit leven nog mogelijk,
jubelt het van binnen, en je ziet even heel helder wat je
op de heenweg is ontgaan: de knoppen van de magnolia's
gaan al open, het is voorjaar. Je zou nu op reis kunnen
gaan en alles achterlaten of liever nog de liefde bedrijven,
maakt nu even niet uit met wie, als het maar dwaas is en

levend en vol overgave, troostend, lang en diep en over-rompelend.

Zover komt het nooit, want met de volgende adem-stoot doemt hij alweer op, die blik daarnet die schreeuw-de: dit is niet waar hè, nee, alsjeblieft nee, niet vandaag alwéér, hier kan jij mij toch zeker zo niet achterlaten?, dat toonloos, tomeloze, traanloos huilen dat wil zeggen: vecht voor mij, in godsnaam lever mij niet aan hen over, neem mij mee! Deze herinnering aan het eenzaam onbe-grip van die ene aan de andere kant van de gestichtsmuur verzengt het leven dat daarnet eventjes de kop opstak onmiddellijk, zodat jou uiteindelijk niets anders rest dan schaamte over de opluchting die je hebt kunnen voelen.

Niet dat ik ooit ook maar één seconde heb geloofd dat mijn man geesteziek geweest is, toen niet, later niet en nog altijd blijf ik daarbij. Elk bezoekuur opnieuw heb ik hem dat ook ingefluisterd, als ik met zijn handen in de mijne zat en hem moed insprak en probeerde voor te be-reiden op bepaalde experimenten die op hem moesten worden uitgevoerd. Ik vocht ze aan. Ieder moment dat ik niet aan zijn zijde zat, was ik met advocaten in de weer om de beslissing van de rechter-commissaris aan te vechten en ik bedelde er bij professor Bleuler om dat hij het attest van de politiearts naast zich neer zou leggen en mijn man zou laten gaan. Ik probeerde hem te overtui-gen dat de symptomen die hij waarnam, dat zwijgen, de uitbarstingen, niet anders waren dan het temperament van een artiest, van een overgevoelig menselijk wezen, zoals hij in ons eerste gesprek zelf had gesuggereerd, maar hij bleef bij zijn diagnose. Wel was hij het met mij eens dat dit niet per se op een gesloten afdeling hoefde te gebeuren, liever niet zelfs vanwege alle heftige indruk-ken. Door de getuigenissen van mijn moeder en door het document dat zij had laten opstellen, waren Bleulers handen echter gebonden. Er zat nu niets anders op dan Vaslav verder te behandelen zoals vereist en te hopen dat er na verloop van tijd enige verbetering zou optreden. Bij de minste tekenen daarvan, beloofde de professor, zou hij mijn lief genezen verklaren en kon de verordening tot opsluiting eindelijk worden vernietigd.

Zes maanden duurde deze worsteling waaronder Vaslav steeds meer leed, een half jaar waarin ik moest toezien hoe hij zich elke dag verder in zichzelf terugtrok. Uiteindelijk was het ook voor de verpleging onmiskenbaar: de behandeling en zijn dagelijkse omgang met zwaar gestoorden maakten zijn toestand alleen maar slechter. Hij begon hallucinaties te krijgen, stelde zich vijandig op tegen het personeel en werd af en toe zelfs gewelddadig, die meest zachtaardige van alle mannen, zodat men hem bij tijd en wijle eenzaam opsloot of moest vastbinden in een dwangbuis.

Het enige lichtpuntje was het bezoek op zondag, de dag waarop ik Kyra mee mocht nemen. Op die leeftijd is elke reis een avontuur, en als ik zei dat wij naar Kreuzlingen gingen om pappa op te zoeken leek ze daar niet tegen op te zien.

Zij ging met alle indrukken daar ook zoveel beter om dan ik. Zo was er als je binnenkwam altijd een vrouw op de gang hardop aan het huilen. Zij had haar tafel en een stoel voor de deur van haar kamer gezet en zat zonder ophouden te blèren, als je kwam, als je ging, wanneer je tussendoor eventjes naar de wc ging, altijd op dezelfde volle sterkte en met grote dikke tranen. Zelf zag ik elke keer gruwelijk tegen die confrontatie op. De eerste keer dat ik Kyra meenam, had ik haar om haar tegen het gekerm te beschermen op de arm genomen, gezicht tegen mijn borst gedrukt, mijn handen over haar oren. De tweede keer was ze me te vlug af en al vooruitgehold. Toen ik haar inhaalde stond ze naar de vrouw te kijken. Ze aarzelde wel even, maar leek zich daarna over te geven, alsof het onderdeel was van een groot, vreemd spel waarvan zij de regels nog niet kende, en zonder er verder nog veel aandacht aan te schenken liep ze de huilebalk voorbij. Na een paar weken was zij er zo aan gewend dat zij uit zichzelf een keer een stoel had bijgeschoven en met haar tekenblok en wat potloden bij de vrouw aan tafel was gaan zitten, helemaal verdiept in het kiezen van de juiste kleuren voor het gras, blauw voor de autootjes, rood voor de daken, waarvan de gekkin zo opkeek dat ze voor het eerst in maanden een tijd stilviel.

Kyra's kinderlijke zorgeloosheid maakte de zondagmiddagen luchtiger en ook voor Vaslav draaglijk. Hij introduceerde haar bij de enige vriend die hij op de afdeling gemaakt had, een jongen van een jaar of achttien die scheen te denken dat hij een orkest was, want hij liep de gangen op en neer, zichzelf dirigerend. Daarbij bracht hij muziek voort, inventief en eigenaardig, uit alle hoeken en gaten van zijn eigen lichaam. Eigenlijk was het virtuoos. In een ander leven had hij er in het vaudeville beroemd mee kunnen worden, maar zoals het was bracht hij zijn meerstemmige melodieën zoemend en piepend, fluitend, trommelend en knarsend voor een publiek van zotten dat er niet van op- of omkeek.

Alleen Kyra en Vaslav leken hem echt te horen. Meer dan eens zijn zij samen uitgelaten achter hem aan gegaan – niets wat ik zei kon ze daarvan dan weerhouden – springend, dansend of jonglerend met een strooien hoed, zorgeloos alsof het circus in de stad was en zij meeliepen in de cavalcade.

Die ene dag in de week woog niet op tegen de uitzichtloosheid van Vaslavs situatie. Ik vond al een tijdje dat hij verslapte en van die ingevallen wangen had en vroeg me af of dit het effect kon zijn van slapeloosheid of van alle kuren die hij kreeg toegediend. Toen, per ongeluk, liep ik een keer binnen net nadat hij in bad gedaan was door een van de verplegers en zich nog stond af te drogen.

Was dat het lichaam dat ik kende, dat mij had liefgehad? De dikke spierstrengen die hij in de loop der jaren had opgekweekt leken wel los te hangen in zijn vel. Ik schreeuwde tegen de ziekenbroeders hoe het mogelijk was dat zijn vermagering niemand had gealarmeerd en kreeg te horen dat mijn man al een tijdlang niet meer wilde eten. Alleen door hem te voeren kregen ze nog weleens wat naar binnen, durfden ze me in mijn gezicht te zeggen. Ze verdachten hem er soms van, gaf een van hen toe, dat hij zijn voedsel daarna op het toilet toch stiekem weer uitbraakte, maar tot dan toe had niemand hem daarop echt kunnen betrappen.

Ik greep mijn man bij de arm en in zijn half ontklede toestand voerde ik hem mee over de gang, zo gevaarlijk furieus dat de sleutelhouder mij bij de deur niet durfde tegenhouden en de tralies zonder morren voor ons opende. Met Vaslav aan de hand rende ik drie trappen af en stormde zonder kloppen het kantoor van Bleuler binnen.

'Kijk eens aan,' tierde ik tegen de arts, 'hoeveel meer bewijs hebt u nog nodig dat die behandeling van u mijn man alleen maar te gronde richt, zijn overlijdensbericht?'

Een gevecht voor iemand leveren, ben ik de enige voor wie dit een manier geworden is om lief te hebben? Is dat ongemerkt gebeurd, of heb ik het altijd al zo gedaan en kan ik het niet anders? Wie durft er iets van te zeggen? Iedere moeder kent dit toch zeker, dat je een moord zou doen als je daarmee het geluk en de gezondheid kon verbeteren van degene die je het liefst is. Dat dat andere, kwetsbare leven je zoveel kostbaarder voorkomt dan dat van jezelf. Is een volwassen liefde zoveel anders? Waarom zou een vrouw niet datzelfde kunnen voelen voor haar man, zeker als het noodlot hem zo afhankelijk van haar gemaakt heeft als een kind?

Meteen de volgende ochtend kon ik Vaslav in Kreuzlingen komen ophalen. Bleuler gaf me een geschreven attest mee voor de politiecommissaris. Daaruit bleek dat de behandeling thuis moest worden voortgezet 'aangezien voor het uitzonderlijke geval van deze heer Nijinski de rust ener vertrouwde omgeving weldadig en noodzakelijk geacht dient te worden ter bevordering van deszelves genezing'. Hiermee stelde de arts zichzelf ook meteen vrij van elke verantwoordelijkheid – en God, wat zal hij blij geweest zijn dat hij ervanaf was – zodat alle zorg voor Vaslavs geestelijke en lichamelijke gezondheid vanaf deze dag bij mij berustte.

In een lang en somber gesprek onder vier ogen probeerde hij me voor te bereiden op de gevaren die wij tegemoetgingen, niet alleen met Vaslavs aanvallen of buien en het onvoorspelbare verloop van de voortgang van zijn ziekte, maar vooral ook financieel. Hij rekende mij voor wat alleen de dag- en nachtzorg ons al zou gaan kosten, want Vaslav moest vierentwintig uur per etmaal professioneel worden begeleid en geobserveerd, en daar kwam dan de voortdurende supervisie van de artsen, die ik voortaan zelf zou moeten aantrekken en bekostigen, ook nog eens bij.

Professor Bleuler trok een gezicht alsof hij mij en mijn gezin een brandende vlakte in moest sturen. Ik liet mijn hoofd hangen en knikte over alles ernstig met hem mee. Met een klein stemmetje verzekerde ik hem dat ik de ernst van onze problemen volledig inzag, maar ondertussen hoorde ik in mijn hoofd een voltallig knapenkoor Rossini zingen: 'Ja hoor,' galmde het, 'het zal allemaal wel, nu nog een kwartiertje, nog tien minuten maar, vijf minuten nog en dan is het gas op de plank en ik scheur hier met mijn lieve schat zo hard vandaan dat geen witte jas ons ooit meer inhaalt.' Die hele treurspeech van de professor maakte mij net zo ongedurig en gretig om Vaslav mee naar huis te nemen en hem voor mezelf te hebben als indertijd de toespraak van de huwelijksambtenaar in Buenos Aires. Zoveel woorden terwijl ik de hele tijd maar één ding wilde: mijn man eindelijk helemaal voor mezelf hebben.

Van de nieuwe, zware taak die me te wachten stond maakte ik me geen voorstelling. Op dat moment voelde de opdracht die ik zojuist op me had genomen nauwelijks anders dan een hernieuwde, serieuzere en verinnigde belofte van trouw.

Alle nieuwe kansen van ons leven werden belichaamd door Tamara, onze tweede dochter, die het jaar daarop geboren werd. Dit geluk bracht de sprankeling in Vaslavs ogen terug. Zolang ik in het kraambed lag zorgde Vaslav voor mij en voor het kleintje als een volleerde vroedvrouw. Hadden alle kwaadsprekers toen maar kunnen zien hoe hij in de weer was, dan had geen mens durven beweren wat je nu overal hoort fluisteren, dat ons tweede meisje vast niet Vaslavs eigen vlees en bloed was maar een liefdesbaby van Curt Frenkel. Ook maanden daarna liep Vaslav nog glunderend door ons nieuwe huis in Wenen, de baby wiegend op zijn ene arm, Kyra knuffelend op zijn andere.

Nog altijd sprak hij niet, maar in zijn omgang met de kinderen is dat nooit een probleem geweest. Zij zijn hem altijd perfect blijven begrijpen, en ook ik kwam er zo langzaam achter dat veel van de mededelingen waarvoor mensen woorden gebruiken met even groot gemak kunnen worden aangevoeld. Vaak zelfs zuiverder. Misschien geldt dit alleen voor zielsverwanten, maar ik ben geneigd te denken dat iedereen hiervoor van nature voelsprieten bezit, die echter beschadigd zijn geraakt door overmatig woordgebruik. Als je er eenmaal aan gewend bent elkaar op deze andere, stille manier te begrijpen, merk je hoe vaak woorden je alleen maar van de kern afleiden. Hoe essentiëler de boodschap, hoe beter die in stilte over- komt. Het zijn doorgaans juist de akkefietjes en onnozel- heden die nadere uitleg vragen.

Dit betekent niet dat ik ook maar één moment de hoop had opgegeven dat ik mijn man in zijn oude glorie zou kunnen herstellen. Integendeel. In Zwitserland heb ik Vaslav laten onderzoeken door professor Jung en profes- sor Forel. In Wenen had ik mijn hoop aanvankelijk op doktor Sigmund Freud gevestigd, maar hij wist mij te verzekeren dat zijn manier van behandelen, door middel van psychoanalyse, voor mijn man volslagen nutteloos zou zijn en verwees ons door naar professor Wagner- Jauregg. Dit leek inderdaad een gouden greep, want hij was in al die tijd de eerste die ons hoop gaf op volledig herstel.

Tot het zover was, vond hij, kon ik thuis voor Vaslav blijven zorgen, precies zoals iedere huisvrouw ervan droomt dat voor haar man te doen, en mocht het nodig zijn dan kon ik altijd ondersteuning krijgen van de staf van het Steinhof Sanatorium. Een enkele keer maar heb ik een beroep op hen gedaan, uitsluitend wanneer Vaslav onmogelijk recalcitrant werd.

Verder stond ik er alleen voor. Mijn moeder is haar nieuwste kleinkind één keer komen opzoeken, maar zij wilde ons enkel buitenshuis ontmoeten. Bij ons over de vloer komen durfde zij niet meer, zogenaamd uit angst voor Vaslav. Dat ze op mij bleef inpraten is één ding, ik was sterk genoeg en kende al haar trucjes, maar dat ze

Kyra tegen haar vader probeerde op te zetten een heel ander.

'Klopt dat, mamma,' vroeg mijn kleine meisje toen ik haar naar bed bracht nadat zij een middagje onder oma's hoede naar de dierentuin was geweest met daarna taartjes bij Sacher, 'dat pappa binnenkort ook eens in zo'n kooi gaat zitten net als de gorilla's?'

'Natuurlijk niet, schatlief,' antwoordde ik zo luchtig mogelijk, 'hoe kom je daar nou bij?'

'O, maar dat is niks niet zielig, echt niet, dat doen ze voor hun eigen bestwil. Dat is juist lief. Zij gaan daar uit zichzelf in, hoor, om te zorgen dat ze niemand ooit per ongeluk eens kwaad doen.'

De volgende ochtend kwam het tussen mijn moeder en mij tot een breuk, waarvan ik toen dacht dat hij definitief zou zijn. Hiermee meende ik ook van haar intriges af te zijn en ik bleef daarom niet voldoende op mijn hoede.

Enkele weken later, toen ik voor een paar dagen de stad uit moest, sloeg zij opnieuw toe en ontvoerde Vaslav voor de ogen van zijn kinderen naar Hongarije, waar ik hem weer moest redden, dit keer uit het staatsgesticht net buiten Boedapest, maar ik kwam niet op tijd om te voorkomen dat ze die onschuldige ziel onderwierpen aan een aantal van hun gruwelijke, middeleeuwse methoden.

Wat ik maar zeggen wil, hoe iedereen mij nu ook neerzet, ik heb, met alle fouten die ik vast ook heb gemaakt, mijn leven in dienst gesteld van wat er nog te redden viel. Iedereen die maar hoop kon bieden ben ik af geweest, eerst alleen doktoren, de beste van Europa, later in mijn wanhoop astrologen en gebedsgenezers. Nadat een tocht naar Lourdes met al dat poedelen in heilig water en zoveel dagen bidden niets had opgeleverd, volgens de priesters omdat mijn geloof niet sterk genoeg meer was, heb ik alles wat er op dat gebied aan charlatans rondliep een kans gegeven, tot de Christian Scientists aan toe.

Uiteindelijk heb ik een flat gehuurd in Parijs, de stad waar Vaslav zo had liefgehad, waar hij zijn schandalen had gecreëerd en zijn triomfen gevierd, in de hoop dat de herinneringen aan die tijd hem misschien een nieuwe impuls zouden geven. Ik heb hem er meegenomen naar concerten en theaters, naar ieder ballet en naar een nachtclub waar een groep kozakken optrad, maar niets van zijn oude leven kon hem genoeg boeien om hem uit zijn behaaglijke lethargie te doen ontwaken. Hij was stil en hij bleef stil en leek volkomen tevreden te leven in zijn eigen hoofd.

Dit was een kostbaar bestaan. In de loop der jaren ging alles wat ik bezat eraan op. Sinds de ruzie met mijn moeder had ik geen toegang meer tot het fortuin van mijn familie en moesten wij met zijn vieren leven van wat ik had gespaard. Met de bodem van onze portefeuille in zicht móést ik iets doen om te voorkomen dat Vaslav de bekwame, zachte zorg die ik nauwelijks nog kon bekostigen, zou verliezen en hij zou zijn overgeleverd aan het gratis, maar meedogenloze regime van de staatsasiels.

Goddank kreeg ik werk aangeboden in de Verenigde Staten. Mijn man mocht ik niet meenemen omdat dat land, zo trots op zijn gastvrijheid voor ontheemden en ontredderden, psychiatrische patiënten niet binnen zijn grenzen toelaat, maar ik had geen keus en ging alleen. Met het geven van lezingen en het schrijven van een boek over het leven van mijn man verdiende ik daar genoeg om zijn verpleging weer voor enige tijd veilig te stellen. Maar alles bij elkaar was het nog niet genoeg voor een nieuwe revolutionaire behandeling die intussen in Oostenrijk ontwikkeld was door dokter Sakel, een therapie die even omstreden was als veelbelovend.

Ik vermande me en voor het eerst besloot ik te gaan bedelen bij enkele oude kennissen in Londen. Hun reactie was overweldigend. In mei 1937 hielden zij een benefietgala in His Majesty's, wat vijfentwintighonderd pond opbracht. Hiervan werd een stichting opgericht met als doel de redding van hun vriend Nijinski, en later dat jaar werd op Piccadilly een tentoonstelling van Vaslavs tekeningen gehouden die zeker nog eens zo'n bedrag opbracht.

Zo keerden wij na bijna twee decennia terug in Kreuzlingen voor de volgende beproeving. Iets waarvoor velen mij hadden gewaarschuwd, want iedere ochtend werd door dokter Sakel en zijn artsen met behulp van insuline bij Vaslav een zware epileptische aanval opgewekt, waarna hij in een coma raakte, elke dag opnieuw.

Maar als hij na enkele uren bijkwam was hij helderder dan ooit. Dan antwoordde hij klip en klaar op alle mogelijke vragen en hij loste zonder moeite logische problemen op. Dit was voor het eerst in jaren dat hij een beetje sprak. Zijn stem weer te horen, alleen dat leek mij alle risico's al te rechtvaardigen.

De behandeling bleek een zware aanslag op zijn gestel, maar goddank was hij nog altijd sterk. Elke middag zat ik aan zijn bed – dit onderdeel van de therapie kon alleen worden gegeven door een dierbare – en ik probeerde zijn interesse te stimuleren door middel van gesprekken, voorwerpen, foto's en herinneringen, tennis, wandelen, pianospel en wat al niet. De genezing was merkbaar maar verliep tergend traag. Wat in elk geval bleef waren zijn grote verlegenheid en zijn hang naar stilte, die hij goedbeschouwd vanaf zijn jeugd al had gehad. Elke poging hem in een conversatie te betrekken, waarover dan ook, wees hij af, en volhardde iemand hierin dan werd hij woest.

Ieders verwachting was dat zijn verbetering zou doorzetten, en omdat hij de meeste baat zou hebben bij volledige rust keerden wij terug naar de Alpen en betrokken op zesduizend voet een hotel in het Berner Oberland. De omgeving daar deed ons sterk denken aan ons geliefde Sankt Moritz, een weldaad die op ons allebei heilzaam werkte.

Elke dag zaten wij met zijn tweeën in de kleine bar van ons hotel. Vaslav deed niets liever dan gewoon maar een beetje kijken naar de voorbijgangers, een liefhebberij die hij ooit samen met Bakst had ontwikkeld op het terras van het Café de la Paix. Voor het eerst viel me op wat een kalm volkje die Zwitsers zijn, misschien dat het Vaslav daarom wel zo goed beviel, je ziet ze zelden zomaar lachen, zeker niet op straat, en – misschien heeft het met de ijle lucht te maken – luide gesprekken hoor je eigenlijk nooit. Wanneer er iemand langs wandelde die ons opviel stootten wij elkaar aan.

Dat simpele gebaar, wat kan ik daarnaar terugverlangen. Wat was het helemaal? Ineens een por in mijn zij, even mijn hand op zijn arm, een knie tegen een knie en dan samen lachen om een derrière zo geprononceerd dat je er een pot bier op zou kunnen serveren, om een hoed met een mottige pluim, om iemand met een telgang.

Vaslav had een scherp oog voor wonderlijke motoriek. Ieder opmerkelijk gebaar of afwijkende houding sloeg hij in zich op. Dagen later kon hij soms ineens opstaan en me aankijken alsof hij zeggen wilde: herinner je je deze? Om dan de ruimte heen en weer te lopen in een perfecte imitatie van deze of gene die ons opgevallen was. Op die momenten waren wij vanzelfsprekend één, in ons plezier volstrekt gelijk, misschien wel voor het eerst, zoals geliefden horen te zijn. Zolang dit duurde was ik niet de oppasser, hij geen patiënt, maar waren wij gewoonweg man en vrouw.

Op een dag, terwijl wij achter ons vaste tafeltje aan het raam zaten met ons verse vruchtensap, was er op straat ineens grote opwinding. Mensen liepen zenuwachtig heen en weer of maakten rechtsomkeert en renden terug naar hun hotels om hun koffers te pakken. Te midden van de majesteitelijke kalmte van de omgeving deden hun zenuwen lachwekkend aan, alsof iemand midden tussen de beau monde een stel muizen losgelaten had, en Vaslav en ik hadden dan ook de grootste pret.

Toen zette een ober de Beromünster aan, het Zwitserse radiostation, en klonk door de zaal op volle sterkte het nieuws dat Duitsland geen gehoor zou geven aan de roep om Danzig ongemoeid te laten. Hierna was het een tijdlang stil, in de ether en aan de tafeltjes om ons heen.

Vaslav dronk in alle rust zijn glas leeg. Hij likte de vruchtenvezels van het rietje en bette zijn lippen aan het servet.

'Zo,' sprak hij volkomen onverwacht. Ik schrok ervan. Opeens was zijn stem krachtig en helder als vroeger. 'Opnieuw dus roepen ze "*Deutschland, Deutschland über alles.*"' Hij keek me aan, van het ene op het andere moment volstrekt normaal, vriendelijk, open, wachtend op mijn reactie alsof wij elke dag hele gesprekken voerden. Alsof hij wel vaker iets uit zichzelf zei. Alsof we na een pauze van twintig jaar zomaar ineens doorgingen waar we indertijd in Sankt Moritz waren gebleven.

'Let op mijn woorden,' ging hij verder, alsof ik iets zou kunnen missen waarop ik zo lang had gewacht. Hij wenkte de ober, bestelde nog eens hetzelfde, twee glazen jus d'orange, en sprak: 'Dit is het begin van de tweede akte.'

Zoals zoveel mensen raakten ook wij in het nauw zodra de legers van Hitler zich over Europa begonnen te verspreiden. Al mijn diplomatieke contacten heb ik ingezet en zonder uitzondering zagen ze als enige uitweg dat ik op mijn Amerikaanse visum het land zou ontvluchten en me bij mijn dochters zou voegen, die goddank sinds enkele jaren in de Verenigde Staten woonden, Kyra pasgetrouwd, Tamara op een kostschool. Mijn eigen vrijheid lag dus binnen handbereik. Zo zou ik alle gruwelen die Europa te wachten stonden kunnen ontlopen. Mijn man, die immers Amerika niet in kwam, zou dan achterblijven in het staatsgesticht.

Moest ik de vorderingen die wij de laatste jaren zo moeizaam hadden gemaakt tenietdoen door hem opnieuw weg te bergen tussen de krankzinnigen? Ondenkbaar. Dus wat dan? Met onze Nansenpaspoorten konden wij uitsluitend door neutraal gebied reizen, zodat Hongarije de enige optie leek te zijn. Binnenkort zou onze weg daarheen via Italië en Joegoslavië ook afgesneden zijn zodra Mussolini de geallieerden de oorlog zou verklaren.

Om te voorkomen dat wij zonder een cent vast zouden komen te zitten in Zwitserland moest ik dus snel handelen, en ik deed het ondenkbare: met hangende pootjes togen we naar Boedapest. Er zat niets anders op dan ons over te leveren aan de nukken van mijn moeder. Zij was niet blij, maar nam ons in huis en duldde ons. Daar leefden we tussen intriges en achterdocht totdat de Duitsers het land bezetten, en Hongarije de oorlog verklaarde aan Amerika en Engeland.

Toen de ambassades van die landen dichtgingen en de diplomaten hun spullen pakten heb ik drie dagen en twee nachten in de regen bij ze aan de poort gestaan. Iedereen die langskwam heb ik vastgeklampt en uitgelegd wie Vaslav was. Gesmeekt heb ik of ze hem wilden redden door hem met zich mee te nemen, maar niemand kon ons helpen.

Nu deze laatste kans verkeken was, vroeg mijn moeder ons om te vertrekken. Haar tweede echtgenoot was van geboorte joods en zij hield diverse joodse stadsgenoten verborgen in haar huis. De aanwezigheid van Vaslav, die om twee redenen elk moment kon worden opgepakt, als Rus en als gewezen psychiatrisch patiënt, bracht al hun levens in gevaar.

Een tijdlang trokken we van plek naar plek, door de heuvels rond de hoofdstad, hielden ons schuil op diverse plaatsen langs het Balatonmeer en in de buurt van Sopron, '*Kak Zigane*,' zoals Vaslav zei, 'zoals zigeuners'.

Hij wist niet hoe dicht hij hiermee bij de waarheid kwam, want het ergste nieuws probeerde ik bij hem vandaan te houden, zoals de berichten, waarvan mij er steeds meer bereikten, over de vervolgingen en de verschrikkingen die zich om ons heen voltrokken. Verhalen kwamen op gang over wat zich in de gevangenenkampen afspeelde, al was dit nauwelijks te geloven, en in Svabhegy kregen we bezoek van Wilhelm Furtwängler, die een concert kwam geven. Hij was Duits maar had het beste met ons voor, nam mij apart en waarschuwde dat hij op zijn weg hierheen treinen had gezien, afgeladen met geestelijk gestoorden die uit hun tehuizen waren weggevoerd om als beesten te worden afgemaakt. Radeloos trok ik naar de hoofdstad en vroeg belet bij de hofmaarschalk, die verre familie van me was, maar alles wat hij doen kon was mij aanraden richting Oostenrijk te trekken, omdat de Russen weldra aan de oostgrens zouden staan en daar de strijd alleen maar zou verhevigen.

Mijn laatste schaamte legde ik af en bedelend trok ik langs de deuren van al mijn oude kennissen en vrienden, die mij mondjesmaat wat toestopten. Van dit geld doken wij onder aan het Neusiedlermeer, en toen wij ons ook dit niet meer konden veroorloven, moest ik ons onderdak zelf verdienen als huishoudster, met houthakken en kolen dragen. Het heeft mijn lijf voorgoed geruïneerd en ik heb altijd pijn gehouden, maar ik was dankbaar voor elke dag dat ik mijn man weer voeden kon.

In augustus 1944 waren de Russen al in Roemenië, en het werd duidelijk dat zij weldra Hongarije zouden binnentrekken. Op de radio verkondigde admiraal Horthy dat de Hongaren de oorlog hadden verloren en moesten capituleren, maar hij werd gearresteerd en vervangen door Szalassy, het hoofd van de nazipartij, die, nu het regime niets meer te verliezen had, de duimschroeven aandraaide en de vervolgingen verhevigde.

Vanaf dat moment lopen de gebeurtenissen in mijn hoofd nogal dooreen. In die laatste maanden van de oorlog overkwam ons zoveel, om ons heen was het lijden zo intens en onvoorstelbaar dat mijn hersenen het niet helder hebben willen opslaan. Om die dagen door te komen hebben ze mijn waarneming soms verdoofd. Om alles achteraf te kunnen behappen hebben ze gebeurtenissen herschikt of afgezwakt, zo lijkt het wel, veranderd of vertraagd als in een droom.

Dit weet ik: alles wat wij nog bezaten waren enkele gouden erfstukken. Om in leven te blijven zat er niets anders op dan die te gelde maken. De boeren in de buurt, die wisten hoe groot onze nood was, boden niet meer dan een zak meel en een voorraad boter. Ik moest dus een laatste keer naar de hoofdstad, maar kon Vaslav onmogelijk onverzorgd achterlaten.

Nu was er in Sopron een klein ziekenhuis met zestien bedden. Het was in handen van een vriendelijke arts, die precies begreep in welk gevaar mijn man verkeerde en hem voor de duur van mijn reis wilde opnemen.

Vaslav boog zijn hoofd, terwijl ik hem verzekerde dat het hooguit voor een week zou zijn. Hij hield zich goed om mij niet overstuur te maken. Hij haalde zijn trouwring van zijn vinger en stopte mij die toe zodat ik die ook zou kunnen verkopen.

De burcht van Boedapest lag grotendeels in puin, de resten van de Sint-Stefanusbasiliek staken als klauwende vingers boven de ruïnes uit. De stad stond in brand. Dag en nacht vielen de bommen zonder ophouden, zodat ik verreweg de meeste tijd moest doorbrengen in schuilkelders. Eindelijk, na tien dagen, vond ik iemand die mij enig geld kon bieden. Met dat op zak had ik de stad direct kunnen verlaten, maar dat deed ik niet.

Eerst zocht ik mijn moeder op om afscheid van haar te nemen. Ik ging er half en half van uit dat zij mij in deze beladen situatie wel zou trakteren op bijpassende strofen van Racine of een van Elektra's jeremiades, maar het tegendeel bleek het geval.

Zij was erg vermagerd. Als een nat geworden vogeltje zat ze op een veel te grote gulden zetel, een decorstuk uit haar *Mary Stuart*, die ze naar de kelder had gesleept en waarin zij bij gebrek aan een veldbed bivakkeerde te midden van een hoop kussens en dekens. Haar ogen stonden groot en vragend alsof zij, schitterend middelpunt van iedere tragedie, volstrekt onthand was nu het drama dan eindelijk had weten door te dringen in haar echte leven.

Ze nam mijn hand en mompelde iets over gevaren en moeders die hun kinderen daarvoor willen behoeden, maar het waren clichés waar iedere betekenis uit leek weg te sijpelen zodra zij ze uitsprak. Ik moest vooroverbuigen om ze te kunnen opvangen. De overtuigingskracht waarmee zij een leven lang andermans teksten had uitgesproken, vervloog nu ze zocht naar woorden om iets mee te zeggen wat ze meende. Ze haspelde, schrok en begon opnieuw, maar er was niemand om haar te souffleren. Ten slotte zweeg ze maar en staarde me aan.

Dit is misschien de eerste keer geweest dat ik haar als haarzelf zag. Ik kuste haar en zei dat ik toch echt moest gaan.

Om uit de brandende stad weg te kunnen komen moest ik me een weg vechten door de menigte die zich verzameld had voor het station. De Russen waren al in de Karpaten, mensen wisten niet hoe snel ze naar het westen moesten komen.

Hele families waren boven op de wagons gekropen. Daaronder klemden de moedigsten zich vast tussen de wielen. Ik wist, godzijdank, via de ramen naar binnen te klimmen en een plaats te bemachtigen in een van de coupés. Daar hield ik me zo onopvallend mogelijk op tussen een groep nonnen die op de vlucht waren vanuit Transsylvanië.

Onderweg, tijdens een oponthoud op een van de tussenstations, rangeerde op een gegeven moment naast onze trein een lang transport van veewagons. Terwijl die stapvoets aan ons voorbijtrokken konden wij mensen horen jammeren en krijsen om hulp. De luiken waren gesloten en verzegeld maar door een kleine opening staken de armen van een jonge vrouw die haar baby naar buiten hield in de hoop dat een onbekende hem zou aanpakken.

Om mij heen was iedereen stilgevallen.

Wij zaten verlamd als mensen die onverwacht een blik geworpen kregen in de hel. Toen kwam ik bij zinnen, schoot overeind en begon te rennen. Dwars door en over de mensen die zich in onze wagen in de gangpaden hadden geïnstalleerd bereikte ik het tussenbalkon. Ik sprong en holde verder langs het spoor, steeds dichter bij het kleintje, dat inmiddels nog maar aan één hand buiten bungelde. Ik schreeuwde naar de moeder dat zij vast moest houden, vast moest houden, even nog! Maar met mijn roepen moet ik de agenten hebben gealarmeerd die het transport begeleidden. Met getrokken wapens kwamen zij op mij af en moesten de pallen overhalen voor het tot mij doordrong dat mijn actie hopeloos was. Zij dwongen mij weer in mijn coupé te stappen, waar ik niets kon doen dan woedend op het venster beuken, terwijl de nonnen hardop bleven bidden tot de laatste ongelukkigen waren afgevoerd en het emplacement weer leeg was.

Terug in Sopron bleek ook daar alles verslechterd. Een deel van de stad was afgesloten als een getto voor de joden. De ramen van hun huizen waren dichtgemetseld, de toegangsstraten afgezet met zware kettingen en bewaakt met machinegeweren om te voorkomen dat iemand nog uit die wijk kon wegkomen.

Met kloppend hart haastte ik me naar de kliniek waar ik Vaslav had achtergelaten, maar zijn kamer was leeg. Het kleine Tiroler hoedje dat hij buiten altijd op had, hing niet aan de muur en ook de kleding die ik hem in een bundeltje had meegegeven was verdwenen.

Op de gangen was iedereen in rep en roer. De arts aan wie ik Vaslav had toevertrouwd had hem juist die middag terug laten brengen naar ons huis in de heuvels bij Löver en hem daar achtergelaten. Die kerel nam nauwelijks tijd om me te woord te staan. Ik rende achter hem aan door het trappenhuis en riep dat Vaslav niet in staat was alleen thuis te zijn en dat hij dat heel goed wist en ik maakte hem de vreselijkste verwijten omdat hij mijn vertrouwen had beschaamd.

'Ik had geen keus, mevrouw, geloof me.' Halverwege de trap hield de man stil. Nu pas zag ik de verschrikking in zijn blik. 'Het gevaar dat uw man thuis loopt is heel wat minder dan wat hier dreigt. Wij hebben hier opdracht gekregen vóór morgenochtend al onze psychiatrische patiënten om te brengen.'

Ik zou met Vaslav niet meer veilig over straat kunnen, zoveel was duidelijk. Wij begonnen dus in de bergen te zoeken naar grotten die als schuilplaats zouden kunnen dienen zodra de Duitsers of de Russen Löver zouden naderen.

Op een van die tochten, in de buurt van Banflava, stuitten we op een groep Duitse soldaten die aan het graven waren. Ik begreep meteen wat er aan de hand was, maar kon niet voorkomen dat Vaslav zag hoe zij bezig waren lichamen, gewikkeld in pakpapier, in het gat te werpen. Zij zagen ons en schreeuwden dat wij moesten verdwijnen, waarop ik mijn man bij de hand greep en het op een rennen zette. Het zou mij dus, nu de eindstrijd leek te zijn begonnen, niet gaan lukken om mijn man tegen alle verdriet van de wereld te beschermen.

Vroeger, toen Kyra en Tamara opgroeiden, en zij ergens pijn hadden die ik niet kon wegnemen of een ziekte onder de leden kregen waarvoor ik geen remedie wist, had ik me weleens zo gevoeld, machteloos en waardeloos en bang vooral omdat ik me ineens realiseerde dat zij nog hun hele leven door moesten zonder dat ik ze voor elk gevaar en iedere tegenslag zou kunnen behoeden.

Datzelfde misselijkmakende gevoel van falen had ik nu tegenover Vaslav, alsof ik hem en mezelf had teleurgesteld, volstrekt onredelijk want ik kon hier niets aan doen, maar ik kon me niet goed houden en terwijl wij wegvluchtten schreeuwde ik het uit.

Mij zul je over die laatste maanden van de oorlog verder niet horen jammeren. Wij hebben ze overleefd. Dat is meer dan heel veel anderen gegund is geweest.

Alleen nog dit: op een dag daalde ik door een zware sneeuwstorm nog één keer af naar Sopron in de hoop wat kolen te bemachtigen. De vrouw van de burgemeester was een kennis van mijn moeder en na wat soebatten bleek zij bereid een brandstofkaart voor mij te ritselen. Juist op het moment dat die werd afgestempeld klonk het luchtalarm. Ik rende naar een schuilkelder aan de overkant van het plein en was de trap nog niet af toen ik door een verschrikkelijke klap tegen de grond werd gesmeten. Alsof een kolenwagon boven mijn hoofd werd leeggekieperd, zo klonk het, en een verstikkende zwavelstank dreef naar binnen. Natuurlijk was ik bang, maar boven alles blij dat Vaslav dit niet hoefde mee te maken en veilig thuis zat.

De Amerikanen benutten het dikke wolkendek en bleven de vijand overvallen door er telkens weer vanaf een andere kant uit op te duiken. Aangezien ik met alle ambtenaren van het stadhuis in hetzelfde schuitje zat en zij een radio hadden, bleven wij precies op de hoogte van de verwoestingen boven ons. Na enkele uren kwam eindelijk het bericht dat de vliegtuigen hun missie leken te hebben voltooid en naar het noorden wegtrokken, opgedeeld in twee formaties die ieder in een eigen richting afzwenkten. De ene wist in zijn laatste overvlucht het treinstation te treffen en vernietigen, de andere had zojuist Löver met de grond gelijkgemaakt.

Als een van de eersten was ik buiten.

De stad lag in puin, de straten waren nauwelijks herkenbaar. Tussen rokende ruïnes en door diepe kraters bereikte ik de buitenwijken, en ik haastte me naar huis.

Van een afstand zag ik al dat de muren nog stonden, maar de kap en een deel van de eerste verdieping waren weggeslagen. Ik riep en riep maar er kwam geen antwoord. Over de stenen klauterde ik en door de glassplinters tot ik ineens recht in onze woonkamer keek.

Daar stond de man van wie ik hou, onder de blote hemel, zijn haren, zijn pyjama, alles onder het stof en gruis. Zijn gezicht zag eruit alsof hij geschminkt was voor Petroesjka, helemaal witgrijs met daarin alleen, heel groot, die mooie, donkere, lieve ogen. En ook zijn houding, met hangend hoofd en afgezakte schouders, had alles van die arme pop die tegen wil en dank tot leven komt.

Hij strekte zijn armen naar mij uit zodra hij me herkende, maar ik kon niet zomaar naar hem toe, eerst moest ik me vermannen.

In een flits namelijk zag ik voor mijn geestesoog die man, de mijne, die met zijn wondersprongen altijd boven iedereen en alles had weten uit te stijgen, weer even in zijn volle glorie.

Alsof hij zich losweekte van de schim die hij geworden was.

Alsof een spot aanfloepte en hem volgde, zwierde hij voor mij van de gebroken schouw naar de omgevallen boekenkasten en weer terug. Zijn oude elan, het bovenmenselijk genie dat zaal na zaal had gehypnotiseerd. Op onhoorbare muziek draaide de grote Nijinski tour na tour na tour, onaangetast, tussen de scherven van ons leven, totdat hij in volle vaart op de half bedolven sofa af rende, zich op de kapotte veren afzette en sprong, de wolken in, en wég was hij!

De man die ik gekend heb zou ik niet meer terugzien, het was of ik dat daar ter plekke pas begreep. Alsof ik al dat geweld nodig had gehad om hem te kunnen zien zoals hij wás en niet zoals hij was geweest.

Ik liep op hem toe en sloot hem in mijn armen.

Ik greep de zoom van mijn rok en tornde er onze ringen uit, die ik daar had ingenaaid om ze te bewaren als onze allerlaatste redding. Ik pakte zijn handen, blies het stof van de vingers en schoof zijn ring op de oude plaats.

Hij keek op en glimlachte, nam de andere ring en deed datzelfde bij mij, even bedachtzaam als hij dat in Buenos Aires gedaan had, eenendertig jaar eerder.

Het was weer begonnen te sneeuwen. Die stilte aan het einde van zo'n dag! Kleine, zachte vlokken namen de ergste kou uit de lucht. Ze bleven even plakken aan zijn haren en op zijn wenkbrauwen, smolten toen en trokken langzaam druipend dunne voren in zijn mortelmasker.

5

Nu, na al die jaren, is het makkelijk om te lopen verkondigen hoe het indertijd allemaal beter had gekund. Er zijn er zat die dat doen en met de vinger wijzen, want gaat het om andermans leven dan is iedereen ineens expert. Je zal ze de kost moeten geven, de mensen die mij, zodra ze horen wie ik ben, komen vertellen hoe verkeerd ik dit of dat heb aangepakt en welke kansen ik heb laten liggen. Ja, als het een kunst was om het verleden te voorspellen, trad ik wel op als helderziende.

Maar die dag in Sankt Moritz wisten wij geen van allen wat ons boven het hoofd hing. Natuurlijk, er was de spanning om het goed georganiseerd te krijgen, die voelden wij allemaal. Alle gasten die arriveerden in Hotel Suvretta House, Bertha Asseo, die steeds nerveuzer ronddribbelde omdat niemand haar kon vertellen wat zij die middag zou moeten spelen, er was zoveel om op te letten. Voor ieder van ons hing er nou eenmaal veel van af.

Vaslav was zichzelf niet, al weken niet, dat wist ik ook heus wel, maar ik dacht dat dit enkel uit frustratie was omdat hij zijn creativiteit niet kwijt kon, geen werk had en nergens een publiek. Dat alles, als hij maar weer eenmaal kon optreden, als vanouds zou worden. Daar was die hele dag juist voor bedoeld. Het leek hem ook goed te doen, na zoveel jaren al zijn oude rituelen weer eens op te pakken en zich klaar te maken voor een heuse voorstelling. Ik zou echt niet weten waarom ik me meer zorgen over hem had moeten maken dan normaal, integendeel, hij had naar deze dag zo toegeleefd.

Ja, toen ik begreep dat Sergej Pavlovitsj zich ergens in de buurt ophield, tóén dacht ik even dat ik gek werd. Lang heb ik geroepen dat zijn aanwezigheid de oorzaak was dat alles misliep, maar eerlijk is eerlijk, hij wist evenmin als ik hoe dicht wij bij de afgrond waren. Wanneer ik hem verwijt dat hij niet omzichtiger te werk is gegaan zou ik het mezelf ook kunnen aanrekenen. Inmiddels weet iedereen die datum aan te wijzen als het moment waarop het misging, maar toen, die dag zelf, nee, onmogelijk, wij hadden geen idee.

*

'Wat kan ík nou helemaal voor kwaad aanrichten?' lachte Sergej Pavlovitsj. Hij trok een engelengezicht en legde een hand op zijn hart alsof hij een eed ging afleggen.

'Het ergste ís al aangericht,' hapte ik, 'dat geef ik toe. Maar wij hebben het overleefd, Vaslavs ontslag en al jouw tegenwerking, het achterhouden van het loon waarop hij recht had, de werkloosheid.'

Op dat moment trilde de jachthut op zijn palen van het geweld waarmee de voordeur werd dichtgesmeten. De dunne muren hadden de hele tijd al onrust doorgelaten. In de vestibule waren Peter en Lise aan het kibbelen geweest, op fluistertoon, maar toch. Nu was hij naar buiten gelopen, startte de auto en draaide hem op de inrit zodat die alvast klaarstond voor vertrek. Onze tijd begon te dringen.

'Vaslav maakt vandaag een nieuw begin,' vatte ik mijn boodschap samen om een beetje vaart te zetten. 'Het laatste waarmee we hem nu moeten confronteren is het spookbeeld van alles waarvan hij zich nou net heeft losgemaakt.'

'Uniek, zo'n flair als jij met woorden hebt,' bromde Sergej Pavlovitsj. 'Geen wonder dat mensen het daar nog altijd over hebben.'

'Maar ben ik helder?'

'Geloof me, het is alsof ik dwars door je heen kijk.'

'Hij wil jou er vanmiddag niet bij hebben.'

'Omdat jij hem tegen mij hebt opgezet.'

'Na alles wat jij hem geflikt hebt, dacht je dat hij daarna nog veel hulp nodig had om jou te haten?'

Sergej Pavlovitsj draaide zich weer van me af en keek naar buiten. Hij ademde hoog met korte haaltjes.

Plotseling keek hij omhoog, geschrokken, want daar klonk een eigenaardig, laag gerommel. Eerst leek het van ver te komen, maar het zwol toen aan en bleek zich pal boven onze hoofden te verplaatsen.

De dikke sneeuwlaag die zich op het schuine dak verzameld had, was door het dichtslaan van de buitendeur gaan schuiven. De massa was niet meer te stuiten en zocht zijn weg schrapend naar beneden. Hier en daar werd een dakpan meegesleurd met een gekletter en gegrom dat zich tot diep in de planken van de bouwval doorzette, een krakende trilling die tot onder onze voeten was te voelen. Een van de mottige jachttrofeeën aan de muur zakte scheef, een hoorn van het gewei, dat kennelijk al broos was, brak van de rozenstok, scheurde een lap huid los en bleef daaraan bungelen. Alle kabaal eindigde in één zware plompe plof en werd gevolgd door een doffe stilte.

'Haat,' verzuchtte Sergej Pavlovitsj met gedempte stem. Het vuur was eruit maar daarom was de toon niet minder omineus. Hij herkauwde dat woord, alsof het iets nieuws was dat hij eerst moest proeven: 'Haat.' Vlak klonk hij, alsof de witte laag ook ons gesprek bedolven had. 'Wat is dat anders dan ontspoorde liefde? Het is beter dan niks, in elk geval meer dan onverschilligheid.

Haat is net zo goed een bewijs dat je samen een eind gekomen bent. Tegen het eind van de reis is je een groot ongeluk overkomen. Er is veel schade, wagons zijn van de rails gelopen, mensen zijn gewond geraakt, maar dat betekent niet dat je die na verloop van tijd met vereende krachten niet weer terug op het spoor kunt zetten.'

'En dan, gezellig samen verder? Verwacht je nou werkelijk dat ik daarvoor mijn handen uit de mouwen steek?'

'Stel je niet aan.' Hij liep op me toe. 'Dacht jij dat ik al die jaren stilletjes heb zitten afwachten tot het tussen hem en mij weer goed zou komen? Ben je krankzinnig, die draad heb ik allang weer opgepakt. Je hoeft jezelf niks wijs te maken, Vaslavs plaats is vergeven, weg, voorbij. Die is door anderen ingenomen, in mijn gezelschap net zo goed als in mijn leven: nieuwe dansers, choreografen, nieuwe liefdes, nieuwe lijven. Heus, ik ben voorzien, allang, daarvoor heb ik jouw man niet nodig.'

'Waarvoor dan wel?'

Hij dacht lang na, liep even rond en liet zich weer in een stoel zakken.

'Om te zien of ik het kan, misschien.' Hij haalde zijn schouders op. 'Mezelf bewijzen dat ik één keer in mijn leven iets tot stand heb gebracht dat dúúrt. Langer dan een avond, vaker dan één serie, meer dan een seizoen. Ik ben eraan gewend dat het allemaal maar vluchtig is. Ik weet precies hoe dat voelt, alles te geven om een paar uur lang iets groots te kunnen verrichten en dan, als het gedaan is, te zien hoe iets waarin je zo geloofd hebt wordt gedimd en neergehaald, afgebroken, opgerold, ingeladen en verscheept. Dat uur van de avond, zoals ik daar altijd tegen op heb gezien. Ik heb lang gedacht dat in mijn leven alles nou eenmaal zo zou moeten lopen. Omdat het op geen enkele manier aansluit bij dat van anderen, begrijp je. Omdat ikzelf nooit ergens aansluiting gevonden heb. Ik heb geleerd, als alles toch zo eenzaam en zo tijdelijk is, dan ook maar rigoureus te zijn – mooi of niet, zo ga ik met de dingen om – door alles op te breken en er bij vandaan te lopen. Liever geef ik zelf een ruk aan het achterdoek, liever scheur ik het eigenhandig van de trek dan te moeten toekijken hoe een ander het zorgvuldigjes voor me aan het lospeuteren is. Zo heb ik het gedaan met Vaslav, rigoureus, losscheuren en weg ermee! Maar dit keer, Romola...'

Buiten waren mijn bedienden een pad voor ons aan het vrij schuiven, dwars door de sneeuwhoop die voor de deur was neergekomen. Het akelig geschraap van een ijzeren schep over de rotsbodem.

'Ik ben nu bijna vijftig,' zuchtte Sergej Pavlovitsj, 'en er staan weer ongehoorde wonderen op stapel. In Londen en Parijs, je zult erover lezen. Ik heb mensen er enthousiast voor gemaakt, geweldige kunstenaars, de allergrootsten, ze zetten hun schouders eronder en voilà, ik heb weer iets gedroomd en het wordt werkelijkheid. Wie kan dat van zichzelf zeggen? Je zou toch denken dat zoiets genoeg zou moeten zijn.' Hij trok een grimas, iets tussen medelijden en kijk-mij-eens-gek-doen, heel onhandig, met dat grote hoofd waardoor je, wat hij ook zei, altijd het idee hield dat je een karikatuur werd voorgehouden. 'Ik weet niet hoe, ik zou iets willen aanbieden, iets, een of andere handreiking maar ik verwacht dat die niet erg welkom is.'

'En dat moet uitgerekend vandaag?'

'Dat niet, nee, nee, natuurlijk niet, wanneer je wilt, wanneer jullie daar klaar voor zijn. Vandaag ben ik al blij als ik hem alleen maar weer eens kan zien dansen. De jaren die daarin geïnvesteerd zijn. De pijn, het geld, het enthousiasme. Dat weer te mogen zien. Te weten dat er in elk geval ook iets uit gekomen is wat wél doorgaat. Niet zomaar een avond, niet een enkel serietje, meer dan een paar seizoenen. Het is het enige wat ik kan, zie je, illusies oproepen.'

'Ik geloof dat jij denkt dat Vaslav Nijinski een van jouw producties is.'

'Eerlijker om samen met die eer te strijken, wou je zeggen? En waarom niet, ik heb in mijn leven met te veel mensen samengewerkt om jouw aandeel in dit alles niet exact op waarde te schatten.'

Hier klopte Peter aan.

'De hoogste tijd, mevrouw,' riep hij, en hij opende de deur. 'Het is twintig voor drie. Het spijt me dat ik storen moet, maar, u begrijpt, het gaat mij om mijnheer.'

*

Nee, ik lieg. Goedbeschouwd is er natuurlijk wél iemand geweest die iets voorvoeld heeft. Gek, dat schiet mij eigenlijk pas nu te binnen. Wanneer zal dat geweest zijn? Een maand of wat daarvoor, schat ik, zo in het najaar. Ik zat mijn correspondentie te doen of was met rekeningen bezig, in elk geval had ik mijn hoofd er helemaal niet bij toen deze zelfde kerel binnenkwam, de stoker, onze goede brave Peter. Ook op precies diezelfde manier, zo van eigenlijk niet durven maar ondertussen.

Ik wuifde hem toen weg omdat ik dacht dat hij de haard kwam aanmaken, terwijl het juist een schitterende herfstdag beloofde te worden, dat weet ik nog, de allerlaatste aangename dag van heel dat jaar. Maar hij liet zich niet uit het veld slaan, nam zijn pet af en bleef er zo'n beetje mee staan drentelen bij de deur. Hij keek zo beteuterd dat ik eerst dacht dat hij misschien iets had gebroken – houd je bedienden dan moet je niet te veel aan huisraad hechten –, maar toen ik beter keek zag ik dat het gewoon verlegenheid was.

'O,' lachte ik, 'ik zie het al, jij komt mij iets heel moois vertellen.' Ik maakte uit zijn geschutter namelijk op dat hij dan eindelijk onze kamermeid voor het huwelijk had weten te strikken – diezelfde, die Lise, die zo dik was met mijn moeder – en dat hij mij nu om een vrije dag kwam vragen voor het feest. 'Is het echt zover, mag ik je feliciteren?'

'Nee, mevrouw. Mooi is het niet wat ik te zeggen heb.'

Die heeft haar dus met jong geschopt, dacht ik, want hoewel ik ze van het begin af duidelijk heb laten weten dat ik onder mijn dak geen intimiteiten wilde, wist ik donders goed dat die twee als ik even niet oplette toch bij elkaar kropen.

Je begrijpt sommige mensen gewoon niet. Heus niet ieder jawoord hoeft zo snel op de eerste kennismaking te volgen als het mijne, maar dit was het andere uiterste. Peter en Lise waren al zo ongeveer een stelletje sinds mensenheugenis. Nu hadden ze kennelijk te lang geaarzeld en zaten ze met de gebakken peren.

'Nou,' zei ik kil, 'dat heb je dan helemaal aan jezelf te danken', want als ik ergens niet tegen kan dan zijn het mensen die niet doen wat ik ze zeg. 'Ik hoop dat jij nu je verantwoordelijkheid zult nemen.'

'Dank u, mevrouw, ja inderdaad, ik heb er nogal tegen op gezien het u te moeten zeggen, maar dit is nou precies waarom ik toch de stoute schoenen maar heb aangetrokken, omdat ik voel dat het mijn verantwoordelijkheid is.'

'En terecht, zaaien kan iedereen, maar alleen een kerel haalt ook eigenhandig zijn oogst van het land.'

Hij keek me aan alsof ik een vreemde taal sprak.

'Jazeker, wie zijn billen brandt moet op de blaren zitten, dus voor de dag ermee, wanneer is de plechtigheid?'

'Plechtigheid, mevrouw?'

'Ik neem tenminste aan dat je er haast mee maakt.

Geen groot feest uiteraard, gegeven de omstandigheden, die kans heb je verspeeld. En Lise, hoe is zij eronder, is zij er erg van overstuur?'

'Lise? Nee mevrouw, die weet hier helemaal niets van.'

'Lise niet?'

'Welnee, die heb ik erbuiten gelaten. Dat leek me netter, het is toch in eerste instantie iets tussen u en mij.'

'Nou, ik voel me zeer gevleid, maar evengoed...'

'Het gaat om uw man, mevrouw, ik wil u waarschuwen.'

Begon hij een eindeloos verhaal. Over hoe hij Nietzsche ooit had meegemaakt en weet ik wat allemaal. Er waren hem bepaalde gedragingen van Vaslav opgevallen die hem hadden doen denken aan de beginnende ziekte van die godslasteraar. Ik heb hem beleefd laten uitspreken, maar wond me intussen steeds meer op. Dat je als snotneus – hoe oud kan hij helemaal geweest zijn? – eens een keer iemands boterhamzakje voor hem hebt mogen dragen, maakt je nauwelijks bevoegd als analist van zijn psyche, laat staan dat je anderen moet lastigvallen met je kneuterdiagnoses.

Ik heb hem gezegd dat hij abuis was, dat hij niets begreep van kunstenaars, dat die nu eenmaal in veel opzichten gevoeliger waren dan wij en dat Vaslav zich geen spat anders gedroeg dan vroeger.

Durfde hij toch vol te houden dat hij mijnheer nu eenmaal op een wat andere manier meemaakte dan ik en ook meer uren per dag – het lef! – en dat hem daarom misschien bepaalde dingen eerder waren opgevallen. Ook Marie en Lise hadden trouwens een verandering bemerkt, zei hij, en zij waren ook al overeengekomen dat dit niet normaal was. Wat een slangenkuil daar in die keuken. Altijd hetzelfde met bedienden, zodra je je hielen licht ga je over de tong. Ik heb ze hun plaats gewezen, gezegd dat ik geen woord meer wilde horen, en heb er daarna geen moment meer serieus over gedacht.

En wat dan nog? Stel dat ik het serieus genomen had, die achterklap. Daar was op dat moment geen enkele aanleiding toe, maar stél. Wat had ik kunnen doen? Had ik dan die benefietvoorstelling níet moeten organiseren omdat mijn man zogenaamd die spanning van het optreden niet meer aan zou kunnen? Ik zeg nog eens: het was juist het jarenlange gemis daaraan dat hem zo zwaar gevallen is, dat gedwongen stilzitten, thuiszitten, afgesneden van zijn wereld, beroofd van iedere mogelijkheid om zijn talenten te benutten, zich verder te ontwikkelen. En we weten allemaal wie daar de schuld van was, wie hem van de planken heeft gestoten. Niet ik. Ik wilde juist die ballingschap doorbreken. Jan en alleman heb ik aangeschreven en naar Sankt Moritz uitgenodigd om ze te herinneren aan de grote Nijinski. Om ze te laten voelen dat het gemis wederzijds is geweest en dat zíj evenmin zonder hém konden.

Was het ook maar een beetje anders gelopen dan waren de engagementen binnengerold. Dan had hij na de eerste oorlog gewoon zijn plaats op het wereldtoneel weer in kunnen nemen en nog jaren kunnen schitteren en zijn ideeën met ons kunnen delen, ons kunnen verrijken met grootse impulsen en vernieuwingen. Dan zou ons leven zijn geweest zoals het er altijd naar uit had gezien dat het zou worden.

Maar goed, een gewaarschuwd mens telt voor twee. Na dat gesprek met Peter ben ik nauwgezet op Vaslavs gedrag gaan letten. Viel mij iets eigenaardigs op dan heb ik hem daarmee direct geconfronteerd. Altijd kwam het maar op één ding neer: Tolstoj! Daar lag de bron van onze ellende, daar blijf ik bij. Die neiging om wildvreemden tot de liefde te bekeren, zijn plotselinge weigering om ooit nog een hap vlees te eten, dat rondstappen met een groot koperen kruis op zijn borst, de waanzin dat ik ineens geen juwelen meer mocht dragen omdat ik daarmee de gezinnen van de parelduikers zou verwoesten en werkers in diamantmijnen in gevaar bracht, alles wat ook maar enigszins krankzinnig leek aan Vaslavs houding viel maar aan één ding toe te schrijven: de invloed van verkeerde vrienden, Kostrovski en Zverev, mannen die ik kort na ons huwelijk al uit zijn leven had geweerd, maar die hem toen al hadden vergiftigd met hun quasi-tolstojaanse indoctrinatie. Diaghilev had ze ons op ons dak gestuurd. Dat weet ik omdat ik hem een keer met hen betrapt heb. Hij hoopte natuurlijk dat die twee Vaslav en mij nog uiteen konden drijven door zijn ziel te verwoesten met hun religieuze fanatisme.

Uiteindelijk heb ik zelfs een dokter geraadpleegd en Vaslav zonder dat hij het wist in zijn eigen omgeving laten observeren – alles voor zijn welzijn –, maar binnen de kortste keren gaf hij toe dat hij ons allemaal maar voor de gek gehouden had. De verpleger die hem zo van nabij had meegemaakt concludeerde zelf ook dat mijn man een kerngezond verstand had.

En dat bleek wel. Die wintermaanden in Sankt Moritz heeft Vaslav het systeem van zijn dansnotaties vervolmaakt en vastgelegd, een aantal wiskundige en mechanische problemen uitgepuzzeld, uitvindingen gedaan. Zo heeft hij een potlood ontworpen waarvan de punt nooit stomp wordt en wissers bedacht waarmee je de voorruit van een automobiel kunt schoonhouden wanneer het sneeuwt, twee ideeën waarvoor belangstellenden gevonden zijn en die inmiddels in productie zijn genomen. Hij leerde skiën in één les – zijn leraar wilde niet geloven dat hij hierin geen ervaring had – en wierp zich op maar liefst twee nieuwe hobby's, eerst dat bobsleeën en later ook schansspringen, waarvan hij zelden een wedstrijd miste. Klinkt dat als een man over wie ik me zorgen had moeten maken?

Zijn temperament, ja, dat speelde soms op – wat wil je, half Pools, half Russisch. Het ergerde me meer dan dat het me verontrustte. Ik herinner me een gevaarlijke sleerit waarop hij ons met veel te grote snelheid langs de afgrond joeg, een driftbui – weer met dank aan Tolstoj – omdat Kyra een stuk worst gegeten had.

Het enige wat ik wel erg vreemd vond was dat hij zo hard rende. Ineens kon hij het zomaar op een lopen zetten. Dan spurtte hij zonder iets te zeggen weg als een atleet die meedeed aan de spelen en net een startschot had gehoord, en bleef hij kilometers in hetzelfde tempo razen. Mij leek dat op zo'n hoogte vooral ongezond, maar verder weet ik het aan die overdosis energie van hem, die tenslotte ergens een uitweg vinden moest. Des te meer reden, dacht ik, om te zorgen dat hij zijn krachten zo snel mogelijk weer helemaal kan wijden aan zijn kunst, om hem met spoed weer aan het optreden te krijgen, dus toen het Rode Kruis hem kwam verzoeken om dat benefiet, heb ik onmiddellijk toegezegd.

*

'Als we nu vertrekken,' Peter blikte steels op zijn horloge; hij hield het enigszins uit zicht, alsof een van ons het af zou willen pakken, 'dan bent u om kwart óver beneden. Ik moet mijnheer nog naar mevrouw Negri brengen en dan terug om te helpen bij de tafelschikking, en dat alles binnen anderhalf uur want dan moeten wij al bijna weer op weg naar het Suvretta.'

'Je hebt gelijk.' Ik pakte mijn spullen bijeen en richtte me tot de ander. 'Het spijt me, Sergej Pavlovitsj, het berust allemaal op een vervelende vergissing. Het zal moeten wachten, die handreiking, het weerzien, de vraag of er nog iets te redden valt. Ik heb het aangehoord en goed begrepen. Ik zeg niet dat de deur voorgoed gesloten blijft, maar het is eenvoudigweg te vroeg, te plotseling. Lise en ik nemen de auto, Peter zal u terugbrengen naar Hanselmann.' Ik pakte mijn handschoenen en de uitnodiging die nog op tafel lag. 'Mijn moeder had die invitatie nooit mogen versturen. Ik zal ernstig met haar spreken en bied u mijn excuses aan dat u voor niets helemaal uit Londen bent gekomen.'

Ik wierp de kaart de haard in, maar Peter, die er op zijn knieën voor zat, had de vlammen net gedoofd. Ik nam Diaghilev bij de arm, liep met hem naar buiten en fluisterde: 'Doe het voor hem, Sergej Pavlovitsj. Ik maak me zorgen. Het evenwicht is nog te wankel. Ik beloof dat ik een goed woordje zal doen en dan, wie weet, misschien herwinnen we genoeg vertrouwen, maar voor nu, laat hem alsjeblieft vandaag met rust. Geloof me, hebben wij niet allebei het beste met hem voor? Wij hebben hem tot hier gebracht, nu is het tijd om los te laten.'

Hij boog, nam mijn hand en bracht die naar zijn mond.

'Dat zal lastig worden, Romolotjka.' Hij drukte zijn kus op het leer, keek op en glimlachte. 'Vaslav loslaten? Daarvoor kunnen wij geen van beiden genoeg liefde opbrengen.'

Peter

Ik zou alleen kunnen geloven in een god die danst.

Friedrich Nietzsche

14:22

Kom ik boven, zit mijnheer aan zijn bureau, doodkalm. Iedereen is door het hele huis heen aan het redderen om alles voor elkaar te krijgen, maar zelf lijkt hij onbewogen als een rotsblok in een bergbeek. De notitieboekjes die ik een paar dagen geleden voor hem moest gaan kopen liggen voor hem. Als ik kom binnenstormen, helemaal verhit van mijn zenuwrit terug uit Corviglia, heeft hij de eerste pagina's al volgekrabbeld. Moet het dan allemaal op mij neerkomen? Ik probeer hem aan te sporen, mee te krijgen, maar hij schrijft rustig verder.

'Ik ben aan het noteren wat ik voor de lunch gegeten heb.'

'Twee zachtgekookte eieren, gebakken aardappelen en bonen,' zeg ik. 'Had u dat gisteren niet kunnen opschrijven, of anders morgen, sinds u geen vlees meer wilt eet u toch elke dag hetzelfde. Vandaag hebben we wel iets anders aan ons hoofd.'

'Dus zo voel jij dat ook?' Hij kijkt me aan, dankbaar, alsof iemand hem eindelijk begrijpt. 'Ja, het gaat allemaal veranderen. Daarom juist is het zaak daarvan verslag te doen. Ik ben dol op bonen, maar deze waren droog.'

'Droog, ik zal het Marie laten weten. Dus, als u zover bent?'

'Ik noteer het voortaan allemaal. Kijk, hier staat het: na het eten heb ik even geslapen en toen ben ik me gaan aankleden.'

'Fascinerend. Maar echt, mijnheer, het is de hoogste tijd. Wij moeten nu naar Negri.'

'Ik beschrijf eerst nauwkeurig mezelf, zodat de mensen goed begrijpen dat ik geen haar anders ben dan zij. Dan zal ik ze laten zien hoe makkelijk het is om alleen nog te luisteren naar je gevoel en niet meer naar je intellect. Als ik het kan, dan kunnen zij het ook.'

'Zo is dat.' Ik buig me over zijn schrift, blaas het even droog en sla het dicht. 'En míjn gevoel zegt mij dat wij nu uw kostuum moeten gaan halen omdat u straks anders het toneel op moet in niet meer dan een suspensoir.'

Waarom iemand zijn gedachten vast wil leggen, dat heb ik nooit begrepen. Zeker niet zo iemand als mijnheer, die zo beweeglijk is. Moet die zijn benen onder een bureau schuiven, helemaal klem in een stoel, zodat hij niks meer kan dan alleen zijn handen nog wat laten fladderen? Dat is toch voor zo'n man geen leven. Heb ik het niet met mijn eigen ogen zien gebeuren hier de laatste weken? Toen er ineens zo nodig getekend moest worden en ik naar de kunsthandel werd gestuurd om stiften grafiet in alle diktes. Hoe razend die vingers heen en weer schoten over het papier, doldraaiend maar door en door en rond en rond in steeds dezelfde patronen. Al die energie van dat lichaam, gewend om alle kanten op te gaan met groot gebaar en hoge sprongen, moest zich ineens door die ene kleine potloodpunt een weg naar buiten stuwen. Lijnen die hij al gezet had bleef hij maar overtrekken, als een bezetene, twintig, dertig keer, tot het papier daaronder dun werd en scheurde. Zoals Lise hem vervloekt heeft toen zij de kerven ontdekte die hierdoor in het mahonie werkblad waren ontstaan en die zij met boenwas mocht zien weg te werken. Alles aan hem trilde, leek het wel, als hij zo bezig was, en puilde uit, ogen rood, tong tussen zijn tanden, aders gezwollen over zijn slapen en in zijn nek. Het was niet om aan te zien. En dan waren dat nog grote witte vellen waar hij met brede halen overheen kon krassen, niet zo'n onnozel schriftje vol met lijntjes waar hij binnen dient te blijven.

Nu heb ik dit een paar keer meegemaakt – te beginnen met mijnheer Nietzsche, en we hebben allemaal gezien hoe goed hém al dat schrijven uiteindelijk is bevallen, en later wel bij gasten van Hotel Monopole –, hoe ze niet zomaar kunnen genieten van het uitzicht of de bloemen aan hun voeten en de vogels die cirkelen op de wind, maar alles willen vangen in een brief aan hun familie overzee of in een dagboekje en dan prikkelbaar of ongedurig worden als hun dat niet lukt. Alsof voor hen het leven niet bestaat als er geen woord voor is. En zeg je er eens een keer iets van dan halen ze hun schouders op of ze lachen meewarig omdat jij nou eenmaal niet zo bent opgeleid als zij. In het beste geval nemen ze de tijd om jou uit te leggen dat mensen met te veel hersens zich op deze manier doorgaans het beste uiten, dat het een middel is om hun gedachten vorm te geven en dat die op papier pas eigenlijk echt vrijkomen. Gooi het maar in mijn pet, zeg ik dan, en ik lach eens vriendelijk, want wat kun je anders in het volle zicht van iemand die zich vrijwillig in een dwangbuis hijst.

14:37

Nou wil hij per se te voet en kan ik erachteraan als de eerste de beste winkelbediende, mijn armen vol cadeaupakketjes. Allemaal voor Negri, omdat ze zijn kostuum klaar heeft. Dit is weer een van zijn bevliegingen. Mijnheer heeft er een hekel aan zelf cadeautjes te krijgen, maar als hij ook maar denkt dat iemand iets nodig heeft, draait hij door. Als hij op het idee komt dat een arme sloeber iets zou kunnen hebben aan de knop van de voordeur zou hij die er nog voor hem afschroeven.

Dit gaat allemaal van onze tijd af en het geeft onnodig veel bekijks want voorbij het station moeten we over de Inn, langs de arme stakkers die daar rond de elektriciteitscentrale wonen. Uit alle hoeken en gaten kruipen onverzorgde kinderen en beginnen ons na te lopen, joelend en brutaal, zoals ze vorige maand de kerstman achtervolgden die op weg was naar het Badhotel, dat elk jaar een partij organiseert voor de kinderen van hun vaste gasten. Toen is de politie er nog aan te pas gekomen.

Negri's man is nachtviolist. Daarom woont ze zo armoedig. 's Avonds gaat hij langs de grote hotels als de vaste muzikanten opbreken en de meeste feestgangers hun kamer opzoeken. Om de stilte in de balzaal op te vullen. Daar ken ik hem van, uit mijn tijd bij het Monopole. Er blijft altijd wel een enkeling rondhangen aan wie nog een fles valt te slijten. Dan pakt hij zijn viool uit de kist en speelt, zo lang als maar nodig is, in de hoop de leegte te verbloemen. Hij heeft mij eens verteld hoe hij zijn vrouw in Wenen heeft leren kennen, waar zij als coupeuse werkte bij een van de theaters, en dat zij, nu zij hier wonen, graag wat zou bijverdienen met verstelwerk. Ik heb haar weleens laten komen als een hotelgast een passement had vast te zetten of een monogram wilde laten borduren. Dus toen ik bij mijnheer in dienst kwam en merkte dat hij iemand zocht om de kostuums uit te voeren waarover hij fantaseerde, heb ik háár aangeraden.

En nou heb ik spijt. Ik schaam me gewoon dat mijnheer in zo'n gribus terechtkomt.

Negri staat op van een tafel vol lappen en fnazels waarop ze patronen aan het snijden was. Naar mij knikt ze verlegen, hem steekt ze een hand toe. Haar vingers zijn kromgetrokken, een aangeboren gewrichtsaandoening die hierboven snel is verergerd door de kou. Al een paar keer heeft mijnheer aangeboden een dokter te betalen, maar ze is te trots, dus krijgt ze nu een warme muts en een gehaakte omslagdoek van hem, samen met een enveloppe waar haar werkloon in zit. Ze heeft een jongen van zes en een meisje van twee. Mijnheer schenkt ze ieder een trui en voor hun vader heeft hij een wollen hemd ingepakt en, tel uit je winst, twee van zijn eigen lange onderbroeken.

Die onderbroeken, daar leurt hij al dagen mee. Het lijkt de laatste tijd alsof hij alles wat van hem is, weg wil doen. Het had een haar gescheeld of ik had zelf de eer gesmaakt mijn billen in zo'n afgedankt jaegertje te hijsen. Het is net hoe mijnheer zijn pet staat, en de laatste dagen staat die op uitdelen. Alsof hij grote schoonmaak aan het houden is. Van de week nog kwam ik binnen, stond hij de ene na de andere la open te rukken en boven de afvalemmer leeg te schudden.

'Mijnheer!' riep ik. 'Opruimen is mooi, maar laten we dat op zijn minst dan met beleid doen.'

'Die troep, wat moet een mens met zoveel spullen? Niet een van deze dingen heb ik zelf aangeschaft, het is toch te gek, terwijl er mensen honger lijden! Kijk nou eens, geborduurde manchetten, zijden zakdoeken waar je niet eens je neus in kunt snuiten omdat alles er zo langs afglijdt. Stuk voor stuk zijn ze me in mijn maag gesplitst. En dan sokken, kousen, sokken, sokophouder, sokophouder, nog meer sokken, hoeveel soorten sokken heeft een man nodig?' Met een vies gezicht pakte hij het ene paar na het andere uit zijn kast en mikte ze bij het vuilnis. 'Van alle kanten komen ze op je af, overtollige bezittingen, als bloedzuigers in stilstaand water. Ze bijten zich in je vast en je moet je ervan losscheuren.'

Zelfs ik begin het te herkennen: dit gedrag is ingegeven door die Rus, zo'n schrijver, een anarchist achter wie hij volgens mevrouw aan holt als een reu achter een loopse teef. 'Tolstoj!' roept ze dan. Wat die in huis al niet aan besognes heeft gegeven. En altijd gaat het om zoiets als dit: goedbedoelde nonsens waarvan we de laatste tijd te veel hebben gezien. Twee weken terug moesten ineens alle planten en bloemen de deur uit, want die hoorden in de natuur, een paar dagen later hadden ze de grootste ruzie omdat hij al zijn geld van de bank wilde halen om het uit te delen onder de fabriekswerkers van Lausanne. Nu dus net zoiets maar dan met ondergoed. Jammer dat mevrouw niet thuis was, die had er korte metten mee gemaakt. 'Welja, daar gaan we weer,' ik hóór het haar gewoon zeggen, 'met dank aan Lev Nikolajevitsj.' Zij is er heel handig in geworden mijnheer van zijn mis-sies voor de mensheid af te leiden. Dan kan ze zo vilein uit de hoek komen dat hij ervan ineenkrimpt, en of wij daarbij staan en dat horen daar maalt ze niet om want op zo'n moment is ze soms net haar moeder. Eerlijk is eerlijk, de rust keert dan ook op staande voet terug. Als een afgeranseld kind sluit hij zich volledig in zichzelf op en blijft uren zwijgend mokken, maar in elk geval is de bevlieging dan voorbij en kunnen Lise en ik aan de slag om puin te ruimen; planten terug in de pot, bankwissels onderscheppen bij het postkantoor, dat werk.

'Ik wil ervanaf,' raasde mijnheer, en al zijn goeie goed vloog in het rond, 'van dit, en dat en dit ook. Hoe eerder al die dingen hier het huis uit zijn hoe liever. Of nee, ik weet het beter gemaakt: raap het op, vooruit, raap alles op, we sturen het naar India, hoe lijkt je dat?'

'Voor zover ik van Miss Grant heb begrepen,' verzucht-te ik en graaide zoveel mogelijk bij elkaar, 'is in dat kli-maat de grootste behoefte niet aan wollen onderkleding.'

'Nee, nee, natuurlijk niet. Jou komt hier zoiets veel

beter van pas.' Nu stond hij op het punt mij, mijn armen vol wasgoed, de gang op te sturen, maar ik bedankte resoluut. 'Of anders je familie wel, je broer, al die neven en nichten van je in Sils en Pontresina, is daar niet pas nog een stel kinderen geboren?'

'Niet eentje met uw postuur.'

Verslagen zeeg hij neer op de stoel voor zijn kleedtafel en volgde in de spiegel hoe ik alles begon terug te proppen in de kasten.

'Ik wil dat mijn spullen terechtkomen bij mensen die ze nodig hebben,' verzuchtte hij. 'Zelf heb ik nergens meer behoefte aan. Vroeger, ja, maar nu al heel erg lang bezit ik alles wat ik me kan wensen. En toch komen mensen steeds weer met iets nieuws aanzetten. Ook mijn vrouw probeert het op die manier. Ze geeft me van alles. Ze geeft het me zoals je een hond een bot toewerpt zodat die zich even gedeisd houdt. Zij denkt dat ik daardoor meer van haar zal houden, als man, dat ik haar dan beter lief zal hebben. Mensen geven dingen aan mij omdat ze zélf iets nodig hebben.'

'Zo, dat schiet al op hoor,' zei ik in de hoop hem van verdere ontboezemingen af te leiden. Al die intieme dingen, daarvan heb ik al meer gehoord dan gezond is. 'De sokken liggen alweer op orde, nu de hemden nog vouwen.'

'In het verleden ben ik zo geweest. Meer dan eens heb ik me laten kopen en dat is me slecht bevallen. Ik kon niet anders, wij hadden niets en moesten eten. Voor een jas of wat juwelen gaf ik mensen wat ze van mij wilden: vrolijkheid en vriendschap. Maar dat is geen leven voor een man. Het is verkeerd iets van iemand aan te pakken als je niet kunt geven wat hij terugverwacht.'

'Alle manchetten op een rij.'

'Ik hou zoveel van mijn vrouw als ik kan.'

'Vestjes weer keurig op de haak.'

'Ik hou van haar. Wat wil ze meer?'

'Boorden terug in de la.'

'Ik hou van iedereen.'

'Op deze na, deze kan echt niet meer. Kijk nou toch hoe lelijk u dit boordje hier geknakt hebt.' Ik stak het bij me en probeerde me uit de voeten te maken. 'Die geef ik aan Lise om opnieuw te stijven.'

15:07

Op een dag heb ik mijnheer gevraagd of hij zijn beroemde sprong een keer voor mij wilde maken.

Springen zie ik hem elke dag. Ik doe het hem niet na, maar het mirakel waar je iedereen vol eerbied over hoort zie ik daar niet aan af. Het oogt hoog en zwaar en nog behoorlijk pijnlijk – je snapt niet dat een mens er zin in heeft – maar een klipgeit kan het ook.

Ik koos een stil moment waarop ik wist dat er verder niemand in huis was, en heb niets gezegd tot hij bijna klaar was met zijn training. Toen, net voordat hij aan zijn afkoeling wilde beginnen, heb ik mijn moed bijeen geraapt en hem gezegd dat ik zo nieuwsgierig was geworden naar dat fenomeen omdat ik er veel mensen over had horen spreken, niet alleen zijn vrouw, die mij daar een keer vol trots over had verteld, maar ook mijnheer Hanselmann, die het in Sint-Petersburg meerdere malen schijnt te hebben bijgewoond. Dit was inderdaad van een heel andere orde dan zijn andere sprongen, beweerden ze, en ook nadat je het had gezien viel het nog nauwelijks te geloven.

Op straat ben ik zelfs eens aangesproken door hotelgasten die wilden weten of het waar was wat men hun verteld had, dat ik bij de legendarische Vaslav Nijinski in betrekking was. Ze bekeken me alsof ze hoopten dat er misschien ergens iets van hem aan mij was blijven kleven. Ik was geïnstrueerd om alle bewonderaars af te wimpelen en onder geen beding te vertellen waar de familie woonde, dus hield ik me op de vlakte. Of hij me dan een bericht voor mijnheer mocht meegeven, vroeg de man, trok een visitekaart tevoorschijn en krabbelde er een boodschap op.

'Zeg me dan alleen,' vroeg zijn echtgenote, 'of het wel echt een mens van vlees en bloed is.'

'Ja hoor,' lachte ik verbaasd, 'dat wel', en ik dacht: je moest eens weten hoe ik elke dag na het dansen die smerige, doorzwete suspensoirs en hemden van hem uit mag wringen.

'Dan is het er een die wonderen kan verrichten, want wij hebben hem gezien, mijn man en ik, in het Châtelet, wij zaten tweede rij midden, erbovenop, en ik zweer je dat hij zweefde. Nietwaar, geen vergissing mogelijk, hij vloog, jij hebt dat toch ook gezien?'

'Met mijn eigen ogen,' antwoordde haar man terwijl hij mij zijn kaartje toestak. 'Het was een godensprong.'

'Onzin,' had mijnheer geroepen toen ik met dit verhaal thuiskwam, en hij had het kaartje verscheurd zonder er een blik op te werpen. 'Als een god zich eenmaal losmaakt van de mensen, dacht je dat hij dan nog moeite doen zou ooit weer af te dalen?'

Ik was dus zo langzamerhand wel nieuwsgierig, maar toen ik hem dan eindelijk durfde te vragen om een demonstratie liep het uit op een weigering.

'Wat denk je dat ik ben,' zei hij bars, 'een circuspaard?'

Een week of twee later liepen we met Kyra langs het Statzermeer om mos te zoeken. Hij had een kijkdoosje voor haar getimmerd en verteld dat daarin elfjes zouden willen wonen als zij er maar een mooi zacht en groen bedje vonden. Ik volgde die twee met een picknickmand, een botaniseertrommel en een mes om plagjes los te steken.

Halverwege de Meierei streken ze neer op het vlakke veld langs het beekje, waar ik op een plekje in de zon een laken voor ze spreidde, en ik sneed de kaas aan die Marie had meegegeven voor de lunch. Voor ieder brak ik een homp brood en besmeerde die met boter, maar Kyra had meer oog voor de stukken mos. Ze nam ze heel voorzichtig met twee handjes uit de trommel en plempte ze op de bodem van de doos aaneen tot een volmaakte kleine wereld. Mijnheer verkende ondertussen het terrein. Onderzoekend liep hij rond. Hier en daar stampte hij eens op de aarde alsof hij zijn eigen reuzenkijkdoos aan het bekleden was en het gras rondom stevig wilde aandrukken.

Ik had al geleerd me nergens meer over te verbazen, haalde mijn schouders op, liet die twee hun gang gaan en besloot heel even te gaan liggen.

Amper een paar minuten later schrok ik wakker van een schaduw. Van achter mijn oogleden zag ik hem voor de zon langs flitsen. Op datzelfde moment hoorde ik Kyra. Ze gaf een gilletje en klapte in haar handen.

Toen ik overeind schoot zag ik haar vader op blote voeten en met open hemd staan glunderen. Tot groot plezier van de kleine meid was hij zojuist over mij heen gesprongen, God weet hoe rakelings, en stond nu met zijn handen in zijn zij mijn reactie af te wachten.

'Ik dacht,' lachte hij, 'dit zal hij vast niet willen missen,' en aangespoord door de vrolijkheid van Kyra, die om mij heen huppelde en op haar eigen manier rondtolde met armen als wieken, liet mijnheer zich gaan.

Eerst maakte hij een aantal sprongen voor haar waarbij hij rechtstandig de lucht in ging, terwijl zijn lichaam, van tenen tot kruin kaarsrecht, meerdere malen om zijn as draaide. Tot zover kende ik het wel, en ook de volgende weids draaiende sprongen waarmee hij een grote cirkel door het open veld beschreef had ik hem eerder wel zien doen.

Zo vond ik het eerlijk gezegd wel welletjes. Blijkbaar had hij het veld van tevoren goed verkend, maar overal kon wel een mollengang zitten die hij over het hoofd had gezien en raad eens wie de eer te beurt zou vallen hem, zodra hij zich verzwikte, dat hele eind naar huis te dragen? Dit was nou precies het verlies aan verantwoordelijkheidszin waardoor dat soort in de problemen raakt. Bovendien stond ik daar ongemakkelijk als een vogelverschrikker tussen wuivend koren, want al zitten je gewrichten vastgeroest, je wilt toch íets als alles om je heen zo wervelt.

Midden in de wei was de danser tot stilstand gekomen. Hij stond daar en concentreerde zich. Of nee, het was meer dan dat: hij dwong zijn omgeving zich te concentreren op hém. Alle aandacht zoog hij op, niet alleen die van mij en Kyra, maar van de natuur zelf.

Achteraf zou ik zweren dat de vogels stilvielen, dat de wind zich terugtrok uit de bomen en dat er een diepe stilte, zoals je die enkel op de besneeuwde bergtoppen ervaart, over het dal kwam aanrollen.

Driemaal vertoonde hij het wonder. Hij nam een aanloop en over een afstand van zo'n twintig, vijfentwintig meter maakte hij drie sprongen, waartussen hij telkens twee stappen op de aarde zette om vaart te kunnen houden en zich weer af te zetten. Hoog sprong hij, maar daar gaat het niet om. In de lucht wees zijn rechterbeen naar voren, het linker pal achterwaarts, verder scharnierend dan je voor gezond houdt, in een perfect horizontale lijn. Ik zou het geen zweven noemen wat hij deed, hij zéílde door de lucht, zijn romp trots als een boegbeeld, hoofd geheven, blik op de wolken. En dan, op het hoogste punt beland, leek hij te aarzelen. Zijn armen bracht hij naar beneden, als vleugels die tevergeefs tasten naar de wind, en... aarzelde. Ja, zo zou ik het noemen. Het was niet dat hij daar op onverklaarbare wijze even bleef hangen, eer-

der alsof hij overwoog wat hij nu moest doen, terugval-
len of verder stijgen, aarzelend nog over het onvermijdelijke.

Ik ken mijnheer niet. Toch ken ik hem zo goed als ieder ander. Ik ken hem zover hij zich kennen laat.

Misschien, denk ik weleens, ís er ook niet meer. Daarom gaan mensen met hem aan de haal, omdat hij zich
aan niemand kenbaar maakt. Ze vullen hem in zoals ze
hem willen hebben. Ze leggen hem hun wil op omdat hij
niet weet hoe hij die van hemzelf duidelijk moet maken.
Mensen willen woorden, maar die beheerst hij niet. In
plaats daarvan laat hij zich zien. Alles wat hij te zeggen
heeft zit in dat lijf, en hij begrijpt maar niet waarom wij
niet beter kijken. Vandaar dat iedereen door die ene tel
betoverd raakt, een fractie van een seconde – wat er ook
gezegd wordt, langer is het niet dat hij zich in de lucht
bevindt – omdat je daar iets ziet wat in het dagelijks leven niemand ooit vertoont: dat een mens tegelijk alles is
en niets, zijn eigen god en ondergang. Wij zijn het zelf en
hij is onze hoop. Voor één ogenblik, zo kort dat het pijn
doet, hangt daar een mens als iedereen tussen streven en
mislukken. Wat ken ik mijnheer nou helemaal, en toch,
toen ik die sprongen eenmaal had gezien, wist ik: dichterbij is niet te komen.

Driemaal heb ik hem die middag door de lucht zien
gaan, als een aangeschoten vogel vlak voordat die doorheeft dat zijn vleugels hem niet verder zullen dragen. En
telkens viel hij terug, al bleef zijn blik daarbij omhoog
gericht alsof hij nog niet opgaf.

Kyra raakte door het dolle heen. Zij rende joelend op
haar vader af en stak haar armen al in de lucht om opgetild te worden, maar hij moest, handen in zijn flanken,
eerst op adem komen.

'Weet je wat de vergissing is?' sprak hij hijgend. 'Mensen bewonderen de hoogte die ik bereik. Zelf komen ze

nooit van de grond. Daarom denken ze dat het moeilijk is. Maar wat daarna komt is pas zwaar. Weer naar beneden zien te komen, dat is de kunst.'

Hij pakte zijn dochter bij haar middel, tilde haar boven zijn hoofd en rende met haar weg. Haar haren wapperden op de wind en het kleintje bewoog haar armen zijwaarts alsof ze vleugels had.

15:32

'Als we het hoofd maar koel houden, nietwaar?' Mevrouw lacht om haar eigen zenuwen. 'Gewoon denken dat het een alledaagse ontvangst is voor alledaagse gasten, wat zou er dan in hemelsnaam mis kunnen lopen, helemaal niets toch zeker?'

Als ik, terug van Negri, de keuken binnenkom is ze midden in een toespraakje. Lise en Marie lijken van de weeromstuit in het gelid te zijn gesprongen. Zij aan zij staan ze voor het aanrecht, rug recht, armen langs het lichaam terwijl mevrouw de pannen inspecteert, het zilverwerk naloopt en de afgeborstelde paddenstoelen keurt. 'Wat er allemaal van afhangt dat is nu even niet belangrijk, niet voor jullie. Laten wij het vooral gezellig maken. Natuurlijk, ik hoop tot goeie zaken te kunnen komen – alles staat of valt met de indruk en belofte die vandaag gewekt worden –, maar dat is een last die op míjn schouders rust. Ik wil niet dat jullie je daar ook maar een moment door bezwaard voelen, hoor je. Of wij hier, als dit niet slaagt, wel zullen kunnen blijven wonen, of wij jullie überhaupt in dienst zullen kunnen houden, dat zijn geen gedachten die jullie tot last mogen zijn. Jullie moeten optimaal kunnen functioneren, optimaal, en precisie is nou eenmaal het meest gebaat bij een ontspannen sfeer. Begrepen? Mijnheers terugkeer in de theaters zal heus niet afketsen op een groente die te kort gegaard is of een spoortje kurk in de wijn. Zijn carrière kan onmogelijk afhangen van één zo'n enkel etentje. Goddank niet, zeg, dit zijn mensen die dagelijks dineren in de grote restaurants van de wereld, die begrijpen heus wel dat wij hier, in een boerenbergdorp, geen wonderen kunnen verrichten. Die hebben zo'n verfijnde smaak, daar kunnen wij hier toch met geen mogelijkheid aan voldoen. Dus doen wij gewoon wat we kunnen, akkoord? Zeg, wie is er eigenlijk verantwoordelijk voor die servetten, die kunnen zo écht niet, het spijt me wel. Peter, wil jij dat op je nemen: helemaal opnieuw, stuk voor stuk, de naden moeten messcherp zijn, de punten strak naar elkaar toe, zo, en zo, en dan lichtjes opgekruld. Streven naar perfectie, meer kan een mens niet doen. Dus denk eraan: ontspannen is het sleutelwoord. Wat ze ook mopperen of eisen, laat je niet gek maken. Kan ik daarop rekenen?' Voor ze vertrekt kijkt ze ons allemaal nog een keer aan, zeker om te zien of ze ons nu afdoende heeft opgepept. 'Op jullie allergrootste inzet wat er ook gebeurt? Onder alle omstandigheden enkel perfectie en voorkomendheid, denk daaraan, alles steeds met vaste hand en een vrolijke glimlach.'

Ze had evengoed met haar handen in haar haren kunnen komen binnenhollen en het op een krijsen zetten. Ik moest Marie, die verder wilde met sjalotten hakken, het mes gewoon uit handen nemen, zo trilde ze.

En Lise...

Zij was naar de haard gesloft met afgezakte schouders.

Daar bleef ze staan, handen ineengeslagen, en staarde muisstil in de vlammen.

Veel om iemand geven en weten dat je niets meer voor ze kunt betekenen!

Dit moet het verdriet zijn dat mevrouw verteert. Ik

zou wel zo naar boven willen rennen achter haar aan en vragen hoe zij dat volhoudt. Ik zou haar beetpakken, als ik dat zou durven, en op het hart drukken dat er iemand is die de eenzaamheid daarvan begrijpt. Als je al zoveel jaren met iemand samen ergens naar op weg bent en ineens blijft die ander stokstijf staan. De onmacht. Het kan toch niet waar zijn dat jouw einddoel zo veraf ligt van dat andere, wat is dat voor verschrikkelijk misverstand? Zo vér heb je nog te gaan, alles in je schreeuwt en zweept je op om haast te maken, maar de ander is waar hij wezen wil. Er is geen beweging meer in te krijgen, koppig als een ezel, bang als wild omringd door vuur. Waar haal je dan de kracht vandaan om niet op te geven? En sowieso, wat is sterkte in zo'n geval: zelf ook stilhouden dan maar en je bij je liefde neerleggen, of meesleuren dat oude geluk, met alle geweld, voor eeuwig zeulend met die onwil, alles maar voor eigen bestwil tegen wil en dank?

En ten slotte misschien dit: hoe moet je verder nadat je in je wanhoop eenmaal het ondenkbare hebt overwogen, hoe haal je nog adem zodra het eenmaal door je heen geschoten is dat je het licht van je leven ook zou kunnen achterlaten?

God, konden u en ik, mevrouw, maar doen zoals mijnheer, een goede aanloop nemen, ons afzetten en springen, omhoog, omhoog en boven alles uit, om niet meer neer te hoeven komen.

15:35

Gisteren nog zou ik geweten hebben wat te doen. Zoals Lise daar nu staat, rug naar mij toe, alsof ik dan niet merk dat ze overstuur is en moet huilen. Ik zou geen moment hebben geaarzeld. Zonder na te denken was ik op haar af gerend. Ik had mijn armen om haar heen geslagen. 'Liseliselettalouisettalievelottapoppedotta,' zou ik haar hebben ingefluisterd, terwijl ik haar heen en weer had gewiegd op het ritme van die onzinzin, een van de vele die wij al brabbelden toen wij nog in een tuigje liepen. Zomaar wat van die klanken die overschoten zodra wij woorden begonnen te vormen, en die wij, teleurgesteld als wij waren dat ze voor niemand anders iets bleken te betekenen, toen maar voor elkaar hebben bewaard. Het is zo'n geheimtaal als veel geliefden hebben om de wereld mee buiten te sluiten. Alleen moeten zíj hem, als zij elkaar tegenkomen, nog uitvinden, wij hebben hem gewoon nooit afgeleerd.

Schuins nijgt zij haar hoofd, één tel maar, als om te zien waar ik toch blijf. Dan begrijpt ze dat ik dit keer niet zal komen, en wendt zich, geschrokken, snel weer naar het vuur dat ik vanochtend heb ontstoken, minutenlang haar blik alleen maar daaraan vastgeklampt, de gloed vol op haar wangen, zoals je mensen van beneden hier soms in verbijstering ziet staren naar de gulden lucht: de zon gaat nog bij lange na niet onder, maar is al wel achter een bergkam gezakt; alles is even licht nog als daarnet, alleen onverwacht en onverklaarbaar killer.

15:47

Ik ben de kelder in gevlucht, zogenaamd om er de warmwaterdruk te controleren. Bovendien heb ik die servetten meegegrist en gezegd dat ik ze beneden wel in alle rust opnieuw zou vouwen. Hier heb ik een oude melkkruk staan tussen het kronkelstelsel, waar ik me soms terugtrek om naar mezelf te kunnen luisteren. Uit te leggen valt dat niet, want als er ergens geen rust is, is het hier.

Alles sist en suist door al die buizen om mij heen, voort raast het en blaast juist maar en briest dat het een aard heeft, maar na een minuut of twee of drie ontdek ik daar, rammelronkend om mij rond, een ritme in. Langzaam verdrinkt dan in het kabaal mijn eigen onrust. En daartussen duiken stemmen op, zo lijkt het op den duur, gevangen in een luchtbel die zich door de pijpen perst. Flarden van gesprekken ergens uit een verre kamer, meestal maar een half woord, soms stukjes van een zin, een zucht. Bovendeks reilt en zeilt alles ook wel even zonder mij, denk ik op zo'n moment, en ieder rebbelt daar rustig verder.

Zelfs dit werkt vandaag averechts. Ineens irriteren ze me ook, al die levens overal, die hun loop nemen en langs me stromen zonder me op te merken. Ik geef een trap tegen de ketel, probeer de trilling van het metaal te volgen door de buizen, stel me voor hoe het zich verspreidt over heel het huis. Ik trap nog eens, harder, en tegelijk besef ik dat er in niet een van al die kamers boven iemand zal zijn die bij het horen van dit geluid, als het zo ver al doordringt, ook maar eventjes aan mij denkt. Alles wat ze horen is hooguit een onregelmatigheid ergens diep in de buik van het gebouw.

15:49

Dus weer twee minuten verdaan. Mooi cadeau is me dat, zeg, zo'n polshorloge! Ik begin te denken dat het alleen maar is bedoeld om mijn geweten op te jagen.

Beter geschenk misschien dan een jaegeronderbroek, maar uit hetzelfde hart. Gistermiddag, midden in die grote schoonmaak van herinneringen, riep hij me bij zich. Vroeg hij me mijn linkerarm uit te steken, trok hij de Santos van zijn pols en bevestigde hem om de mijne, een beetje plechtig, alsof het een armband was en ik zijn liefje. En zo reageerde ik geloof ik ook, heel onhandig allemaal.

'Dat kan ik toch niet aannemen, mijnheer,' stamelde ik. Ik had indertijd in die horlogerie in Lausanne wel begrepen hoeveel zoiets waard is.

'Doe mij een plezier,' zei hij. 'Ik heb het niet meer nodig en jij wel.'

'Ik, mijnheer, waarvoor? Ik weet toch altijd wel hoe laat het is. Dat zie ik aan de schaduw die de bergen werpen over het dal. Ik weet precies hoe de dag verstrijkt langs de huizen en de velden. Een raam is alles wat ik nodig heb. Zo doe ik dat mijn hele leven al.'

Hij keek me aan om te zien of ik het meende.

'Er zijn op de wereld ook ramen die niet op dit dal uitkijken.'

Ik zei niks en voelde dat ik rood werd. Ik stond daar maar en schoof de lederen band wat heen en weer. De stalen kast voelde nog warm van zijn vorige eigenaar.

'Het is niet om je op te jagen.' Hij boog zich weer over zijn bureau en grasduinde verder alsof de zaak hiermee was afgedaan. 'Enkel om eraan te herinneren dat het leven snel verloopt.'

Was er soms iets mis met mijn eigen gevoel voor tijd? Laat mij alsjeblieft zelf inschatten hoe het leven door mijn handen vliegt zonder me dat elke seconde in te peperen. Geen ogenblik kun je meer voor jezelf hebben zonder dat nu je aandacht wordt getrokken naar dat getik aan je pols. Dat opgewonden ritme, het is gewoon een belediging voor het kloppen van je hart.

En voor je het weet kijk je alweer:

15:*50*

Mij gaat het om iets van daarnet, daarboven in die hut van Hanselmann. Terwijl mevrouw met die Rus in de weer was, zaten Lise en ik te wachten in de vestibule en we vingen genoeg op om te horen dat daarbinnen alles op de spits gedreven werd. Dat kon je toch verwachten. Ik begrijp echt niet wat Lise heeft bezield mevrouw Nijinski daarheen te brengen. Zelfs al krijg je zoiets opgedragen, dan kun je toch zeggen dat je niet precies weet waar het is, of je slaat per ongeluk een verkeerd pad in, waarom wijs je iemand de weg naar haar ongeluk?

Dit was alles wat ik vroeg.

'Het zijn hun zaken,' antwoordde Lise koel, 'niet de onze.'

Eerlijk, ik begreep gewoon even niet wat ze bedoelde, zo bezorgd was ik om mijnheer en hoe hij overstuur zal raken zodra hij erachter komt hoe er daarbinnen om hem werd gevochten.

'En als die hele smeerboel uit elkaar klapt, des te beter.'

Spelletjes, ik geloof dat Lise en ik nooit meer zulke hooglopende ruzies hebben gehad als toen wij klein waren. Hard tegen hard kon dat gaan, wie er nou wel of niet gewonnen had of vals speelde. Alsof je hele wereld instortte, zo kon de een zich door de ander verraden voelen. Te horen krijgen dat degene die zojuist jouw zielsverwant nog was nu ineens met jou niet meer wil spelen. Ik vraag me af of wij ons, eenmaal volwassen, nog ooit zo volledig verlaten hebben geweten, gewond, van het ene op het andere moment zo onbegrijpelijk, ontroostbaar eenzaam.

Toch, het was niet meer dan kinderspel. Met het speelgoed dat voorgoed werd weggeborgen, verdween ook de hoge inzet uit onze onenigheden. Dergelijke heftigheid hoorde voortaan bij de poppenwagen, het springtouw, bij de kleurpotloden in de kist.

Als geliefden probeerden we naar redelijkheid te streven, bij gebrek daaraan naar een compromis. Kon een meningsverschil niet worden bijgelegd dan werd het gladgestreken met een grapje, zo hoort een volwassene dat immers te doen, de verstandigste zijn, je verlies nemen, met een kwinkslag, alles voor de lieve vrede.

Ik denk dat er een grens is aan het aantal keren dat je je schouders kunt ophalen over iemand van wie je houdt.

'Welke smeerboel?' vroeg ik nog.

'Al die mooie woorden.' Lises stem sloeg ervan over. 'Die grote ideeën de hele tijd, zijn hoofd altijd maar in de wolken, o zo hoog boven een ander, maar ondertussen. De vuiligheid die die kerel in het verleden allemaal heeft uitgevreten, de goorlapperij, of heb jij je oren het afgelopen jaar soms in je zak gehouden? En dan ons komen vertellen hoe mensen elkaar lief horen te hebben. En de beestjes en de plantjes, vlieg toch alsjeblieft gauw op. En uitgerekend naar zo iemand laat jij je oren hangen? Zo'n puinhoop als die lui van hun leven hebben gemaakt, daaraan zou ik een voorbeeld moeten nemen? Dank je feestelijk. Ik wéét hoe ik lief moet hebben. Ik wel. Ik héb lief.'

Onze intimiteit is, denk ik weleens, anders dan bij anderen, geboren uit gemak. Lise en ik waren tóch altijd al samen, en toen ons lichaam begon te vragen om méér, zijn wij in onze vriendschap een verliefdheid gaan zien. Behalve de nieuwe mogelijkheden van ons lijf hoefden wij in elkaar niets meer te ontdekken.

Daar heb ik mijn vrienden weleens om benijd wanneer zij verkering kregen: een keer het volledig onbekende

aan te kunnen gaan, die opwindende onzekerheid, overgave zonder vangnet, zelfs hun angst om ergens in tekort
te schieten of teleur te stellen, elk moment nog weer teleurgesteld te kunnen wórden of verrast.

Maar goed, het was niet anders: Lise en ik hadden nou
eenmaal geen geheimen voor elkaar, geen ontboezeming
te doen. Er viel voor ons geen fout te maken, geen grens
verder af te tasten. Ons samenzijn lag voor de hand, onze families hadden nooit anders verwacht. Iedereen had
onze verliefdheid zien aankomen als de eerste sneeuw in
het najaar. Niets meer te vergoelijken, niets verkeerd te
doen, niets goed te maken, als een oud echtpaar namen
wij elkaar zoals we waren, meteen al, vanaf de eerste
kus.

Eén keer maar heb ik geprobeerd dit bij haar aan te
kaarten, twee jaar geleden, heel voorzichtig, enkel om te
weten of zij iets dergelijks nou ook ervoer: 'Zo altijd met
elkaar vertrouwd te zijn geweest als wij, is dat eigenlijk
niet iets onnatuurlijks tussen man en vrouw?' Ik liet het
me ontvallen, heel zacht zonder zorg of verwijt, mijme-
rend bijna terwijl wij samen voor het haardvuur lagen.

Misschien had ik verwacht dat zij zich nu naar mij
toe zou draaien, dat zij alles sussend ontkennen zou en
speels naar mij zou uithalen, spotlachend desnoods om
verontwaardiging te veinzen, waarna wij alles als ge-
woonlijk zouden bedekken en ontkrachten met een kus.

In plaats daarvan kwam zij overeind en keek mij aan,
één tel maar. Toen stond ze zonder iets te zeggen op,
graaide haar kleren bijeen en liep daarmee de kamer uit.

Zij wist dus precies wat ik bedoelde.

Die avond en de hele volgende dag heeft zij geen woord
meer uitgebracht. Wat ik ook probeerde, zij bleef mijn
blik ontwijken, zoals ze lang geleden wel kon doen wanneer ik in een boze bui eens had geroepen dat zij niet
meer mee mocht spelen. En zoals vroeger legden wij het

een dag later ook gewoon weer zonder woorden bij en pakten de draad op. Maar zo'n voorval dan ook werkelijk, als heeft het nooit bestaan, uit je geheugen kunnen wissen, dat bleek een van die zegeningen die ons waren afgenomen met de onschuld van de kindertijd.

Voortaan lag de eenzaamheid tussen ons in. Na het vrijen, wanneer ik met mijn hoofd op haar buik lag na te genieten, was het alsof ik het kon horen, een stil verwijt dat in haar groeide. Lise leek van nu af op haar hoede, bang dat ik die zwakke plek van onze liefde nog eens zou benoemen. Ik was wel wijzer.

Voor mij zat er niets anders op dan te proberen het wantrouwen dat ik zelf in haar geplant had, te smoren in een overdaad aan liefkozingen, maar dit leek haar onzekerheid alleen maar aan te wakkeren. Ik merkte dat zij mij steeds vaker, zelfs als ik even om een boodschap naar het dorp moest, begon te vragen waar ik heen ging. Alsof zij overal bewijs zocht dat ik mij misschien met haar verveelde en mijn heil daarom maar elders zocht. Als ik ergens zonder haar werd uitgenodigd, vocht ze zo hard om haar treurigheid te verbergen, dat ik wist dat ik niet anders kon doen dan afslaan. Dit heb ik met liefde gedaan, zonder aarzeling, maar toen het haar vertrouwen op geen enkele manier leek te herstellen, werd het verdrietiger en een verplichting.

Langzaam maar zeker leek zij zelfs bang te worden voor onze eigen vrienden. Wanneer ik met een van hen een onderonsje had of zodra ik lachen moest om iets wat zij niet had opgevangen, zag je haar gewoon schrikken. Alsof ik over haar ooit iets lelijks zou zeggen.

Eerst nam ik het mezelf kwalijk. Ik vervloekte de onnozelheid waarmee ik die twijfel had gezaaid, een onvrede van niks, die voor mijzelf tot dan toe nauwelijks een naam had.

Ik weet zeker dat Lise die paar woorden van mij nooit

zo hoog zou hebben opgenomen, als zij niet allang dezelfde twijfel had gekoesterd.

Ook zij moet momenten hebben gekend waarin onze routine haar naar de keel vloog, dagen waarop zij zich afvroeg wat de wereld nog meer in petto had, en besefte hoe weinig zij daarvan maar gezien had. 's Nachts zal ze af en toe wakker zijn geschoten, net als ik, badend in het zweet, even bang om je los te maken uit de vertrouwde omarming als om erin te blijven liggen.

Dit was de impasse waarin wij ons bevonden toen de Nijinski's in ons leven kwamen. Lise werd als eerste door hen aangenomen, en het was haar eigen idee dat ik daar ook in betrekking zou komen. Op die manier zouden wij allebei een behoorlijk en vast inkomen hebben zonder hele dagen van elkaar gescheiden te hoeven zijn, redeneerde ze; bovendien waren het rijke buitenlanders die niet op de hoogte leken van de gangbare lonen en ruim betaalden, zodat wij meer geld opzij zouden kunnen zetten voor het huis dat wij al zo lang van plan waren te bouwen. In Sils, op het terrein van Lises vader, ligt sinds jaar en dag een stukje land op ons te wachten.

Een paar maanden geleden heb ik, in de hoop iets van Lises onzekerheid weg te nemen, haar verzekerd dat ik komende zomer dan eindelijk echt met bouwen zou beginnen. We stonden in de tuin en ik hielp haar bij het ophangen van de was. Ze keek me aan alsof ze niet kon spreken van geluk. Toen schudde ze haar hoofd, boog voorover, rommelde een tijdje door de mand, plukte er wat nat goed uit en deed haar best om verder te werken, maar de eerste twee, drie knijpers sprongen uit haar vingers en de rest klemde ze in haar zenuwen maar lukraak vast, zonder er nog om te malen of alles wel recht hing.

'Ik heb het ze gezegd,' zei ze verstikt. 'Mijn hart heeft geen moment getwijfeld. En als ze ernaar vroegen heb ik steeds volgehouden dat het er op een dag vanzelf van zou komen.'

'Over wie heb je het?'

'Over wie niet? Voor jou en mij was het altijd duidelijk, maar er zijn er zat die er niet meer in geloofden, neem dat van mij aan. Er hebben er genoeg geroepen dat je mij maar een beetje aan het lijntje hield. Al die jaren. Dacht je dat er niet gelachen werd, achter je rug, als je zo lang samen bent als wij? "Die Peter van jou, die heeft zijn hoofd altijd één dal verderop," riepen ze. "Pas maar op, jij, zo een vergeet gewoon nog eens te trouwen."'

Ze keek me vol verwachting aan.

'Nou,' lachte ik zo hard ik kon, 'die zullen we hun woorden dan eens laten inslikken,' maar ze wilde niet geloven dat ik vrolijk was.

'Wanneer dan?'

'Zodra het huis klaar is.'

'Eind volgend jaar?'

Door alle gedoe was een van mijnheers overhemden aan een schouder losgeschoten en bungelde deels over de grond. Ik liep erheen en hing het recht.

'Peter?'

Er kleefden wat klontjes aarde aan de manchet. Tevergeefs probeerde ik die eraf te krabben, maar onder mijn vingers vielen ze uiteen tot modder zodat ik het vuil alleen maar verder inwreef.

Geërgerd rukte Lise mij het hemd uit handen.

'Wacht dan ook tot het droog is,' zei ze. Met korte, driftige gebaren draaide ze de natte stof tot een bundel. 'Dan had je het er met een nagel zo af kunnen wippen.' Ze smeet het vod terug in de mand. Die kieperde echter onder het geweld en rolde om, zodat ook de rest van de was op het gras belandde. Ze barstte in huilen uit en rende eropaf om te redden wat er te redden viel. Ze liet zich op haar knieën vallen. Snikkend raapte zij het ene na het andere bezoedelde stuk van de grond.

Ik durfde niet te helpen, want ik voelde precies hoe ik tekortschoot. Ik durfde niet eens te kijken en sloeg mijn ogen ten hemel.

In dat ene ogenblik keek ik naar de wolken. Ze verdwenen over de toppen van de Rosatsch.

Als kind was dat iets waar ik uren naar kon kijken, languit liggend in het gras, de wolken die over ons dal trokken. En dan maar fantaseren. Over mensen die zij op hun reis al met hun schaduw hadden aangeraakt, over steden en velden waar ze zo meteen nog overheen zouden trekken. Over alle mogelijke bestaande en niet bestaande landen die zich daarachter bevonden, buiten ons gezichtsveld, ver voorbij de kammen van de ring van bergen die ons hier omsluit.

Ik stelde mij ook altijd een jongen voor, ergens verderop, die precies zoals ik hier op zijn rug naar de hemel lag te kijken en zo meteen daarginds diezelfde wolken zou zien verschijnen die ik net had uitgezwaaid.

Wie hierboven wordt geboren twijfelt niet over zijn grenzen. Als onneembare muren rijzen ze aan alle kanten voor je op en onttrekken de wereld aan je gezichtsveld. Ik heb dat nooit erg gevonden, integendeel, ik vond het prachtig. Er is niets wat een mens zo aanzet tot dromen als een beperkt zicht. Zolang je dingen niet kunt zien kun je ze zo mooi maken als je zelf wilt.

Lise haalde haar neus op, veegde hem af aan haar mouw en hees zichzelf overeind. Het besmeurde wasgoed zat weer in de mand. Ik liep op haar toe, onhandig, en omhelsde haar. Een natte handdoek die zij aan het vouwen was, raakte tussen ons beklemd. Allebei voelden we langzaam wel het vocht koud door onze kleren trekken, maar geen van beiden durfde als eerste los te laten.

16:*01*

Wat ik zit te doen en waarom dat zo lang duren moet met die servetten, wil Marie weten. En dat ze toch zeker wel wat anders heeft te doen dan mij achter mijn kont aan te zitten, jammert ze, maar dat ze geen keus had omdat er al drie keer om mij is gescheld en mevrouw naar me op zoek is. Schijnt dat die naar de zolder is gegaan en daar mijn hulp nodig heeft.

16:*03*

'Ik zal je zeggen wat ik smeerboel noem,' raasde Lise zo-even in de hut van Hanselmann, 'altijd maar drammen over hoe de wereld zou moeten zijn en het verdommen om hem te zien zoals hij is. Misdadig noem ik dat, mensen lekker maken met iets wat in geen duizend jaar voor ze is weggelegd; ze het idee geven dat ze op de een of andere manier kunnen ontsnappen aan hun lot. Hoe sneller jij met je eigen ogen te zien krijgt wat voor gek dat eigenlijk is door wie jij je helemaal laat inpakken, hoe liever mij dat is, ja.' Geschrokken van haar eigen woede, greep ze mijn handen. 'Peter, sinds wanneer hebben wij zo'n kerel nodig om hoop te houden? Alsjeblieft zeg, wij wéten wat het is om hoop te hebben. Wij wel. Wij hébben hoop gehad.'

Lise geeft mijnheer de schuld. Het heeft even geduurd voor ik dit doorkreeg, langer nog voordat ik het kon geloven. Maar zo is het echt, in een verongelijkte bui had zij het er eerder al eens met zoveel woorden uitgegooid; zij heeft zich in haar hoofd gezet dat mijnheer een slechte invloed op mij heeft. Zij is jaloers op de vele uren die ik dagelijks met hem doorbreng, dat merk ik wel. Alsof ik die voor mijn plezier aan hem spendeer, ik doe toch zeker ook gewoon maar mijn werk.

Vanaf dag één hadden wij best door dat dit niet een gezin was dat leek op enig ander. Dit bood ons vooral vermaak. Meteen die eerste maanden al vingen wij zo af en toe dingen op die wij aanhoorden met gloeiende oortjes. Zulke levens kenden wij in ons dal niet. Werd het ons te onnavolgbaar of schandalig dan dropen we af, proestend, en 's avonds in bed spraken we alles uitgelaten nog eens door, vol ongeloof en schimpscheutende schande. Dit was zo'n pleziertje waarin twee mensen elkaar terugvinden na een dag hard werken, meer niet. Geen moment heb ik toen bij Lise iets bespeurd van verontwaardiging.

Die begon met een schampere opmerking over de reis naar Lausanne, waarop ik mijnheer indertijd moest begeleiden. Lang geleden hadden wij die stad wel genoemd als wij samen weer eens lagen te fantaseren over uitzinnige, dure trouwfeesten, die we toch nooit zouden kunnen geven, en over mooie plekken waar we onze eerste huwelijksnacht zouden doorbrengen. Ik droomde ervan dat niet bij mijn ouders in huis te hoeven doen met, zoals gebruikelijk, allemaal familie in de aangrenzende kamer, maar ergens ver van huis, zoals die pasgehuwde rijke lui in de hotels waar wij hebben gewerkt. Dan glom ze helemaal, niet omdat zij dit verlangen nou zo deelde – zoiets was toch voor ons niet haalbaar – alleen maar dankbaar dat ik meedroomde over die dag.

Toen ik dan ineens zonder haar die stad bezocht had, als begeleider van mijnheer Nijinski, heeft Lise lang geen onvertogen woord gezegd. Pas na een paar weken, toen wij elkaar kruisten in het trappenhuis juist op het moment dat mijnheer mij riep vanuit zijn kamer, beet ze me in het voorbijgaan toe: 'Of je je huwelijksplichten bij hem komt vervullen!'

Het is waar dat ik steeds meer tijd met hem doorbracht. Mevrouw Nijinski was nogal te spreken over hoe ik mij in Lausanne over haar man ontfermd had. Zij en ik wisten nu als enigen hoezeer mijnheer precies tekortschoot voor – hoe moet je dat omschrijven? – de werkelijkheid van alledag. Ik had het ongemak gevoeld waarmee hij zich onder de mensen begeeft, en onderweg, zoals zij dit thuis deed, met zachte hand de leiding genomen. Die afhankelijkheid van hem vormde tussen haar en mij een stil verbond. Tegen de tijd dat zij mij officieel opdroeg om haar man in de uren die mij buiten het stoken overbleven bij bepaalde dagelijkse handelingen en klusjes te gaan helpen, had ik een deel van die zorg eigenlijk al als vanzelfsprekend op me genomen.

Lise zal zich hebben geschaamd over de vulgariteit die zij mij op de trap had toegevoegd. Zoiets was ook zozeer niets voor haar, die toon, zo'n toespeling; voor ik boven was twijfelde ik al of ik het wel goed gehoord had. Kort geleden pas, toen ik in mijn wanhoop het verloop van onze liefde probeerde te reconstrueren, herkende ik in die opmerking ineens de stem en alle stijl van de Hongaarse, en begon ik verband te zien tussen de perioden waarin mevrouw Markus hier logeerde bij haar schoonzoon en Lises groeiende weerstand tegen mijn omgang met hem.

Om elkaar niet in verlegenheid te brengen zijn Lise en ik nooit op die uitval van haar teruggekomen. Ik besloot haar voortaan in onze weinige vrije uren niet meer lastig te vallen met verhalen over mijn werk. Er was tenslotte geen reden waarom mijn gesprekken met mijnheer haar zouden interesseren. Waarom zou je de korte tijd die je samen hebt, verdoen door nog eens alle uren door te nemen waarin je van elkaar gescheiden was?

Zo hebben wij ons hier het afgelopen jaar dus langzaamaan verschanst, ik in mijnheer zijn wereld, zij daarbuiten.

'Als die hele smeerboel uit elkaar klapt, des te beter.'

Het is amper anderhalf uur geleden dat ik haar dit heb horen zeggen. Zoiets heel bijzonders is dat niet. Het is niet onze eerste onenigheid geweest, er was geen reden om te denken dat dit onze laatste onenigheid zou moeten zijn.

Eigenaardig iets, een mens zijn wil.

16:09

'Een van die kledingkisten,' zegt mevrouw, 'daar moet het ergens in zitten, kan niet missen, een klein noten-houten koffertje met bovenop in goud mijnheers initialen. Doorzoek jij die grote bij het raam en die hutkoffer, dan neem ik deze twee.'

'En ik, mamma?' vraagt Kyra, die in alle opwinding per se mee naar boven wilde. 'Welke neem ik?'

'Help jij Peter,' antwoordt ze, 'maar doe voorzichtig dat je nergens in trapt, want ik weet niet wat hier allemaal nog meer ligt.'

Het is een grote, hoge zolder, die zich uitstrekt over de volle breedte van het huis. Lise en ik hebben weleens geprobeerd erop te komen, maar altijd zat de deur op slot. Zolang wij hier werken hebben de Nijinski's nooit iets nodig gehad van alle troep die ze hier hebben opgeslagen toen ze Guardamunt betrokken, en nu ineens moet alles in paniek ondersteboven.

Pruiken zijn het eerste wat ik vind. Of moet ik zeggen hoofddeksels, want dit is geen haar zoals je een menselijk wezen ooit hebt zien dragen. Voor Kyra kon het niet mooier. De ene na de andere grist zij mij uit handen en zet ze op: een ronde Russische clownshoed met een rode kwast waar steil haar onder vandaan springt; een roze muts overdekt met rozenblaadjes; een vreemde bokken-

pruik van dikke gouden strengen waaruit twee gevloch-
ten hoorntjes opkrullen. Haar vaders haarwerk is haar
veel te groot en zakt haar diep over de ogen, maar Kyra
zwiert erin rond alsof ze op toneel staat. Zij plukt een
zilverglimmende harembroek tussen de kostuums vandaan, waarin ze haast verzuipt, en verruilt die dan voor
een lubberende, witte maillot waarop ooit grote donkere
vlekken zijn geschilderd om hem op een dierenhuid te
laten lijken. Met een tennisracket dat ze op de bodem
van de kist vindt, slaat het kleintje denkbeeldige ballen,
en als ik haar een lange tafzijden sjaal toewerp, laat ze
die rondwervelen alsof het de staart is van een vlieger die
zij achterna holt.

Van het koffertje waarnaar wij op zoek zijn intussen
geen spoor. Tulbanden ja, en schoenen zat in heel veel
vreemde kleuren en dozen vol oude programma's.

Mevrouw heeft een van de andere kratten geopend.
Daar komen nog meer kostuums uit, geel en paars en
vermiljoen en kobaltblauw, en hoeveel haast we ook
hebben, het lukt haar niet die zomaar opzij te gooien.
Ieder stuk stof houdt ze toch even omhoog en in het licht
om zich voor de geest te halen wanneer haar man het
ook weer droeg en hoe.

Ik denk niet dat het veel uitmaakt of je een droom na-
jaagt of hem inhaalt.

'Dit koffertje, mamma?' Kyra trekt het tevoorschijn uit
een harsbak, die was volgegooid met gaas en oude linnen
windsels.

'Ja, schat,' roept mevrouw, 'wat goed van je, dat is het.'
Ze blaast het stof eraf en klikt het slotje open. Alles wat
mijnheer straks nodig heeft om zich te schminken zit
erin. Lise maakt voor het meifeest haar wangen weleens rood, en in het hotel dragen dames soms lipstick en
blanketsel, maar dit is een heel instrumentarium. Ik had

geen idee dat een mens zoveel spullen kon gebruiken om
zich op te maken.

16:27

'Als wij deze dag tot een goed einde brengen,' verzucht
Marie, 'mag het een godswonder heten. Dan moet ik alle
mannen verder helaas teleurstellen en ga ik als dank aan
Hem het klooster in.'

Zij heeft me de chauffeurspet opgezet, waarvan mevrouw graag heeft dat ik hem draag wanneer ik de familie naar officiële gelegenheden rij. We staan beneden in
de keuken en Marie controleert nog even of de klep recht
zit. Ze spuugt op haar vingers en duwt daarmee de laatste weerbarstige haren terug onder de rand.

'Het klooster, nee, dat kun je niet maken, denk aan
alle harten die je breekt!'

'Je hebt gelijk,' zegt ze peinzend terwijl ze met haar
mouw nog even het koper van mijn knopen oppoetst.
'Het zou onverantwoord zijn. Nou goed, we zullen zien.'

16:37

Heb ik de Nijinski's bijna zonder al te veel opwinding
naar buiten weten te loodsen, we staan al in de vestibule,
komt de Hongaarse ineens in vol ornaat de trap afdalen.

Onder een wijde mantel van sneeuwwit bont met een
hoge, opstaande kraag draagt zij een lange jurk bezet met
zilveren pailletten, en een diamanten collier, dat meer
glinstering verspreidt dan de kroonluchters in het Badhotel. Op haar achterhoofd zit schuins een kleine zilveren
toque met twee lange witte pauwenveren, die bij iedere
stap trillend in de rondte zwieren. Lise, die haar bij die

kostumering heeft geholpen, volgt een paar treden achter de actrice, met bijbehorende armlange handschoenen en een bontmof.

'In godsnaam, mama, we gaan niet naar de Scala.'

'Niet zeggen, kindlief, de gedachte waar ik vanavond allemaal had kúnnen zijn is té deprimerend.'

Met een kniebuiging overhandigt Lise de handschoenen.

Normaal zouden onze blikken, na zo'n plichtpleging, elkaar even vinden in een stil verbond, maar zij durft mij nu niet aan te kijken en haast zich, ogen neergeslagen, langs mij heen naar buiten.

'Tenzij je van plan bent die juwelen zo meteen te veilen ten bate van de oorlogsslachtoffers, lijken ze me weinig gepast,' hoor ik mevrouw nog protesteren voor ik achter Lise aan glip.

Zij staat op de oprit naast het rijtuig en wil de mof van mevrouw Markus alvast op de achterbank leggen, maar krijgt de deur niet open. Ze rukt tevergeefs een paar maal aan het handvat. Ze bekijkt de witte vacht, aait hem, laat hem even langs haar wang glijden en verbergt haar gezicht dan in het zachte bont. Zo blijft ze staan en huilt.

Ik zie het aan haar adem.

Die wolkt in korte schokjes door de vrieskou.

Ik loop naar haar toe en open het portier. Met één voet op de treeplank reikt ze naar binnen en legt de mof op de hoedenplank. Zodra ze een stap terugdoet, sla ik mijn arm om haar heen.

'Laten we opzeggen!' Ze draait zich naar me toe en grijpt allebei mijn handen. 'Peter, alsjeblieft, we zoeken ergens anders werk en gaan hier weg.'

'En dan?'

Ze haalt haar schouders op.

'Het is alleen... Ik heb zo'n voorgevoel.' Ze legt mijn hand op haar maag. 'Hier, ik weet niet wat het is, zo'n heel afschuwelijk voorgevoel.'

'Ja,' zeg ik om te sussen, 'dat voelen wij denk ik allemaal wel wat de laatste dagen. Het is ook nogal wat. Maar daar mogen we niet aan toegeven, hoor, het is maar een gevoel, er is echt geen reden om je ongerust te maken.'

'Nee?'

'Welnee.'

Ze drukt zich tegen me aan en legt haar gezicht tegen mijn borst.

'Mijnheer is de hele dag al kalm,' verzeker ik nog maar eens, evenzeer om mezelf gerust te stellen als haar. 'Ja, als je eerlijk bent, is hij op dit moment de kalmste van ons allemaal. Denk je niet? Wij laten ons makkelijker gek maken dan hij. Er gebeurt heus niks. Volgens mij zal hij ons nog allemaal versteld doen staan.'

'Wat kan mij die kerel schelen?' Lise laat me, als gestoken, los en kijkt me aan. 'Over ons heb ik het, onnozelaar, over ons! Het is al dat drama in dit huis, zie je nou, ik verdwijn eronder. Ik kan daar niet tegenop. Het raast met zo'n geweld over ons heen, of voel jij dat soms niet? Wij zijn niet sterk genoeg, jongen, jongen van me, waar ben je? Wij zijn hier al te ver in meegesleept, jij en ik, als boomstammen met een lawine. In een paar minuten, alles weg, en niemand zal meer weten dat er ooit iets heeft gestaan.'

Voor ik weet wat daarop valt te zeggen, komt mijnheer naar buiten en is het al te laat.

Kyra, die niet met ons meerijdt maar over een kwartiertje met haar gouvernante volgt in een aparte wagen, heeft zich toch van Miss Grant losgerukt en rent op haar vader toe. Voordat hij instapt tilt mijnheer haar op, zijn armen stevig om zijn kind geslagen.

'Wat er ook gebeurt, Foentjika,' zegt hij ineens ernstig. 'Jij mag niet bang zijn, hoor je me, nergens bang voor wezen, en al helemaal niet voor verandering, is dat nou afgesproken?'

'Bang?' lacht ze. 'Ik ben helemaal niet bang, ik ben juist vrolijk.'

'Vrolijk, dat is mooi, dat ben ik ook.'

'Ja, want jij gaat dansen, toch? En ik kom naar jou kijken.'

'Ja, ik zal vrolijk voor je dansen. Voor jou en iedereen, zodat ze allemaal zo vrolijk en zo lief worden als jij. Is dat goed? En dan ga jij ook dansen. Voortaan dansen wij alleen nog samen, ja, spreken we dat af?'

Op dit moment komen zijn vrouw en zijn schoonmoeder, nog altijd kibbelend, naar buiten. Hij kust zijn kind, zet haar neer en stapt in.

'Het is nou eenmaal niet de bedoeling,' moppert mevrouw terwijl ik haar help instappen, 'dat wíj vandaag in het middelpunt staan, mama, maar de gewonden en de oorlogswezen.'

'Des te meer zullen mensen ernaar hunkeren eens iemand te zien die zich er níét onder heeft laten krijgen. Let maar op: harten zullen opspringen en portefeuilles opengaan.' De Hongaarse installeert zich op de achterbank en herschikt het collier over haar boezem, terwijl Lise in de sneeuw hurkt om de sleep van haar jurk op te tillen en binnenboord te leggen. 'Niets wat zo aanzet tot vrijgevigheid als stijl.'

Ik loop om en sluit ook haar portier.

Met Kyra aan de hand loopt Lise terug naar het bordes. Daar houdt ze in en kijkt hoe wij wegrijden.

16:*51*

Haar kan ik onmogelijk iets verwijten. Ik heb het niet bijtijds gezien, maar eigenlijk heeft Lise het van meet af aan natuurlijk bij het goede eind gehad: voor ons geluk vormde mijnheer Nijinski een bedreiging. Dit moet zij van tevoren hebben aangevoeld, zoals een vrouwtjesvos haar jongen al in veiligheid probeert te brengen nog voordat de schaduw van de adelaar over het veld glijdt. In één opzicht is hij haar grootste concurrent: hij brengt beweging.

Geluidloos is het leven dat mijnheer teweegbrengt, als iets wat welt onder het oppervlak, nerveus, uitgelaten, als een school vissen die zich onder de bevroren spiegel van het meer verdringt rond een luchtbel. Je staat stevig met twee voeten op het ijs, toch is het voortdurend spannend omdat het daaronder kolkt.

Een vage onrust brengt herinneringen boven aan vroeger. Aan Noldo, aan de tijd waarin iedere wandeling voor mij een spannend avontuur was, elk pad nieuw. Achter elke bocht kon zich wel een afgrond bevinden of een uitzicht dat ik nog niet kende; rondom rezen steile wanden op en pieken, wachtend tot ik eindelijk eens groot genoeg zou zijn om ze te verkennen en bedwingen. Aan het spelen moet ik denken. Aan de lichtheid van de lange dagen waarop mijn broer en ik eropuit trokken met de professor. Noldo voorop met uitrusting en proviand en ik erachteraan, de riemen van de aktetas gekruist over mijn borst; het leer dat tegen mijn lichaam langzaam warm werd.

Ik wist niet wie hij was, die oude man, voor wat hij zei was ik te jong en wat wij nou al die lange dagen samen eigenlijk deden, ben ik kwijt. Maar er zong iets tussen de stenen, ja, zo herinner ik mij dat, en de wolken dreven als schepen door de lucht, dat weet ik zeker, zeilen gehesen, anker gelicht. Had je geluk, dan kon je daarboven, wanneer je heel stil was, de scheepslui namen horen fluisteren van havens die zij gingen aandoen.

's Avonds aan tafel stak mijn vader de draak met mijnheer Nietzsche. Op het dorpsplein dreven mensen de spot met die zonderling en al zijn serieuze dromerijen en met dat pak van hem van somber laken waardoor hij er altijd uitzag alsof hij iemand ging begraven. Maar ik zag ook dat zij zo smaalden om hun ontzag te verbergen, uit ongemak tegenover iets wat zoveel groter was dan zij. Met hun woorden hoopten zij het onbekende te bezweren, maar intussen stonden hun ogen zo groot als die keer toen tijdens de hoogmis een edelhert met een twaalftaks gewei de kerk was komen binnenlopen: iedereen scheen goed doordrongen van het wonder en tegelijk als de dood erdoor op de horens te worden genomen.

Zelf herinner ik me helemaal geen voorbehoud. Ik was een kind, voor mij had de filosoof vooral iets van een tovenaar, ondoorgrondelijk, ongenaakbaar, spannend om bij in de buurt te zijn, een man, niet helemaal van deze wereld, die er onnavolgbare rituelen opna hield en die, zoals hij daar altijd in gepeins verzonken zat, wel met onbekende krachten vertrouwd scheen te zijn zodat hij waarschijnlijk, net als in de verhalen, wanneer de nood aan de man kwam met goed of kwaad, ja, met het leven en de dood zelf strijd zou kunnen voeren op gelijke voet.

Op een dag riep hij me en wees hij me op een worm waar hij per ongeluk op was gaan staan. Het diertje was niet dood, maar lag opgerold en ineengekrompen op het bergpad.

'Die is slim,' lachte hij. 'Om niet nog eens te worden vertrapt moet je je zo klein mogelijk maken. Stil zijn en nederig en maar hopen dat je niet opvalt.'

Soms kon hij ook woorden gebruiken, onbegrijpelijk voor een kind, klanken die ik toch graag hoorde, omdat het mij dan voorkwam alsof hij een raadsel opgaf, alsof hij uitgerekend mij had uitverkoren om een toverspreuk aan te onthullen. Ook al onthield ik er geen snars van, heel even voelde ik me ouder dan ik was, groter dan ik later ooit zou worden, alsof de oude man iets zag wat niemand anders nog in mij ontdekt had.

Dit is wat ik het beste heb onthouden: de dagen waarop Noldo en ik er met de professor opuit trokken hielden een belofte in.

Ik groeide op en Lise werd een vrouw en wij ontdekten nieuwe beloften, zinnelijk en vurig als die van alle paartjes. Innig en intens hebben wij ze ingelost, veilig, vrolijk volgden wij onze natuur en nestelden ons in ons dal. Geluk dwarrelde er neer als sneeuw en dag na dag, ongemerkt als in het najaar laag na laag, klonken hier zelfs de lichtste, meest ongrijpbare vlokken in tot een hard bevroren pak. Houdt de vorst aan dan kun je hand in hand over het meer lopen, warm in elkaars omhelzing, en of het gerommel dat daaronder af en toe opduikt nou een school vissen is of een drenkeling die tevergeefs klauwt naar een wak, het is alles door de kou onttrokken aan je zicht. Dus loop je samen door want in de verte staat een kleurige marktkraam op het ijs met een vuurkorf ernaast waarop ze suikernoten roosteren.

Wanneer zal het geweest zijn dat er in mij iets ontdooide, misschien al wel kort nadat ik bij mijnheer in dienst kwam, toen ik hem tijdens onze tocht naar Lausanne op sleeptouw moest nemen. Niet dat hij mij nou direct aan de professor deed denken, helemaal niet, aan mijn kindertijd had ik toen al jaren niet gedacht. Dat kwam maanden later pas, zodra mijnheer met zijn theorieën op de proppen kwam en mensen begon aan te spreken op de liefde. Ineens mochten we geen van allen vlees meer eten omdat hij, zei hij, zo scherp de pijn kon voelen van ieder dier dat werd geslacht. Toen zag ik de gelijkenis.

Ook was er van begin af aan die vanzelfsprekendheid waarmee hij mij in zijn buurt liet komen. Dit was de tweede keer dat ik iemand meemaakte die boven mij stond, ergens onpeilbaar met zijn hoofd in de wolken, en die telkens toch zijn armen naar je leek uit te strekken alsof hij opgetild wilde worden. En dan de dingen waarover hij sprak! De helft ging boven mijn pet, werelden die ik niet kende, mensen van wie ik niet wist dat ze bestonden, zaken die mij eigenlijk weinig zeiden, omdat ik er nooit aan had durven denken, maar die wel tot mijn verbeelding spraken. Mijnheer vertelde erover alsof dergelijke ontmoetingen en gebeurtenissen in ieder leven mogelijk waren. Niet dat hij ook maar een ogenblik leek te vergeten wie hij voor zich had en dat dit alles buiten mijn bereik was, meer alsof hij het onzin vond zich daarom in te houden. Vaslav Nijinski doet niet aan beperkingen, leek het. Zoiets werkt aanstekelijk.

Die heeft makkelijk praten, dacht ik eerst nog, geen kunst om je vrij te voelen als je de zwaartekracht zo moeiteloos een loer draait. Pas in tweede instantie begreep ik dat het andersom was: juist omdát het hem nooit gelukt was ergens te ankeren, streefde hij maar steeds naar boven.

'Wat een stommiteit om te denken dat dromen en doen twee verschillende dingen zijn,' heb ik hem eens horen zeggen. 'Ze zijn juist onafscheidelijk, niets van belang is ooit tot stand gebracht zonder dat iemand er eerst heel lang van heeft gedroomd.'

Zo begon ik, terwijl ik erover hoorde, me langzaamaan iets bij zijn wereld voor te stellen.

17:12

De façade van Hotel Suvretta House is voor de gelegenheid in een vloedlicht gezet. Boven de ingang heeft het Rode Kruis een banier opgehangen met de naam van mijnheer in grote letters. Er is een kleedruimte voor hem ingericht in een suite op de eerste verdieping. Negri heeft daar een rek met kostuums neergezet. Op verzoek van mevrouw, die beneden is gebleven om haar gasten te verwelkomen, is tussen twee ramen een tafel geplaatst met daarop een grote spiegel omkranst door gloeilampen.

Daarvoor neemt hij plaats en opent het notenhouten koffertje dat hem op al zijn tournees moet hebben vergezeld. Sponsjes en vetstiften, penselen en poeders die jaren geen licht hebben gezien, spreidt hij in een waaier voor zich uit, routineus, even vanzelfsprekend alsof het gisteren was dat hij voor het laatst optrad.

'Wat denk je?' vraagt hij aan mij. Hij zit voor zijn spiegelbeeld als een schilder voor een leeg doek en bestudeert zichzelf eerst eens van alle kanten: linkerwang, rechterwang, kin, hals, voorhoofd. 'Zou híj er zijn?'

Ik pak zijn overhemd, dat hij om het schoon te houden heeft uitgetrokken, en zoek tussen de kleren op het rek naar een lege hanger.

'Zou hij hebben durven komen of heeft ze hem afgeschrikt?'

'Ik weet dat niet, mijnheer.'

'Jij was erbij. Hoe kwam Sergej Pavlovitsj uit de strijd, verslagen of standvastig?'

Ik sta nog met dat hemd, open een kastdeur, rommel daarin rond en zoek omstandig verder.

'Je moet toch iets hebben gehoord? Die twee samen in één ruimte, dan wordt er niet gefluisterd. Vooruit, wat is er gezegd, hoe namen ze afscheid?'

'Ik zou het u echt niet kunnen zeggen.' Ik drapeer het hemd uiteindelijk maar over de rug van een fauteuil, sla de manchetten terug en haal de knopen los.

'Omdat zij je dat verboden heeft?'

'Dat niet, mijnheer.'

Hij pakt een van de stiften op, pulkt wat van het goudpapier los dat de uiteinden bedekt, tekent dan op iedere wang en op zijn kin een dikke stip, trekt twee strepen over zijn voorhoofd en een over de volle lengte van zijn neus, als een indiaan op oorlogspad.

'Het is maar te hopen dan dat hij er is, nietwaar, want ik dans vandaag voor hem. En voor mijn vrouw zal ik dansen, en voor jou ook, Peter, voor iedereen. Let maar op, vandaag ga ik een voorbeeld stellen.'

Met de ring- en wijsvinger van beide handen begint hij het vet uit te smeren. Langzaam kleurt het zijn huid beige. Hij kiest een lichter gekleurde stift, brengt daarvan iets over op zijn vingertoppen en verdeelt dat voorzichtig over het zachte vel onder zijn ogen en daarboven tot in de hoeken van de kassen.

'De hele wereld doet mij sowieso al na. Wat ik ook uitspook, mensen imiteren mij nou eenmaal.'

Hij draait een potje open en brengt een lichtgroen waas aan op zijn bovenste ooglid.

'Al die dwaze vrouwen overal die mijn kostuums kopiëren. Ze maken hun ogen zo op dat ze Slavisch lijken, enkel omdat de natuur de mijne zo gemaakt heeft.'

Een dunne donkerbruine stift gebruikt hij op de zijkanten van zijn neus om die scherper te doen lijken, en diezelfde schaduw brengt hij aan op en onder zijn jukbeenderen, waardoor zijn gezicht langer en smaller oogt. Hetzelfde recept onder zijn kin en langs zijn kaaklijn.

'In alle grote steden lopen ze rond met lange donkere strepen die ze elke ochtend op hun wangen verven om hun jukbeenderen te laten lijken op die van mij. Moet dat mijn bijdrage aan de mensheid zijn?'

Hij pakt een poederdons en stoft ermee langs zijn gezicht.

'Oriëntaalse gezichten, woeste bewegingen, oranje zijde op blauw fluweel. Ik heb zo voor ze gedanst, zijn ze nou niet bij machte er meer uit op te pikken dan dat? Dan leer ik ze liever iets nuttigs.'

Hij schroeft de dop van een zwart potlood, trekt zijn onderste oogleden een voor een wat naar beneden en brengt aan de binnenkant van de wimpers zwarte strepen aan.

'Waarom zou ik ze niet gewoon eens voordoen hoe ze lief moeten hebben? Hoe eenvoudig dat is. Laat ik dan liever die mode eens lanceren, als het dan toch mijn lot is om modes te beginnen, dat ze op zoek moeten naar de waarheid. Naar wat echt van belang is.'

Hij brengt wat spuug op de punt van een penseeltje, rolt het even over zijn tong, haalt het door wat zwartsel en verft daarmee de bovenste wimpers.

'Ze moeten weten hoe eenvoudig het is, dat het maar een klein knopje is dat je gewoon om moet zetten, als de schakelaar van het elektrisch licht, meer niet. Alleen bevindt dat knopje zich ergens in een grote, duistere kamer. Daarom gaan we een deel van ons leven alleen maar tastend langs de wanden. Maar is het licht eenmaal aan gegaan, dan kun je gewoon niet geloven dat je zo eindeloos hebt rondgetast terwijl je er de hele tijd recht voor stond.'

Met de karmijnstift die zijn lippen heeft gekleurd zet hij nu aan weerszijden van zijn neusbrug twee felle rode punten, in iedere ooghoek één.

'Ook daarna kan het nog donker worden, maar dan hoef je niet zo bang te zijn. Dan weet je tenminste dat er een lichtknop ís en in welke richting je moet zoeken. Die kant zal ik de mensen op wijzen.'

Hij neemt een lik pommade, wrijft dat even door zijn handen, strijkt het door zijn haar, kamt het strak naar achteren en duwt de laatste krullen plat achter zijn oren. Tot slot keurt hij van kruin tot kin het resultaat, keert zijn spiegelbeeld nog eens de ene wang toe en de andere.

'Ik zal ze eens laten zien waar een mens zijn geluk kan vinden,' besluit hij, terwijl hij mijn blik vangt in de spiegel. 'Zij hebben het opgegeven omdat ze denken dat het moeilijk is om een ander wezen te zien staan, hem werkelijk te zíen en lief te hebben, maar in feite is zoiets oneindig veel eenvoudiger dan elke ochtend een uur voor de spiegel zitten in de hoop dat je transformeert tot iets wat enigszins op mij lijkt.'

17:30

'Kussens!' Miss Grant klampt me aan. Ze is net samen met Kyra gearriveerd in de zaal, die nu snel volloopt. 'Heb jij ergens kussens gezien, Peter? Waar haal ik zo gauw een stel kussens vandaan zodat dat kind zo meteen ook nog iets kan zien? Nog geen vijf jaar is ze en voor ons zijn er stoelen op de achtste rij! Hoe hadden ze zich voorgesteld dat zo'n kleintje over al die volwassen schouders heen ging kijken? Dat is het nou met zulke mensen,' bromt ze voordat ze wegstormt om een van de suppoosten aan zijn jasje te trekken, 'dit is precies waarop het altijd stukloopt, ze denken alleen aan zichzelf en nooit eens aan een ander. Kussens, dat is één ding waar we in de Punjab tenminste nooit gebrek aan hadden.'

In haar haast loopt ze met een klap op tegen Hanselmann, die juist zijn plaats gewezen krijgt. Voor hij gaat zitten, kijkt hij rond en groet een paar bekenden. Plotseling steekt hij zijn programma in de lucht, wuift er driftig mee naar iemand die nog in de entree staat, maar de lichten worden al gedimd en de gestalte trekt zich terug achter wat draperieën bij een raam.

Deze zaal heeft niets van het theater dat ik vorig jaar gezien heb in Lausanne. De eigenaar van het Suvretta heeft tweehonderd vergulde stoeltjes in rijen in de grote balzaal laten neerzetten. Alle plaatsen zijn bezet en er hebben zich meer belangstellenden aangediend dan verwacht zodat ook veel mensen langs de kant staan en achterin.

Vanaf daar moet mijnheer ook binnenkomen, van achter uit de zaal, en dan tussen de rijen door naar voren lopen, waar de vleugel is neergezet en een deel van de houten vloer voor zijn optreden is vrijgehouden.

Negri, die naast me staat, slaat zodra ze hem ziet haar hand voor haar mond.

'Och nee,' kreunt ze, 'het zál toch niet,' want mijnheer draagt geen van de kostuums waaraan zij zo hard heeft gewerkt en waarvoor ze in het programmaboekje staat vermeld, die schurk heeft gewoon zijn oefenkleren aangetrokken waarin hij alle dagen werkt; en dan daaronder uitgerekend dat oude zijden hemd dat een keer uit de kookwas gekomen is met één mouw langer dan de andere.

Dit mag ons dan teleurstellen, de zaal raakt bij de eerste glimp van mijnheer al in verrukking. Iemand begint te klappen. Binnen de kortste keren laait er een groot applaus op.

Wonderlijk om te zien hoe alleen al zijn verschijning deze mensen raakt. Een jonge vrouw legt haar hand op haar hart alsof ze een oude bekende na jaren terugziet, en ze vergeet gewoon even adem te halen. Anderen staren hem met open mond na. Aangedaan maken mensen links en rechts aanstalten om op te staan voor een ovatie, maar dit valt niet in goede aarde. Op het podium aan-

341

gekomen kijkt mijnheer verstoord de zaal in en met een kort gebaar maant hij iedereen op zijn plaats te blijven. Dat ze zich niet aan moeten stellen, gebaart hij, en dat ze stil moeten zijn.

Met de moed der wanhoop komt Bertha Asseo op. Het arme mens, nog altijd geen idee wat er van haar gevraagd zal worden, neemt haar plaats achter het klavier in, gelaten als een veroordeelde op het schavot, en kijkt Vaslav Nijinski afwachtend aan.

'Wees niet bang,' voegt hij haar toe. 'Ik zal u zeggen wanneer u spelen moet.'

Het publiek verzinkt in stille verwachting, die door mijnheer tot het uiterste wordt gerekt. Twee keer loopt hij het podium langzaam op en neer over de volle lengte, bedachtzaam, zonder op te kijken.

'Vandaag ga ik u tonen wat het betekent om te scheppen,' begint hij. 'Iets uit niets te maken; wat dat zeggen wil gaat u hier vanmiddag zien.' Hij pakt een stoel en zet die in alle rust neer, midden op het toneel, recht tegenover zijn publiek. 'Ik schenk u een blik in onze ziel. Voor één keer zal ik laten zien hoe wij leven, hoe wij lijden, hoe een kunstenaar creëert.'

Hij concentreert zich als voor een zware inspanning, maar neemt dan doodgewoon plaats op de stoel en kijkt de zaal in. Licht voorovergebogen zit hij. Zijn blik glijdt van de ene naar de andere toeschouwer, stoel voor stoel, rij na rij, alsof hij hun gedachten probeert te lezen.

De eerste minuut of twee, drie is dat wennen. Mensen kijken elkaar aan, onzeker over wat dit te betekenen kan hebben, of er misschien iets van ze verwacht wordt. Ze schuiven nog wat op hun stoel, maar mijnheer lijkt dit niet te merken en houdt vol, zijn blik nu minder op ieder afzonderlijk, maar meer op het geheel. Alsof ze één man zijn kijkt hij ze aan, intens, en langzaam geven de

342

toeschouwers zich over. Ze hebben hiervoor goed geld betaald, toch lijken ze volmaakt tevreden.

Waarom mijnheer niet danst, begrijp ik niet. Ik zie dat ook mevrouw, die haar plaats aan een van de donateurs heeft afgestaan en in de coulissen handenwringend iets terzijde van de vleugel staat, niet gerust is op wat het dan ook zijn mag wat haar man op dit moment met ons uit probeert te halen. Dan blikt ze de zaal in en merkt wat voor wonder hij teweegbrengt.

De mensen kijken aandachtig naar het podium alsof daar iets van belang zou gebeuren. Zij zitten kalm nu, of misschien is gedwee een beter woord, elk ongemak verdwenen, en laten zich door de kunstenaar aanstaren. Het heeft iets van een kerkdienst.

Minuten gaan voorbij, ik zweer het, dertien om precies te zijn – nu komt mijn Santos me van pas – waarin er volstrekt niets gebeurt en niets valt waar te nemen behalve dan, hoe moet je dat noemen, een bepaalde wilskracht die van mijnheer uitgaat. Die is voor iedereen duidelijk waarneembaar; een energie die tastbaar is geworden. Geen zinsbegoocheling is dit, zoals ik even denk, maar een onmiskenbaar fenomeen. Wanneer ik mijn hand opsteek, omdat ik aan mezelf twijfel, voel ik het als een tinteling, een zacht briesje, daar lijkt het nog het meeste op, dat langs mijn handpalm strijkt.

En daarna gaat het verder, nog eens tien volle minuten – je gelooft het niet, het is een soort hypnose – drieëntwintig minuten in totaal.

Onderhand is er een spanning die bepaald onaangenaam aan het worden is, een druk die zich boven onze hoofden lijkt op te bouwen, als een zomerstorm tussen de wanden van het dal. Gevangen voel je je door iets wat niet te zien is en niet valt te begrijpen. Ieder is hier vrij om te gaan, maar geen mens komt op het idee, want tegelijk is het een wonder.

Uiteindelijk wordt het mevrouw te veel. Ze fluistert madame Asseo iets in, en terwijl die aarzelend begint te spelen loopt mevrouw Nijinski op haar man af. Om hem niet te laten schrikken, legt ze voorzichtig eerst een hand op zijn arm.

'Vaslav,' zegt ze zacht, 'zou je dan nu wat voor ons willen dansen? Alsjeblieft, dans *Sylphides*.'

Op een teken van haar zet de pianiste opnieuw in, weer de eerste maten van hetzelfde stuk muziek, steviger nu, in de hoop Nijinski hiermee aan te sporen.

Mijnheer kijkt op. Hij heeft een tel nodig om tot zichzelf te komen, alsof hij moeite heeft te bevatten wat er gebeurt.

'Hoe durf je?' roept hij. Verontwaardigd veert hij overeind. 'Hoe durf je me te storen?' En ten overstaan van iedereen begint hij tegen zijn vrouw te schreeuwen. 'Ik ben geen machine, wat denk je wel, ik dans als ik daar zin in heb!' Hij grijpt zijn stoel en werpt die met zo'n kracht tegen de vloer dat de rug en poten breken.

Mevrouw verstijft. Even vaart door de zaal een schrik dat hij zich nu op zijn echtgenote zal werpen. Geen mens die hem zo in zijn volle kracht ziet, een tijger tevoorschijn gesprongen uit de jungle, twijfelt eraan dat hij haar even makkelijk zou breken als de stoel.

Zij wacht niet af, maar barst in huilen uit en rent de zaal door op weg naar buiten.

'Wat gebeurt er?' roept de Hongaarse, die haar achterna komt. 'Allemachtig, wat betekent dit, wat is er met Nijinski aan de hand?'

Mevrouw pakt mijn arm en trekt mij mee de gang op.

'Hij moet ogenblikkelijk naar huis. Deze hele onderneming is een verschrikkelijke vergissing.' Ze kijkt me aan, maar of ze zich nu ook realiseert hoe ik haar heb gewaarschuwd, ik weet het niet. 'Hoe pakken we dat aan, Peter? Wat moeten we doen, ik wil hem hier weg hebben, nu, en hem mee naar huis nemen, zo snel mogelijk.'

Maar daarvoor is het te laat.

Binnen dient de volgende scène zich al aan.

'Nu zal ik u de oorlog dansen,' horen we hem roepen, 'met al zijn lijden, met zijn verwoesting, met zijn dood. De oorlog die jullie niet hebben voorkomen en waar jullie dus net zo goed verantwoordelijk voor zijn.'

Als we terugrennen naar binnen is het dan zover.

Hij danst.

Maar het lijkt op niets wat ik hem thuis ooit heb zien doen. Verschrikkelijk danst hij, monumentaal met waanzinnige gebaren. Woest en wanhopig beweegt hij. Hij gooit zichzelf van links naar rechts, zijn ledematen slingeren heen en weer, levenloos als van een dode. Dit is geen dans die de oorlog moest verbeelden, welnee, het *is* de oorlog.

Toeschouwers deinzen achteruit bij de aanblik van het slagveld dat hij oproept, de gruwelen die hij hen dwingt te zien.

Arm publiek, dat was gekomen om zich te vermaken, dat gehoopt had thuis aan vrienden te kunnen vertellen hoe het zesde wereldwonder intiem en exclusief voor hen een verfijnde opvoering gegeven had.

Als versteend zitten ze, vol afschuw maar ademloos, te kijken naar een soldaat uit de Grote Oorlog, een soldaat uit alle oorlogen, iedere jongen die ooit gesneuveld is. Over de lijken van zijn gestorven kameraden springt hij. Telkens als een granaat inslaat, laat hij zich vallen, richt zich dan weer op en probeert een massagraf te dichten met de bloeddoorlopen aarde die in modderige bonken aan zijn voeten kleeft. En verder rent hij, ontwijkt een tank, gewond, stervend als hij is, adem brandend van het mosterdgas, rukt hij aan zijn kleren, onderhand niet meer dan vodden, alsof ze verkleefd zitten aan zijn vel. En toch: hij herrijst, veert overeind en danst maar door en door, wervelend voert hij ons mee, of we willen of niet, verder langs puinhopen en verwoeste levens, worstelend met die stalen spieren van hem, die lichtende snelheid. Weg wil hij, dat wezen van de lucht, weg, om te ontkomen aan het onafwendbaar einde.

Hier danst iemand uit alle macht tegen de dood, vechtend voor het leven.

Op de laatste maten blijft hij liggen.

Niemand klapt.

Terecht, want nog is het niet afgelopen.

Mijnheer staat op en komt op adem. Dan loopt hij naar de zijkant van het toneel en komt terug met twee rollen fluweel, die hij daar achter een gordijn verstopt had.

Als kinderen draagt hij ze op de arm, de ene zwart, de ander zilverwit, en met een ruk rolt hij ze zo uit over de vloer dat ze een groot kruis vormen. Aan het hoofd daarvan stelt hij zich op en hij strekt zijn armen wijd uit, als was hij zelf een levend kruis of een gekruisigde.

Zo blijft hij staan.

Even lijkt het of hij weer in zijn trance verzinken zal en proberen wil ons hierin mee te slepen, maar, goddank, na een minuut richt hij zich tot de pianiste.

'Chopin,' kondigt hij aan, 'prelude nummer twintig.'

Maar opnieuw verdomt hij het te dansen. Zolang het muziekstuk duurt verzet hij geen stap, geen enkele. Alles wat hij maakt zijn wat gebaren. Vier om precies te zijn. Steeds opnieuw dezelfde vier bewegingen, één op elk akkoord: eerst een afwerend gebaar, armen recht voor zich uitgestrekt, handpalmen naar ons gericht, als om zich te verdedigen. Verwelkomend dan, alsof hij ons wil omhelzen, spreidt hij zijn armen.

Daarna een smeekbede, handen in wanhoop ten hemel.

Ten slotte laat hij, met een smak, zijn armen vallen. Langs zijn lichaam hangen ze, verwoest, alsof de gewrichten zijn geknapt.

Zo staat hij daar en maait en maalt maar door.

Afwerend.

Welkom!

Smekend en gebroken.

Afweer, welkom, smeken, breken tot en met de laatste, eenzame cadans.

Zodra de muziek is opgehouden, kijkt hij de zaal aan. Nu lacht hij, ondeugend, alsof hij ons heeft beetgenomen.

Onverwacht, om te verbazen, neemt hij een aanloop en springt, en hij springt en springt en springt en springt in één lange moeiteloze vlucht.

Uit het publiek klinken kreten van herkenning. Van bewondering. Van opluchting ook dat de nachtmerrie voorbij is. Hier heb je hem, de God van de dans. Dit is de Vaslav Nijinski voor wie ze zijn gekomen.

Over het toneel trekt hij van sprong naar sprong in grote cirkels. Zijn overhemd bolt op, de losse, wijde mouwen wapperend als vleugels. Boven alles uit gaat hij, geen twijfel mogelijk, over onze hoofden heen lijkt hij te gaan en te ontstijgen aan zichzelf.

Ineens is het gebeurd.

Hoe kan dat, het ging te snel, hebben we hem eigenlijk wel weer op aarde neer zien komen? Alles tolt na. Maar geen vergissing: het is voorbij. Daar staat hij, midden op het toneel, geen fenomeen meer maar zichzelf, klein, kaarsrecht, onbeweeglijk.

Ten slotte legt hij zijn rechterhand op zijn hart.

'Nu,' zegt hij, 'is het kleine paardje moe.'

18:23

Tegen de menigte in, die de zaal uit stroomt op zoek naar het theebuffet en iets wat lijkt op hun normale leven, dring ik me naar voren.

Ik leg mijnheer een handdoek om de schouders en wis het zweet van zijn gezicht. Ik wrijf zijn haren droog. Hij staart me aan van onder de wapperende badstof.

'Het is goed zo,' hoor ik mezelf fluisteren. 'Rustig maar, zo is het goed.'

'Waarom heeft niemand me gewaarschuwd?' verzucht Bertha Asseo, die is ingestort op haar pianokruk. Al vanaf het tweede muziekstuk zag je dat het haar te machtig werd. Tijdens de laatste maten rolden de tranen haar gewoon over de wangen. Haar echtgenoot staat naast haar en probeert haar te kalmeren. 'Dit mag je toch zomaar niet van iemand vragen? Mij het instrument te laten zijn in dit... in deze waanzin; misdadig is het, ze hadden mij hiervoor toch tenminste moeten waarschuwen.'

Mij lijkt het raadzaam mijnheer zo snel mogelijk van alle drukte weg te leiden. Voor in de zaal dralen heel wat mensen die op zijn aandacht azen. Onder hen natuurlijk Hanselmann.

'Gaat het?' joelt de patissier. 'Gaat het nou weer wat?' Hij steekt zijn hand in de lucht en biedt zich aan als een arts na een ongeval. 'Vriend van me, vriend toch, hier ben ik, kan ik iets betekenen?'

De pianiste heeft zich inmiddels kennelijk vermand, is overeind gesprongen en weet mijnheer bij de arm te grijpen.

'Dat waren geen maten die u me hebt laten spelen,' jammert ze verongelijkt, 'het was het tikken van een bom!'

'Dat iemand zich zo geeft. Wie had dit kunnen denken?' Hanselmann klampt zich aan mijnheers andere arm vast. 'Dat een mens een ander zo kan raken.'

Ik duw ze allebei opzij, maar door hun durf aangespoord dringt ander volk zich al op. Ze wuiven met foto's en programma's waarop ze een handtekening willen. Bloemen hebben ze bij zich en briefjes die ze hem willen toestoppen. Samen durven ze waarvoor ze zich in hun eentje schaamden, en schurkend tegen elkaar komen ze naar voren met opmerkingen en vragen. Ze steken hun handen naar hem uit in de hoop dat hij die zal schudden of ze proberen hem even aan te raken. Daarbij vertrappen ze het kostbare fluweel, dat Negri nog probeert te redden door het onder hun voeten vandaan te trekken. Daartussen duikt een jongen op, een puber die een heel verhaal afsteekt dat hij uit Parijs komt en daar sinds kort zelf ook op dansen zit en graag wat raad zou willen hebben. Omdat mijnheer te midden van de hele kluwen zo verloren staat en nergens op reageert, verheft iedereen zijn stem alsof dat hun zaak zal helpen. De achtersten proberen nu aandacht te trekken door alleen maar zo hard mogelijk zijn naam te roepen, de voorsten spreken allemaal tegelijk en door elkaar. Een fotograaf breekt met de priemende poten van zijn statief door het opstootje heen en begint zijn camera op te stellen in de hoop de beroemde danser in ontredderde staat te kunnen portretteren.

Ik houd mijnheer dicht tegen me aan, scherm hem met mijn lichaam af en duw hem zachtjes in de richting van een zijdeur, die naar de bijkeuken leidt, in de hoop hem daardoor weg te kunnen loodsen voordat zij zich zo meteen nog met zijn allen boven op hem storten.

18:32

'Neemt u me niet kwalijk.'

In mijn haast ben ik zonder kloppen mijnheers kleed-kamer binnengerend en vind mevrouw in de armen van dokter Frenkel, die haar wat moed probeert te geven.

'Ik kan toch zo niet naar mijn gasten,' hoor ik haar nog zeggen. Ze controleert haar haren in een spiegel, knijpt om de blos erin terug te brengen even in haar wangen. 'Iedereen zal naar hem vragen. Wat ga ik zeggen?'

Frenkel haalt een bruin glazen flesje uit zijn dokters-tas. Met een pipetje druppelt hij iets van de inhoud op een klontje suiker.

'Waar blijft hij?' vraagt ze aan mij. 'Waarom is Vaslav niet meegekomen?' Ze stopt het klontje in haar mond en laat het smelten.

'Mijnheer wacht beneden. Ik kwam alleen zijn jas even pakken en een warme trui, mevrouw, met uw permissie, en dan rijd ik hem snel naar huis.'

'Wat denk je, Curt, moet jij hem eerst niet onderzoe-ken?'

Op dat moment komt mijnheer binnenwandelen. Hoe-wel ik hem gevraagd had in de bijkeuken in alle rust op mij te wachten, is hij me achternagekomen.

Midden in de kamer blijft hij staan en staart zijn vrouw met grote ogen aan. Alsof hij elk moment kan beginnen te kwispelen, zo doet hij denken aan een hondje dat de riem, waaraan hij buiten vastgebonden zat, heeft door-gekauwd, bang dat hij straf zal krijgen maar tegelijk heel blij om zijn baasje te zien.

'Kijk nou,' stamelt mevrouw, 'Vaslav. Lieverd. Wat een voorstelling was dat. Het was... opmerkelijk, niet-waar?' Ze zoekt bijval van de dokter en mij. 'Heel uniek, een ervaring, daar is iedereen het over eens. Hoe was het voor jou? Ben jij tevreden?'

Haar man kijkt haar stralend aan, maar er komt geen reactie.

'Zeg maar wat je liever wilt, hier in bad of thuis? Lekker warm, dat zal je spieren goed doen.'

Mijnheer begint zijn spullen bij elkaar te zoeken alsof er niets gezegd is. Of nee, alsof wat er gezegd wordt met hem niets meer te maken heeft.

'Of wil je soms nog blijven? Vaslav? Mee naar beneden en wat praten met de mensen? Kijk eens wat een bloemen ze voor je hebben meegebracht! Iedereen was zo blij jou weer te zien. Je hebt ze verwend, er zaten een paar uitzonderlijk mooie sprongen tussen.' Mevrouw blijft tevergeefs op zoek naar een reactie. 'Vond ik. Vind je niet? Hoe vond je het zelf gaan? Vatza!'

Zo gaat het nog even door, maar mijnheer lijkt te diep in gedachten om te reageren. Hij knoopt zijn hemd los en trapt zijn maillot uit.

Ik raap ze op en begin alle kleren die weer mee naar huis moeten op te vouwen en voor hem in zijn valies te doen.

Hij buigt zich over het dressoir, hoofd boven de porseleinen bak, overgiet zich met water uit de lampetkan. Als hij overeind komt sijpelen straaltjes over zijn schouders en zijn borst.

Dan wordt er aangeklopt.

18:*41*

Dat ik elk bezoek moet afwimpelen, fluistert mevrouw, en is het de bediening dan kan ik zeggen dat zij op het punt staat naar beneden te komen en dat de versnaperingen alvast kunnen worden rondgedeeld.

Op de gang staat echter iemand die niet gewend is zich door een sterveling te laten afschepen. Nog voordat ik hem goed heb kunnen zien, word ik met deur en al opzij geschoven, en staat hij in de kamer.

'In godsnaam, Sergej Pavlovitsj,' mevrouw pakt de ongenode gast bij de arm en trekt hem terzijde. 'Vaslav is zichzelf niet,' fluistert ze. 'Geen scène nou, omwille van hem: wees alsjeblieft voorzichtig.'

Mijnheer lijkt het minst onder de indruk van ons allemaal. Hij heeft een stoel gepakt en is gaan zitten. Zijn haren zijn nog nat. Hij draagt niet meer dan zijn bandage en balletschoenen. Daarvan maakt hij onverstoorbaar een voor een de knopen los, trekt ze uit en begint dan met beleid de banden af te wikkelen waarmee hij zijn voorvoeten had ingebonden.

'Niemand hoeft mij te wijzen op zijn toestand,' zegt de Rus. 'Die ben ik me bewust. Ten slotte ken ik hem langer dan wie ook.'

'Dit lijkt me werkelijk niet raadzaam,' schiet Frenkel mevrouw te hulp. 'Als arts moet ik u verzoeken...'

'Hij is in zichzelf aan het verdwalen. Geloof me, ik ken het. Dan is er maar één manier om tot hem door te dringen.' Diaghilev zet zijn monocle af en bergt hem weg. 'Vertrouw me, Romolotjka.'

'Waarom zou ik?'

'Omdat ik me gewonnen geef. Mijn Nijinski is niet meer. Ik kom alleen nog afscheid nemen. Wat zijn vijf minuten als je daarna voor altijd van me af bent?'

Mij geeft hij zijn wandelstok, zijn hoed en handschoenen die ik voor hem op de console leg. Hij trekt zijn jasje uit alsof hij thuis is, knoopt om vrijer te kunnen bewegen zijn gilet los en twee boordenknoopjes. In hemdsmouwen laat hij zich door de knieën zakken en knielt hij met dat logge lijf van hem aan mijnheers voeten. Die omvat hij met zijn handen, bedachtzaam, zachtjes rond de wreven. Hij tilt ze op, een voor een, legt ze in zijn schoot en helpt hem de wikkels los te maken.

Als de laagste bediende zit die grote man daar, zorgend voor de danser. Diens voeten zijn rood aangelopen en doorsneden met de afdruk van het elastiek en het verband.

'Een bak vers water heb ik nodig,' zegt de Rus. 'En wat handdoeken.'

Ik aarzel of ik die van het dressoir moet pakken, en blik opzij naar mijn bazin.

Frenkel gaat het onderhand te ver. Hij wil ingrijpen, de indringer bij mijnheer vandaan slepen, maar mevrouw houdt de dokter tegen met een simpel handgebaar. Ze gunt de Rus een kans en knikt mij toe ten teken dat het goed is.

Als ik de spullen waarom hij vroeg naast hem op het parket heb neergezet, vouwt Sergej Pavlovitsj zijn kleine, brede handen tot een kom, schept daarmee water, en laat dat langzaam door zijn vingers over de voeten sijpelen.

Het is een ongemakkelijk gezicht, die twee. Hoe mevrouw zoiets kan toestaan, weet ik niet. Om me een houding te geven drentel ik naar de haard en ontferm me wat over het vuur, dat nogal smookt.

De Rus doopt de handdoek in het koude bad en dept de voeten om de zwelling weg te nemen.

'Je hebt hard gewerkt vanmiddag, Vaslav,' zegt hij zonder op te kijken. Straaltjes water klateren terug in het bassin als hij de doek uitwringt en opnieuw indoopt. 'En je hebt óns hard laten werken.' Een glazen carillon druppelt in de stilte tussen de zinnen telkens na. 'Ik herinner me de tijd dat je ons dromen gaf, nu geef je ons je nachtmerries.'

Mijnheer leunt ondertussen zwijgend achterover. Hij ontspant onder de aanraking. Zijn adem zakt tot in zijn onderbuik.

'Alles hangt af van de keuzes die je maakt, nietwaar? In je hoofd kan die voorstelling die je van je leven hebt nog zo prachtig zijn, op een dag moet je er toch mee naar buiten komen. Dat is een hele schok. De mensen die je om je heen verzameld hebt blijken ineens helemaal niet zo hoog te kunnen springen als jij je al die tijd had voorgesteld. Ze pakken jouw aanwijzingen niet op. Het lijkt wel of ze niet weten hoe ze de ruimte moeten vullen. Zij voelen niet aan waar je heen wilt en missen de expressie die jij voor ogen had. Daar begint het compromis. Het ene mooie idee na het andere moet je opofferen.'

Zijn zware lichaam drukt al te lang pijnlijk op de houten vloer zodat Diaghilev nu even, met een puf en een kreun, moet gaan verzitten. Mijnheer, die zich de hele scène dus wel degelijk bewust is, voelt dit feilloos aan, tilt, om de last te verlichten, zijn voeten even op, en laat ze, zodra zijn oude vriend een betere houding heeft gevonden, zacht weer landen op zijn dijen. Zo zijn die nog steeds met elkaar vertrouwd, dat vormeloze en het gespierde lijf, dat het heel even lijkt alsof ze door één ziel worden aangestuurd.

'En dan ben jij nog bevoorrecht natuurlijk, Vaslav. Jij kunt in je eentje dansen. Zoals je vandaag gedaan hebt. Met niemands beperkingen heb je dan iets te maken, alleen met die van jezelf. En met die van je publiek, dat te dom is, lijkt het, om alle mogelijkheden te begrijpen van het leven dat jij probeert te verbeelden. Dit is het laatste gevecht. Wil je ook dat niet meer leveren, dan dans je gewoon verder in je verbeelding. In zijn hoofd danst een mens altijd precies even wild en weelderig als hij het zichzelf had voorgesteld.'

De Rus pakt een nieuwe doek en wrijft de dansersvoeten droog. Heel even houdt hij ze hierna nog vast, zomaar, zoals iemand soms te lang je hand vasthoudt, alleen maar om niet los te hoeven laten. Ten slotte rolt hij op zijn zij, krabbelt op handen en knieën overeind, slaat met vlakke hand de kreukels uit zijn broek en knoopt zijn gilet dicht.

'Niet iedereen kán dansen. Neem mij. Ik heb geen keus. Het enige wat ik kan is anderen uitleggen hoe ik het voor me zie en hoe ik het graag zou willen hebben. Alles hangt ervan af of ik ze enthousiast weet te maken. Verder bezit ik geen enkele vaardigheid. Dus ben ik overgeleverd aan mensen als jij, iemand die mij aanvoelt, die bereid is in mijn dromen te stappen en daarmee aan de haal te gaan, de enkeling die genoeg liefde bezat om ze te bezielen.'

Sergej Pavlovitsj schiet in zijn jasje en loopt naar de spiegel om te controleren of hij zijn boordje weer goed vastknoopt.

'Als jij afhaakt, Vaslav,' verzucht hij, 'waar blijf ik dan?'

Op datzelfde moment krijgt hij mij in het vizier.

Wat er aan mij zo speciaal is weet ik niet, ik doe gewoon mijn werk. Ik heb net twee zware houtblokken gepakt om op het vuur te gooien, als ik me realiseer dat de bezoeker op het punt staat te vertrekken en dat ik hem nu eigenlijk de stok, de hoed en handschoenen, die hij mij had toevertrouwd, hoor aan te reiken. Hoe pak ik dat aan, denk ik nog, en ik ben met mijn hele lading hout al op weg om de accessoires van de console te pakken, als het tot me doordringt dat ik mijn handen niet vrij heb om ze op te pakken. Dus maak ik in het voorbijgaan een halve draai – nogal handig vind ik zelf – richting haard, gooi daar het hakhout neer, zwiep in dezelfde beweging rond, klaar om de perfecte butler uit te hangen, als ik zie dat de Rus om mij moet lachen.

Erger: hij lijkt mij na te willen doen!

Wat heeft dit te betekenen? Sergej Pavlovitsj spiegelt

de beweging die ik net gemaakt heb en staat daar ineens als een krankzinnige te spelen dat hij óók een zware last onder zijn kin geklemd houdt, op één been, het andere achter zich, in een vreemde, wiebelende pose, rug een beetje krom. Hij grijnst erbij, alsof het om een geheime afspraak gaat die hij nog met mijnheer heeft lopen, en kijkt hem van onder zijn wenkbrauwen aan als om hem uit te dagen.

En dit lukt nog ook.

Kennelijk is iedereen er wel voor in om mij voor gek te zetten, want mijnheer blijkt niet te beroerd even te ontwaken uit zijn lethargie. Uitgerekend hiervoor.

Zijn ogen glinsteren ervan.

Ze leven op alsof het de Rus eindelijk gelukt is tot hem door te dringen.

Mijnheer staat op en neemt verdomd dezelfde pose aan: een bediende die gebukt gaat onder een last hout. Alsof ik naar mezelf kijk! Een paar seconden blijft hij, hoofd gebogen, topzwaar op één been staan en tart zijn evenwicht.

19:*07*

Die vertoning heeft mevrouw wel kunnen overtuigen. Zij is het volmondig met me eens: mijnheer snel en voor-al zonder enig contact met zijn publiek naar huis zien te brengen. Mocht iemand naar zijn toestand informeren: geen woord!

Zijzelf kan niet anders dan acte de présence geven op de receptie, waar haar gasten de thee onderhand aan het verruilen zullen zijn voor iets sterkers en zich vast al afvragen waar de Nijinski's toch blijven. Zij neemt er zo meteen de honneurs waar en zal mijnheer bij ie-dereen excuseren. Zij wil niet dat iemand hem in deze toestand ziet. Ze is dan ook niet van plan nog iemand thuis uit te nodigen voor het souper, heeft ze al laten weten. Dat is dus afgelast. Drie keer raden wie is uit-verkoren om deze boodschap zo meteen te mogen over-brengen aan Marie, die sinds half zeven vanochtend in de keuken staat.

Ik kleed mijnheer dus warm aan en voer hem via de leveranciersingang naar buiten, vlak onder de receptie-ruimte langs, waar het feest te zijner ere goed op gang lijkt. Warm licht valt door de ramen. Schaduwen dan-sen over de sneeuw. Het gekwetter van gesprekken, een strijkkwartet, dat volgens het programma melodieën ten gehore zou brengen uit mijnheers beroemdste balletten. Het rijtuig heb ik wat terzijde van het gebouw klaargezet om zo min mogelijk aandacht te trekken.

Net als ik denk dat we ongezien weg zullen komen, komt Emilia Markus de hoteltrappen af gestormd. Haar gehandschoende handen zijn gebald tot zilverwitte klau-wen waarmee ze mijnheer, net als hij in wil stappen, bij zijn schouder grijpt.

'Ik weet niet wat het precies is wat jij probeert uit te halen,' zegt ze, 'maar ik waarschuw jou, Vaslav Nijinski. Dat je zelf de idioot uithangt is één ding, maar jij bent ook de vader van mijn kleinkind en, God sta ons bij, de man van mijn dochter. Zij dragen allebei jouw naam. Elke keer dat jij iets uitvreet, zijn zij het die voor gek staan.'

Ook tegen haar zegt mijnheer geen woord. Hij staart alleen maar naar de lange pauwenveren in haar toque, die op haar woede heen en weer wuiven als korenhalmen in een storm.

'Als jij dacht dat ik van plan was werkeloos te blijven toezien hoe jij hun naam voor het oog van de wereld be-zoedelt, als je denkt dat ik zal toelaten dat mijn eigen vlees en bloed wordt meegesleurd in de baggerstroom die

357

jij tegenwoordig schijnt te verwarren met een carrière, dan bega je een verschrikkelijke vergissing.'

'Alstublieft, mevrouw,' kom ik tussen beiden, 'laat hem tot rust komen. U ziet toch wat een aanslag deze middag op hem is geweest.' Ik zet Vaslav op de achterbank en sluit het portier. 'Hij probeert geen mens kwaad te doen. Integendeel. Het enige wat hij bereiken wil is dat wij elkaar benaderen met meer zachtheid.'

'Zachtheid,' hoont ze en trekt minachtend één wenkbrauw op. 'Ja, echt iets voor hem.'

19:*14*

Op een heldere nacht als deze zijn de grenzen niet te zien. Geen maan, geen wolkje aan de lucht. Donkere bergwanden lopen naadloos over in het zwart van de hemel. De hellingen zijn bezaaid met lichtjes, maar dat kunnen evengoed sterren zijn die boven een eindeloze vlakte staan. Ja, op zulke avonden is het alsof je je in iedere willekeurige windrichting een pad zou kunnen banen, rechttoe, rechtaan, zonder dat iets je zou belemmeren.

Ondanks de kou heb ik de kap van het rijtuig voor mijnheer geopend, zodat hij, warm onder een bontdeken, het schouwspel op zich kan laten inwerken. De verlichting van het badhotel flakkert van deze afstand als sint-laurenstranen. In de verte ligt Sankt Moritz voor ons als de melkweg.

Dit dal is mijn plaats in de wereld. Het zou zo eenvoudig zijn om er te blijven zitten, zoals ik op mijn oude kruk zit tussen de warmwaterbuizen; onopgemerkt, teruggetrokken. De internationale fine fleur komt en gaat met de seizoenen. Ik vang flarden op van hun gesprekken, van hun reizen en hun plannen, hun dromen; zuchtjes van wat zich elders afspeelt, op een volgende verdieping, op een ander niveau, in ruimtes buiten mijn gezichtsveld. Een eindeloze stroom van indrukken, van veraf aangevoerd. Ik kan zien hoe het stelsel van al die levens in elkaar steekt. Ik zit ermiddenin, zo dicht ertegenaan dat ik mij er soms zelfs even aan kan warmen, zonder er echter ook maar een ogenblik deel van uit te maken. Alles blijft enkel rond mij razen. Zo is het systeem geconstrueerd. Ik kan ertegen trappen zo hard ik wil, niemand zal het merken. Wat mij overblijft, is heel goed luisteren, opvangen zoveel ik kan en dan maar raden wat er gaande is daarginds. Zo heb ik dat zo lang gedaan. Ik heb me stilgehouden en, ogen dicht, gefantaseerd hoe het zou zijn als ik eropuit kon trekken en ooit eens aan dat onbekende deel had.

Toen ik een jaar of veertien was heb ik ze teruggevonden, de spullen die mijnheer Nietzsche mij jaren daarvoor had toegestopt. Ik was samen met Lise aan het wandelen op het pad naar Marmurè en wilde indruk op haar maken. Alsof het om een geheime schat ging en een gevaarlijk avontuur, troonde ik haar mee naar de spelonk waar ik ze indertijd begraven had onder een hoop stenen. Het duurde even voordat ik de plek herkend had, maar dit verhoogde onze uitgelaten stemming. Zodra ik het teken had gevonden dat ik in de rots gekrast had, knielden wij daar zij aan zij. Met vereende krachten rolden wij steen voor steen opzij en veegden voorzichtig het gruis daartussen weg.

De gekleurde kiezels lagen er nog, hun glans bestoft. De andere voorwerpen die mijn dromen hadden geprikkeld bleken nagenoeg te zijn vergaan. De opgezette nachtegaal was ineengeschrompeld en door schimmels aangevreten. Het rijstpapier van de Japanse prent was pap

359

geworden, uitgelopen tot een brij en daarna weer inge-
droogd tot een klont vezels die nog het meest leek op een
uitwerpsel. De inkt was over de rotsen uitgelopen, het
verre, vreemde landschap opgelost.

Lise vond het erger dan ik, leek het wel.

'Wie doet nou ook zoiets?' Ze stompte tegen mijn arm.
'Als je eenmaal iets moois in handen hebt, mag je het
onder geen beding meer loslaten.' Ze plukte de kleurige
kiezels uit het gruis en begon ze op te poetsen alsof haar
leven ervan afhing.

Zelf was ik vooral teleurgesteld dat mijn plannetje
verkeerd uitpakte en averechts op Lise werkte. Verder
haalde ik er mijn schouders over op. Dingen waar je van
droomt moet je dus niet te lang laten liggen, dacht ik
nog, ze blijken niet goed houdbaar.

Met een kwartiertje zijn we thuis. Ik zal mijnheer naar
zijn kamer brengen. Ik zet hem aan zijn bureau. Kan hij,
terwijl ik in de keuken water warm ga maken voor zijn
bad, mooi verder in zijn dagboek krabbelen. Me dunkt
dat hij nieuws heeft.

Als ik beneden kom zal ik eerst Marie voorzichtig vertellen dat ze voor niets heeft gesloofd. Wat ze dan met
al dat kostelijke eten moet, zal ze uitroepen, dat het een
schande is om al die heerlijkheden van Gods aarde te
plukken als je niet van plan bent ze te gebruiken, dat
haar kunsten in dit huis sowieso nooit gewaardeerd zijn,
dat ze maar een voetveeg is en niemand haar ziet staan,
dat ze de beste jaren van haar leven heeft opgeofferd
voor de genoegens van anderen, en of ik wel weet hoeveel mannen ze daarvoor in de loop van de jaren allemaal
heeft afgewezen, alleen om zich in dienst te kunnen stellen van wildvreemden die het niet blijken te verdienen
en dat het nu te laat is omdat geen echte goeie vent haar
meer ziet staan.

Ik zal haar proberen uit te leggen wat er zojuist in het Suvretta is voorgevallen en hoe mijnheer eraan toe is. Om haar op te beuren zal ik uit alle pannen iets proeven en na iedere hap ga ik omstandig haar kookkunst loven. Ik zal tegen haar gejammer ingaan en haar verzekeren dat de mannen van het dorp, wanneer zij het café passeert op weg naar de markt, nog altijd kreunen van verlangen en dat er dan opmerkingen over de toog vliegen, te ondeugend om in haar bijzijn te herhalen. Hoe ze zich ook voelt, van zulk nieuws fleurt ze altijd op.

Heb ik het bad gevuld, dan leg ik schone kleren voor mijnheer neer, haal hem van zijn kamer, raap het vuile goed zodra hij dat uitgetrapt heeft van de vloer en breng het naar de wasruimte. Dan ga ik naar mijn kamer en zoek vast wat spullen bij elkaar.

Veel meer dan een stuk worst en een halve boterham hoeft het niet te zijn, alleen het hoognodige. Ik prop het in een weitas, of nee, ik denk dat mijn oude rugzak handiger is. Daar kan minder in, maar het draagt beter. Ik zal tenslotte bij gebrek aan geld een groot deel van de weg straks toch ook moeten lopen.

Staat alles klaar dan ga ik naar beneden. Ik zal Lise helpen de eettafel af te halen en alle couverts weer op te bergen. Neemt zij de borden, doe ik de glazen.

Dit zou een moment zijn om het haar te zeggen. Dat een mens in zijn leven zijn eigen coulissen moet verplaatsen. Dat het niet is omdat ik niet van haar houd. Dat wij, zoals de adelaar van de bontjager uit Sils, onze vleugels tegen de spijlen hebben kaalgeslagen. Dat je het zonlicht kunt proeven in de honing. Dat ik naar de horizon verlang, zou ik nog kunnen proberen uit te leggen, dat een leven soms niet binnen de lijnen past en dat de tijd dringt, maar eerlijk gezegd wacht ik daar liever mee, of beter nog, ik neem een voorbeeld aan mijnheer en zeg helemaal geen woord waarvan ik denk dat toch geen mens het snappen zal. Dat er al zo lang, zo lang al, iets zingt tussen de stenen.

Wat we nu toch met die sierbokalen vol bloemarrangementen aanmoeten, weet ik niet, maar de andere tafelstukken kan ik alvast ontmantelen, ze weer met hun zachte lappen omwikkelen en terug in de kast zetten. Daarna kan Lise de servetten afhalen, gladstrijken en stapelen, terwijl ik het zilverbestek terugplaats in de cassettes. Veel meer rest ons niet te doen. In de ontvangstkamers had ik bij de haarden wel alles alvast klaargelegd voor grote feestelijke vuren, gelukkig maar dat ik er nog geen enkele had aangemaakt. Dat had ik, omwille van het houtverbruik, pas zo meteen bij thuiskomst willen doen, kort voordat de gasten zouden arriveren. Die moeite kan ik me nu besparen.

Veel te doven valt er dus ook niet. Enkel in de woonvertrekken is er vandaag gestookt. In de slaapkamers zal ik straks voor de nacht nog wel wat porren, verder laat ik nu alle haarden maar gewoon even met rust. Het is nog vroeg, gloort er ergens nog iets dan brandt dat voor de nacht wel uit of op.

Zo iemand één keer in je leven meemaken ligt al niet zo voor de hand, laat staan dat je erop bedacht bent er jaren later nóg eens zo een geserveerd te krijgen.

'Waarom ik,' heb ik de goede Heer gevraagd toen ik vorig jaar begon te vermoeden dat ik weer zo'n zelfde aan de haak had, 'probeer je me iets duidelijk te maken?'

Daar hoor je toch verder nooit iemand over, dat een mens zijn leven zo onverschrokken bij de horens kan pakken? Maar dit is verdomme nu de tweede keer dat ik het voor mijn ogen zie gebeuren: eerst worstelen ze hun gezond verstand tegen de grond en vervolgens wandelen ze zonder om te kijken weg van iedereen en alles wat normaal is. Alsof ik het aantrek. Als je niet beter wist zou je haast denken dat het aan mij ligt. Iemand die mij niet kent zou verdraaid nog gaan geloven dat het mijn nabijheid is die de een na de ander over de rand jaagt.

Als we voor Hotel Belvedère langsrijden, komt de man van Negri ons net tegemoet. Met zijn viool onder zijn arm sjokt hij door de sneeuw op weg naar zijn werk en gebaart me even in te houden. Hij springt op de tree-plank, buigt vriendelijk naar mijnheer over en wil hem de hand schudden om te bedanken voor zijn cadeaus.

'En,' vraagt de muzikant, 'is de avond een succes geweest?'

Mijnheer kijkt hem welwillend aan, alsof de ander een taal gesproken heeft die hij niet machtig is, maar geeft verder niet thuis.

'En de kostuums? Is alles in de smaak gevallen?' probeert de arme kerel. 'Wat een werk zij daarin gestoken heeft. Ja, ja, ik heb haar daarvoor heel wat uurtjes aan u moeten afstaan,' lacht hij ongemakkelijk. 'Dat zie je er wel aan af, nietwaar, al die uren?'

Ten slotte geeft de man het op, licht ten afscheid nog even zijn hoed en stapt in verwarring terug op het trottoir.

'Maar het ging allemaal van harte, hoor,' mompelt hij nog, 'nou reken maar, steek voor steek met liefde.'

Op dat laatste woord, terwijl ik Sinbad tot lopen heb aangezet en wij al rijden, lijkt mijnheer uit de eenzaamheid van zijn gedachten te ontwaken. Hij leunt naar buiten, half over de kap naar achteren hangt hij ineens en grijpt de muzikant alsnog bij zijn handen. Allebei tegelijk houdt hij ze stevig bij de polsen beet, zodat de ander zijn vioolkist in de sneeuw moet laten vallen. Hij drukt ze aan zijn borst, alsof hij voor altijd afscheid van een hartsvriend neemt, en lijkt ze zelfs te willen kussen. Verbijsterd loopt Negri's echtgenoot nog een paar pas-

363

sen mee om ons bij te kunnen houden. Hij probeert zich intussen los te rukken, struikelt haast, maar nog lijkt mijnheer niet van plan om los te laten. Het is dat ik de rem er meteen op gooi en uit alle macht aan de teugels trek, anders kwamen er nog ongelukken van.

Laat de dollen mooi dollen, zou mijn moeder zeggen, ze staan het voorjaar straks niet in de weg. Hopen op wat je hebt, schuddebuiken als een lelijkerd zijn spiegelbeeld krijgt opgedrongen, ik had gewild dat ik het kon.

Ik raap de vioolkist uit de sneeuw en sla hem droog. Zodra de muzikant zich daarmee uit de voeten heeft gemaakt, zorg ik dat mijnheer weer prettig in de kussens zit. Hij reageert nog altijd nergens op. Als een worm op een bergpad heeft hij zich opgerold en houdt zich in zichzelf verscholen.

Ik dek hem weer goed toe tegen de kou. Niet dat we nu nog lang hebben te gaan, daarboven kun je de lichtjes van de villa al zien schimmeren.

Het is niet veel wat ik voor mijnheer heb kunnen doen, mevrouw vindt morgen zo een ander die mijn taken zonder moeite overneemt. Het zal even duren misschien voordat zij even vanzelfsprekend in elkaars nabijheid komen, want laten we eerlijk wezen, een gewone betrekking was dit niet. Ik heb er de laatste maanden amper nog bij stilgestaan, maar er zijn natuurlijk nogal wat eigenaardigheden waaraan een nieuweling zal moeten wennen. Maar mevrouw is er ook altijd nog. Die weet als geen ander welke zorg mijnheer nodig heeft. Reken maar dat zij erbovenop zal zitten. Zeker na vanavond.

Ik denk niet dat zij het in het Suvretta erg laat zal maken, daarvoor is ze te ongerust. Tegen de tijd dat zij thuiskomt hoop ik mijnheer in bed te hebben, want hoe eerder deze dag voorbij is, hoe beter. Ik zal haar zeggen dat alles hier onder controle is, dat er niets eigenaardigs meer is voorgevallen; dat mijnheer wat in zijn dagboek heeft geschreven en nu slaapt, zodat zij in alle rust nog een kleinigheid kan eten mocht zij dat willen en, o ja, dat ik haar daarna, voordat zij zich bij hem voegt, graag heel kort nog even iets wil zeggen.

De Hongaarse soupeert nooit.

'Wat wil je, dat ik eindig als Bernhardt?' riep zij de eerste en enige keer dat mevrouw het haar voorstelde. 'Tweehonderd kilo Jeanne d'Arc voortgetrokken over de Texaanse prairies op een ossenwagen?!'

Die zal zich dus linea recta terugtrekken op haar kamer, waar ze na een minuut of tien zal schellen om Lise, die geacht wordt mevrouw Markus elke avond te helpen bij haar nachttoilet.

Voordat Lise bij de trap is, zal ik zorgen dat ik haar heb ingehaald. Met zachte hand houd ik haar staande in de hal, strijk nog één keer langs die huid, waarover ik blindelings mijn weg kan vinden, en ik druk haar in mijn armen.

'Wat nou dan?' zal ze van pret en ondeugd lachen. 'Schaam je, Peter, foei, kun jij je dan toch voor één keer niet eens inhouden. Áf, stuk onfatsoen, leer je toch eens even te beheersen, met een half uur liggen we in bed.' Zij denkt dat het een avond is als alle andere en kan onmogelijk vermoeden waarom het is dat ik haar dit keer niet zo één, twee, drie los kan laten, dus probeert ze zich vrij te wurmen en duwt mijn handen van haar lichaam weg. 'Nee gek, niet zo stevig nou, je doet me zeer, nee, nee, ik meen het, heus, zo meteen komt mevrouw de gang nog op en ziet ons bezig.'

Uiteindelijk zal ik haar moeten laten gaan. Ik stel me voor dat ik haar na zal kijken tot ze helemaal boven is.

Dit lijkt mij het zwaarste, stap voor stap, tree na tree wiegen haar heupen van me weg en aan het einde van de overloop in de schaduwen achter het trijpen halgordijn zal zij verdwijnen.

Het is een kwestie van durven, meer niet.

Wie weet, voor hetzelfde geld breng ik dat ook allemaal niet op. Misschien kijk ik haar wel helemaal niet na. Zonder na te denken, grote keuzes maken! Ja, waarschijnlijk is dat het beste. In elk geval maak ik tot slot, als altijd, voor de nacht eenmaal nog mijn laatste ronde, om er zeker van te zijn dat in alle lege vertrekken de vuren zijn gaan liggen.

Ik wil je zeggen dat ik hou van jou jou
Ik wil je zeggen dat ik hou van jou jou
Ik wil je zeggen dat ik liefheb liefheb
liefheb
Ik wil je zeggen dat ik liefheb liefheb
liefheb

Je veux dire que vous l'amour
Mais vous ne senti senti sent
Sent sent sent sent l'amour

Vaslav Nijinski, 1919, *Dagboeken*, 2de schrift

Nawoord

Mijn beschrijving van Vaslavs laatste voorstelling in Hotel Suvretta House in Sankt Moritz, die sommige ooggetuigen tot op het einde van hun leven is blijven achtervolgen, is samengesteld uit hun verslagen. Op bepaalde punten verschillen die nogal, maar de bijzonderheden, zoals hiervoor beschreven, heeft iedereen die dag ervaren: de lange, hypnotiserende stilte, de angstaanjagende uitbeelding van het slagveld, de minimalistische dans met de rollen fluweel en Nijinski's slotwoord.

Peter was evenals Lise (Louise Hamberg) in dienst bij de Nijinski's en had als kind Friedrich Nietzsche van nabij meegemaakt. Het was volgens Romola's eigen woorden deze bediende die als eerste een verandering bij Vaslav opmerkte en haar hierop heeft gewezen.

Na de benefietvoorstelling in Sankt Moritz heeft Vaslav Nijinski (1888-1950) de resterende eenendertig jaren van zijn leven alleen bij grote uitzondering nog gesproken. Gedanst heeft hij nooit meer.
   In het dagboek dat hij op deze dag is begonnen, beschrijft hij in drie schoolschriften de groeiende noodzaak die hij voelt om mensen te bekeren tot de liefde en zijn wanhoop wanneer dit onmogelijk blijkt. Het vierde, door Romola verborgen gehouden schrift bevat brieven aan oude vrienden als Diaghilev en Cocteau, maar ook aan Jezus, de president van de raad der geallieerde strijd-

machten en de mensheid. Het zijn veelal associatieve klankdichten waarin hij smeekt om humaniteit en begrip voor zichzelf en anderen. Ze verliezen langzaamaan betekenis en gaan uiteindelijk over in een uitzonderlijk en dwingend rijm- en klankritme, dat nog het meest wegheeft van een hedendaagse rap.

Wanneer Vaslav merkt dat zijn boodschap ook door middel van het geschreven woord door niemand wordt begrepen, zwijgt ook zijn pen.

Na de beslissende dag in januari 1919 heeft Romola, zoals verteld, haar leven volledig gewijd aan de verzorging en redding van haar man.

Kyra's jeugd was verder eenzaam. Op kostscholen groeide zij op tot een opvallend evenbeeld van haar vader. Zij koos voor het ballet en trad met succes op in Parijs en Londen in zíjn rollen en in zíjn kostuums. Zij trouwde met de dirigent en componist Igor Markevitsj, de allerlaatste minnaar van Diaghilev.

Na beëindiging van haar carrière woonde zij in Rome, waar zij werkte als winkeljuffrouw in de Via Condotti. Het laatste deel van haar leven bracht zij door in San Francisco, waar men haar tot op hoge leeftijd als zonderlinge oude dame over de heuvels kon zien dansen.

Zij kreeg één zoon en noemde hem Vaslav.

Sergej Pavlovitsj Diaghilev heeft Nijinski nog meerdere malen teruggezien. In 1923 zocht hij hem op in Parijs.

'Vatza,' probeerde hij hem tot dansen aan te sporen. 'Vooruit, je bent gewoon lui. Kom, ik heb je nodig, je moet weer voor de Ballets Russes dansen en voor mij.'

'Dat kan ik niet,' antwoordde Vaslav droog spottend, 'want ik ben gek.'

Zes jaar na deze ontmoeting stierf Sergej Pavlovitsj, zoals hij hoopte, in Venetië.

Tot woede van Vaslavs artsen nodigde Romola in 1939, nog altijd hoopvol dat haar man op een dag op het wereldtoneel zou terugkeren, een groep internationale persfotografen uit hem te bezoeken in een kliniek in Zwitserland. Hoewel hij zich die dag verder onwillig toonde, vertoonde Nijinski, toen eenenvijftig jaar oud, op de gang voor zijn kamer tot ieders verbijstering voor het oog van de camera zomaar ineens nog eenmaal zijn beroemde zweefsprong.

Volgens het medisch rapport van die dag heeft het applaus dat hierop volgde de patiënt goed gedaan.

Het oordeel van professor Bleuler over Vaslavs ziekte is bijna woordelijk overgenomen uit Romola's verslag, dat ik ook op andere momenten nauwgezet gevolgd heb. Bij Vaslavs dagboeken ben ik echter vooral uitgegaan van de oorspronkelijke, ongekuiste versie die door Romola werd geredigeerd en uitgegeven. De ineenstorting van de campanile van San Marco op 14 juli 1902 wordt beschreven in een ooggetuigenverslag van een architect, te vinden in Ian Littlewoods *Venice: A Literary Companion*. Het woordspel met de stad Albuquerque wordt ook gespeeld in een script van Maury Yeston, de beschrijving van het toenmalige Sankt Moritz en het Engadin komen uit de reisgids van Karl Baedeker, Leipzig 1920; het schilderij van Segantini stond op en in mijn debuut, *Magonische verhalen*. De worm op het bergpad werd door Nietzsche opgemerkt in zijn *Afgodenschemering* en het was Tolstoj die het 'een schandaal' vond 'niet te leven'.

Het beeld van Sergej Pavlovitsj' afgevende haarcrème lijkt misschien te zijn ingegeven door Thomas Manns *De dood in Venetië*, een boek dat Diaghilev erg bewonderde, en door de verfilming daarvan door Visconti, maar is ontleend aan de werkelijkheid en Vaslavs dagboek.

De feiten van de hier beschreven dag, de gebeurtenissen die daartoe hebben geleid en de gevolgen die hij voor Vaslav, Romola en Kyra heeft gehad, staan in de onderstaande werken. Hieraan zijn in alle vrijheid mijn veronderstellingen, mijn reconstructie van en mijn fantasie over die noodlottige 19de januari en de mensen die daarbij aanwezig waren, ontsproten.

The Diary of Vaslav Nijinsky (Unexpurgated Edition, edited by Joan Acocella, FSG, New York 1995), *The Diary of Vaslav Nijinsky* (edited by Romola Nijinsky,

University of California Press, Berkeley 1968), *Nijinsky* door Romola Nijinsky (Victor Gollancz, Londen 1933), *The Last Years of Nijinsky* door Romola Nijinsky (Victor Gollancz, Londen 1952); *Nijinsky* door Richard Buckle (Weidenfeld & Nicholson, Londen 1971); *Nijinsky* door Vera Krasovskaya (Schirmer, New York 1979); *Early Memoirs* door Bronislava Nijinska (Holt, Rinehart & Winston, New York 1981); *Misia* door Misia Sert (De Arbeiderspers, Amsterdam 1994); *The Birth of the Ballets Russes* door prins Peter Lieven (George Allen & Unwin Ltd, Londen 1936); *Diaghilev* door Richard Buckle (Atheneum, New York 1979); *Sergej Diaghilev, een leven voor de kunst* door Sjeng Scheijen (Bert Bakker, Amsterdam 2009); *Diaghilev and Friends* door Joy Melville (Haus Publishing, Londen 2009); *The World of Diaghilev* door John Percival (Studio Vista, Londen 1971); *Laughter in the next room* door Osbert Sitwell (MacMillan, Londen 1949); *Rites of Spring* door Modris Eksteins (Houghton Miflin, Boston 1989).